La balsa de la Medusa

Ant   Machado
Libros

Lo cómico

Traducción de
Juan Díaz de Atauri

Aun siendo una disciplina relativamente reciente, la estética hunde sus raíces en los orígenes de la cultura occidental. A la cultura griega debe su originario significado etimológico: *aisthesis*, sensación. Como todas las disciplinas, tiene un lenguaje con significación específica, aunque aparentemente no sea así. Esa supuesta no especificidad de su lenguaje pone al lector «ingenuo» en peligro de ser arrastrado a terrenos pantanosos, muy alejados del camino real.

La colección *Léxico de estética*, dirigida por Remo Bodei, se compone de una serie de volúmenes, no muy extensos, escritos con lucidez y rigor, dirigidos a un público culto aunque no especializado. Los distintos textos, que tienen su propia fisonomía autónoma, por lo que se pueden considerar como monografías independientes, proponen la reconstrucción por sectores del mapa de ese vasto territorio que ha recibido el nombre de «estética».

La colección se articula en tres secciones: *Palabras clave*, *El sistema de las artes* y *Momentos de la historia de la estética*. La primera aborda, desde una perspectiva teórica e histórica, los conceptos fundamentales que utilizamos para comprender los fenómenos estéticos o para valorar obras de arte, productos manufacturados o de la naturaleza (lo bello, el gusto, lo trágico, lo sublime, por ejemplo). La segunda está dedicada a la estética aplicada a los campos considerados más importantes, como la pintura, la arquitectura, el cine y los objetos de la vida cotidiana. Finalmente la tercera examina la disciplina en su desarrollo histórico, sobre la base de los distintos planteamientos teóricos específicos y de las prácticas artísticas concretas, desde el mundo antiguo hasta la Época Contemporánea.

Fruto del trabajo de los principales especialistas en la materia, italianos y de otros países, todos los volúmenes, aun en la especificidad y diversidad de cada sección, autor y asunto de cada uno de ellos, tienen en común la amplitud de perspectiva y el lenguaje sencillo, una bibliografía comentada que orienta hacia otras lecturas más concretas y especializadas y, finalmente, sus dimensiones contenidas, aun cuando se ocupen de asuntos vastos y complejos.

La colección se constituye de la siguiente forma:

PRIMERA SECCIÓN: PALABRAS CLAVE	SEGUNDA SECCIÓN: EL SISTEMA DE LAS ARTES	TERCERA SECCIÓN: MOMENTOS DE LA HISTORIA DE LA ESTÉTICA
Títulos publicados	De próxima aparición	Títulos publicados
Remo Bodei *La forma de lo bello*	*La estética de la pintura* *La estética de la arquitectura*	Paolo D'Angelo *La estética del romanticismo*
Valeriano Bozal *El gusto*	*La estética de la literatura* *La estética de la música*	Elio Franzini *La estética del siglo XVIII*
Maurizio Ferraris *La imaginación*	*La estética del cine* *La estética de los objetos y de lo cotidiano*	Mario Perniola *La estética del siglo veinte*
Remo Ceserani *Lo fantástico*	*La estética, las artes y las técnicas*	
Concetta d'Angeli Guido Paduano *Lo cómico*		De próxima aparición
De próxima aparición		*La estética clásica* *La estética medieval* *La estética del renacimiento*
Lo sublime *Trágico/tragedia* *El genio*		*La estética del barroco* *La estética del siglo XIX*

Concetta d'Angeli - Guido Paduano

Lo cómico

La balsa de la Medusa

La balsa de la Medusa, 114

Colección dirigida por
Valeriano Bozal

Léxico de estética

Serie dirigida por Remo Bodei

Título original: *Il Comico*
© 1999 by Societá editrice il Mulino, Bologna
© de la presente edición, A. Machado Libros, S.A., 2001
Tomás Bretón, 55, 28045 Madrid
www.visordis.es

3971 409 / 3/09

ISBN: 84-7774-614-1
Depósito legal: M-9.108-2001

Visor Fotocomposición
Impreso en España - *Printed in Spain*
Gráficas Rógar, S.A.
Navalcarnero (Madrid)

Índice

Introducción

Contra la moral, la razón, la muerte

1. *Castigat ridendo mores.* Una tradición antigua –tan antigua que a menudo nos confunde sobre la pátina de este lema del siglo XVII, consagrado en la Comedia del Arte y en especial en el Arlequín de Biancolelli– atribuye a lo cómico una función de orden moral. La denuncia de vicios, de comportamientos reprobables, de descarríos del orden que el sistema social establece como valor generalmente aceptado, y, por ende, la posibilidad, explícita o implícita, de su represión o corrección. La defensa, en suma, de las instituciones parece ser la vía para justificar una función, que, siendo institucional, ha llegado a serlo mediante la cristalización de posiciones alternativas, transgresoras o, en cualquier caso, sospechosas de serlo. Vía, si no obligada, sí especialmente preferida, en la gran literatura, en la medida en que se armoniza con su pretensión de relevancia y de esencialidad, con respecto de la otra vía posible, la que, por el contrario, busca en lo fútil y en lo marginal la garantía de inocuidad.

La nobilísima batalla librada por Molière en defensa de la moralidad de sus obras puede representar simbólicamente cuanto de auténtico hay en ese pacto social; y, al mismo tiempo, la dimensión fecunda, honda, plural de su arte tiene también el significado de recordarnos cuanto hay de instrumental en ese mismo pacto, las motivaciones de supervivencia filogenética que la astucia de la razón hace suyas.

Con mayor evidencia aún, hay, todavía, otro compromiso que afecta constitutivamente al código de lo cómico y que vale tanto para sus apariciones en el género dramático como en la narración, si bien en el teatro tales recurrencias poseen la doble ventaja de la prioridad histórica y de la más directa injerencia en la vida cotidiana. En el teatro, la lucha de la virtud contra el vicio se presenta atenuada ya con respecto a un arquetipo en el que la finalidad moral se evidenciaría nítidamente sin subordinación alguna a exigencias estéticas y por tanto parcialmente neutralizada por la ficción artística; y más atenuada aún en la medida en que la ficción está encaminada a una consecución de orden psicofísico, provocar la risa, caracterizada por atemperar o liberar las tensiones interiores. No hay duda de que frente al sermón, aun el codificado como género literario, o frente a la *indignatio* de Juvenal, igualmente cargada de convención, la caricatura más cruel implica una pérdida de eficacia que acaba por dar la razón, aunque sólo sea relativamente, a la definición aristotélica de lo risible como «un defecto y una fealdad que no causa dolor ni ruina» (*Poética*, 1449a 34-35). No es muy aventurado considerar que este compromiso tiene, a su vez, un carácter contractual; que mediante él se expresa una gradación de la sanción social, al margen de tribunales y cárceles, y, que, de tal suerte, la sociedad se protege a sí misma del riesgo de tomar demasiado en serio su propia moral.

2. Pero lo cómico ha desempeñado tradicionalmente otra función represiva: la que certifica la incapacidad, ya sea por estupidez o por locura, para compartir los presupuestos y las coordenadas mentales del grupo. También este juicio social lleva implícita una naturaleza contractual con sus implicaciones de compromiso, que, en cierto modo, lo coloca en el lugar de los manicomios.

Tal semejanza corre el riesgo de quedar oscurecida por la enorme diversidad de la incumbencia, porque la defensa de la razón es demasiado fácil y su dominio demasiado universalmente reconocido frente a la también universalmente reconocida aspereza de la conquista virtuosa. A diferencia del descarrío moral, el descarrío mental, que no puede corporeizarse colectivamente, queda en cierto modo en un umbral político, por lo que no parece constituir una amenaza para la cohesión y el funcionamiento de la sociedad. Así, en este terreno el ataque se presenta, a primera vista, más bien blando o estático, poco menos tosco que el que se refiere a los defectos físicos, que muy a menudo son considerados blanco paralelo y equivalente. Y, como en el terreno de lo físico, en el terreno intelectual, será el nivel elemental de la normalidad la contraparte idónea que habrá que confrontar a unas carencias que sólo moverán a risa si son clamorosas. De este modo, este género de comicidad buscará su justificación preferentemente en la insignificancia, que, como ya hemos visto, es simétrica a la misión moral.

Por muy distintos que puedan llegar a ser considerados, ambos conformismos, el de la moral y el de la razón, se organizan en la misma

12

actitud de superioridad, la que el conjunto social experimenta mediante la risa ante sus partes marginales, risa con la que se hace cargo de que tales partes no llegan al equilibrio moral y racional que la sociedad misma se da con sus leyes, escritas y, sobre todo, no escritas.

Usamos una terminología de carácter evolutivo que se justifica por el hecho de que la superioridad así manifestada se puede interpretar como superioridad de la dimensión adulta con respecto de la dimensión infantil; es, por tanto, una distancia salvable, o por lo menos mensurable, en el orden del incremento de la educación, que, tanto en la ontogenia como en la filogenia, se presenta como un incremento de la represión. En primera instancia, podemos atribuir a esta potencialidad y precariedad, y también a la ternura que suscita la vulnerabilidad de la infancia, la indulgencia que se experimenta en el medio elegido para el ataque. Se ríe, pues, del carácter vicioso del niño, es decir, del hecho de que sus deseos se manifiesten como (todavía) ilimitados y por ello refractarios a las prohibiciones de la moral, si bien, más que inmorales, son asociales, por rechazo de la alteridad, condición necesaria de la socialización, que se experimenta en la ocupación egocéntrica del mundo. Y, además, se ríe de la ingenuidad que procede de la imperfecta asimilación de normas que encauzan en recorridos rigurosos (¿o rígidos?) la actividad mental, reprimiendo el desarrollo indiscriminado de la fantasía y con ello también de la riqueza misma de los deseos. En el universo infantil las esferas infinitas del poder de la libido y del juego imaginario son aún más fácilmente identificables de lo que puedan serlo la moral y el conocimiento en las teorías intelectualistas que ocupan el primer plano en la cultura occidental, desde Sócrates hasta nuestros días.

3. La interpretación de lo cómico como superioridad adulta constituye la conclusión de la reflexión sobre la risa que hace Sigmund Freud; pero el pasaje en que tal reflexión se conforma como definición implica contextualmente cierta confusión:

> Si pudiéramos permitirnos una generalización, sería muy atractivo deducir de las anteriores consideraciones que el carácter específico de la comicidad era precisamente este renacimiento de lo infantil, y considerar lo cómico como la «perdida risa infantil» reconquistada. Podríamos entonces decir que reímos de una diferencia de gasto entre la persona-objeto y nosotros, siempre que en la primera hallamos de nuevo al niño. De este modo la comparación de la que nace la comicidad sería la siguiente:
>
> Así lo hace ese - yo lo hago de otra manera - ese lo hace como yo lo he hecho de niño.

La risa surgirá, por tanto, de la comparación entre el *yo* del adulto y el *yo* considerado como niño[1].

Freud parece no advertir que mezcla la risa *suscitada por el niño* con la risa *suscitada en el niño* que, nostálgicamente buscada en la primera frase, apunta a un drástico trueque de papeles. La confusión es sorprendente porque Freud construye su libro en oposiciones y delimitaciones netas de las «personas» implicadas en los procesos de la risa. Por otro lado, la conclusión a que llega es aún más sorprendente al situar en una posición unívocamente rechazada aquella infancia que a lo largo de toda su obra aparece una y otra vez como espejismo dorado.

La vía de salida a estas contradicciones sólo puede encontrarse en la admisión de que siempre que en «la primera [la otra persona] hallamos de nuevo al niño», tal descubrimiento implica *al mismo tiempo* la superioridad adulta y la envidia adulta, esto es, la nostalgia de las libertades y riquezas infinitas que pertenecen a la infancia. El movimiento que parecía únicamente de alienación es, al tiempo, movimiento de alienación y de identificación; dicho de otro modo, el ataque, la agresión cómica va siempre acompañada de una recuperación afectiva y queda complicada con ella. Hay, pues, una ambigüedad estructural creada en el aparente carácter compacto de lo cómico y que justifica con mayor rigor su carácter de compromiso; no sólo se discute la indulgencia, en tanto que factor que atenúa la agresividad, remachando la posición adulta, sino también el dato de que las dos partes que desempeñan los respectivos papeles personales concebidos como alternativos, estén, únicamente y al mismo tiempo, proponiendo, más bien, una concepción circular de la risa.

Tal es el tema de una brillante intervención de Falstaff, que la ópera de Boito y Verdi ha sacado de un momento fortuito del *Enrique IV*, parte II (a. I, esc. II) de Shakespeare para hacer en ella la síntesis de la acción cómica:

Ogni sorta di gente dozzinale
Mi beffa e se ne gloria;

---

[1] S. Freud, «Il motto di spirito e la sua relazione con l'inconscio», en *Opere 1905-1908*, Turín, Boringhieri, 1972, p. 200. [Cito por la traducción española *El chiste y su relación con el inconsciente* en: *Obras completas*, Madrid, Editorial Biblioteca Nueva, 1974, traducción de Luis López Ballesteros y de Torres y revisión de Jacobo Numhauser Tognola, reeditadas en Ediciones Orbis, 1988, bajo la dirección de Virgilio Ortega, volumen 5, pp. 1161-1162. N. del T.].

Pur, senza me, costor con tanta boria
Non avrebbero un briciolo di sale.
Son io che vi fa scaltri.
L'arguzia mia crea l'arguzia degli altri.

(Toda clase de gente ordinaria / se burla de mí y se jacta de ello; /
aunque, sin mí, esta gente tan fatua / no tendría ni una pizca de sal. / Soy
yo quien les hace agudos. / Mi ingenio crea el ingenio de los demás.)

(acto III, parte II)

En la gran fuga final los papeles de burlador y burlado, que han dejado de ser alternativos, se conforman ahora de un modo nuevo, sim-
bolizando el movimiento infinito de los hombres y de sus vicisitudes:

Tutti gabbati! Irride
L'un l'altro ogni mortal.

(¡Todos burlados! se ríen / el uno del otro todos los mortales)

4. El carácter común de la condición humana es la clave para entender una ambigüedad esencial a la risa moralizadora, que cabría enmarcar en el precepto cristiano que impone odiar el pecado y amar al
pecador, si no fuera porque aparece ya en la comedia clásica, atesti-
guando, pues, un origen no tanto ideológico como semiótico, derivado
del peso relativo que en el texto asumen pecado y pecador.

El pecado predomina allí donde predomina la virtud, su antagonis-
ta y complemento; es decir, allí donde el discurso cómico se determina
a exaltar al sujeto del ataque convencionalmente aceptado contra un
objeto que acaba por quedar velado en la abstracción conceptual y en la
indeterminación colectiva. No hay recuperación posible del objeto salvo por las atenuaciones que establece una consideración realista y adulta que le asigna su justo lugar en un mundo donde las desviaciones extremas no admiten la risa.

La situación es muy distinta cuando, por el contrario, el objeto de
lo cómico se pone en el centro de la atención y se le atribuye la función
de protagonista, determinada como tal por las estrategias y por las je-
rarquizaciones textuales. En tales casos el interés exclusivo puesto en el
pecador, al que se sigue en su historia personal y en la complejidad de
sus determinaciones, abre una brecha por la que, enseguida, asoma el
caballo de Troya de una identificación emotiva que ninguna demoniza-
ción ética podrá impedir. Estamos ante una totalidad constituida por
un centro explícitamente presentado como negativo y por una periferia
que sólo existe en función del centro que la define y respecto de la cual,

15

fundándose en tal definición y en simetría con cuanto sucede en relación con el centro, no hay virtuosa intachabilidad que pueda atribuirle una atención autónoma. ¿A dónde dirigir la identificación emotiva, que es condición básica de la recepción teatral y literaria y que no puede fracasar en su objetivo so pena de que fracase la obra misma? Por este collado formalizado pasan contenidos psicológicos de potencia proporcional a su inconfesabilidad. Así, los ejemplos extremos de este conflicto entre juicio moral y simpatía semiótica deberán explicarse, más allá del campo de incumbencia de lo cómico, por la turbación admirada que nos produce la grandeza del mal. Pensemos en la negra fascinación que ejercen los tiranos, que aunque acaben por ser irremisiblemente derrocados —rédito que el mundo de los valores no puede dejar de anotar en su balance—, son derrocados por virtuosos antagonistas de quienes nadie recuerda ni el nombre, de modo que aún en la derrota siguen ejerciendo el dominio de la escena, en la medida en que siguen suponiendo una invocación al deseo de poder que en todos los hombres ocupa un oscuro substrato anterior a la civilización de la convivencia.

Sin embargo, en el caso del vicio cómico, derrota y desquite se consuman al mismo tiempo en cada paso de la anécdota, disputándose el último rincón de la relación entre una transgresión y un castigo que sabemos limitados. No deberá buscarse, no obstante, muy lejos del deseo de poder la raíz del desquite, que, de un modo genérico, cabría enmarcar —a la espera del discurso que singularizarán las distintas realidades textuales— en el rescate de la dimensión infantil como naturaleza del hombre. Naturaleza que, reprimida, se representa en el protagonista hecho prisionero en las *Avispas* de Aristófanes, o en el arquetipo antropológico en que consiste ese juguete llamado «tentetieso». Se apela a nosotros —lectores y espectadores— para que nos identifiquemos con dicha naturaleza sin, por ello, abandonar la práctica de la norma social.

En confirmación de cuanto se ha dicho conviene aquí excluir un vicio que no es natural, sino que, por el contrario, representa un doble nivel de mediación cultural; el primero de tales niveles determinado a establecer la norma virtuosa y el segundo, a adulterarla y a falsearla. Nos estamos refiriendo a la hipocresía; la imposibilidad de rescatarla del modo al que nos referíamos —y de cualquier otro— está genialmente administrada por Molière cuando limita la ocupación de la escena por parte de Tartufo. Así, la imprescindible identificación queda reservada al personaje de Orgón, por su credulidad y por su pasión, tan naturales como infantiles.

5. Por un lado, la lucha contra el vicio se aminora con el decrecimiento de la introspección y, por el lado opuesto, con el crecimiento

cuantitativo del objeto atacado, es decir, cuando el vicio se generaliza tanto que se convierte en mayoritario hasta poder aspirar a definir globalmente al cuerpo social en que se da; entonces, aun siendo una negación de la norma, el vicio deviene en norma, a su vez, y traslada su sustancia al comportamiento social, convirtiéndose de hecho en la moral dominante. La agresión cómica equivale, entonces, a una batalla política, y, de hecho, se propone un objetivo esencialmente político, la subversión de la sociedad corrompida. La indignación que condena la inmoralidad de una sociedad que promulga unas leyes y, al mismo tiempo, se arroga el derecho de infringirlas representa el más alto nivel de la conciencia adulta, la misma conciencia que nutre las luchas políticas, los sermones edificantes, las campañas de moralización. Se nutre del convencimiento de que hay una moral más alta, la moral absoluta, a la que debería ceñirse todo contrato social.

En tal caso, la indignación no parece tener límites porque el objeto atacado no puede, obviamente, aprovecharse del movimiento afectivo que tiene su origen en la remota coincidencia de sentimientos y que queda reservado a lo individual, ni tampoco puede ser objeto de la indulgencia que puedan suscitar las culpas leves y relativas. En realidad, la sociedad corrompida está muy cerca del mal absoluto, y la única razón para utilizar otros medios distintos a la violencia, asimismo absoluta, parece ser la del temor a una respuesta que sea agresión destructiva.

En la medida en que el vicio colectivo y la inmoralidad estructurada en forma de poder político constituyen un obstáculo nada fácil de superar por la acción concreta de oposición del individuo, y en la medida en que, por otra parte, pueden darse circunstancias externas que hagan ineficaz o imposible incluso el ataque verbal explícito, el sujeto que se plantea a sí mismo como moralizador queda constreñido a experimentar en sí mismo una condición infantil, que es doble en este caso. Por un lado, se organiza efectivamente como la posición de inferioridad del niño que carece de armas eficaces para oponerse al sobrepoder y al arbitrio de los adultos; por otra parte se organiza según la persuasión de omnipotencia y el deseo del niño de suprimir cualquier orden que le imponga límites. De ello se deriva que, cuando se habla de condiciones que pueden impedir la rebelión contra la sociedad corrompida, no sólo se piensa en las circunstancias externas, como sería el caso de un sistema político fuertemente represivo o de una estructura cultural perteneciente al pasado, aún activa y peligrosa, sino también en el hecho de que el ataque, la acción agresiva, pueden quedar bloqueados por la interferencia de un pensamiento moderado y de carácter adulto, o, lo que es lo mismo, por el convencimiento de que no se puede prescindir de un contrato social o de las normas que aseguran el orden colectivo. Así pues, si la debilidad infantil pone límites pragmáticos al moralismo, el moralismo, a su vez, pone límites teóricos a la omnipotencia infantil. En esta situación la risa llega a afectar tanto al sujeto como al objeto del ataque. La disminución de la fuerza combativa que de ello resulta es semejante a la que Bertolt Brecht ve en la aparición de reacciones intensamente emotivas por obra del proceso de identificación y que define como un alivio general de la fuerza agresiva y, por ello, siempre con referencia al teatro, una fisura en la conciencia crítica del público, conciencia de la que se espera la generación y el mantenimiento de un gesto revolucionario contra la estructura social atacada.

6. Por otra parte, también un sistema social no corrompido o perverso puede ser objeto de agresión cómica; en tal caso, lo será precisa y exclusivamente por su naturaleza de sistema, de orden normativo que refrena y constriñe los deseos humanos.

Esta es la situación con que se identifica todo un género literario y teatral, el de la llamada Comedia Nueva, que ha llegado hasta nosotros sobre todo a través de las recreaciones latinas, y que ha sabido transmitir su clara autoconciencia a la cultura renacentista y moderna hasta el punto de haberse planteado durante siglos como *el* modelo de comedia. En dicha comedia el objetivo de identificación es el de un deseo sexual que para quedar satisfecho no tiene otra vía que la de desmontar los valores que garantizan la estructura familiar y, en especial, el doble imperativo del autocontrol virtuoso y de la minuciosa administración del dinero. Este asalto que se concreta en el asalto a la figura del *pater familias*, de tan rico simbolismo, se mide rítmicamente en una carcajada triunfal y desvergonzada.

Vemos, pues, que tras haber estado dando vueltas en torno a la ambigua denuncia de la sociedad injusta, hemos llegado a un modelo simétrico al que preveía la risa como sanción adulta del vicio, y, con una apariencia tan unívoca como la de aquella, hemos topado con una risa decididamente infantil (¿la risa perdida, quizá, a que se refería Freud?), desacralizadora de la virtud.

Siempre aparentemente, esa risa justifica la contraposición cómico/moral, es una salida paradójica del moralismo ilustre y declarado de que hemos partido. De hecho, si hemos visto como se daba el vuelco no sólo entre una y otra situación, sino también entre los aspectos complementarios de cada una de las situaciones, no causará ningún asombro la conclusión de que no siempre se debe buscar en la risa inmoral la emergencia máxima de la subversión y, en cualquier caso, deberemos buscar siempre en ella algo que haga aceptable la rebelión antisocial en un contexto social.

En relación con una plena y rigurosa negación anarquista, no cabrá que nos demos por satisfechos con la atenuación institucional que representa la risa. En tal caso, por el contrario, lo que sucederá será que la omnipotencia infantil encontrará su límite no ya, como en la situación precedente, en la necesidad lejana de un orden que suceda al orden injusto, sino en la necesidad viva y urgente del mismo orden atacado, con respecto del cual el triunfo cómico conservará su carácter de objeción, de no aceptación.

En cuanto a la otra característica de orden infantil, la de la debilidad, la de la condición de inerme, se instituye para garantizar la solidez del sistema; es decir, para garantizar que su derrota sea ilusoria o, mejor aún, funcional en tanto que válvula de escape; y, en un lapso de tiempo artificial y rigurosamente definido, como por ejemplo en carnaval, se suspenden y trastocan las jerarquías sociales para proteger el pacífico ejercicio de las mismas en el tiempo ordinario.

Fuera de este modelo imperante están aquellos textos en que la indispensable autodefensa de la sociedad se presenta tan debilitada que ni siquiera llega a excluir la negación cómica de los supremos valores religiosos. Obviamente, el carácter marginal de tales textos se resuelve en una enorme fascinación, la que implica las incursiones en un terreno que, al mismo tiempo que es campo de conquista por parte de la afirmación autoconsciente del hombre, es también terreno de arenas movedizas que engullen exigencias heterónomas tan hondas como aquella.

7. Si nos preguntásemos, paralelamente al discurso ya hecho sobre la moral, cómo funciona lo cómico que afecta a la desviación mental, tendremos que preguntarnos, en primer lugar, qué relaciones (no todas simplemente de oposición) se entrecruzan entre la razón y las dos condiciones que la transgreden, o sea, la estupidez y la locura. El loco tiene en común con el pensamiento racional el entramado formal, si bien usado de manera distinta y con fines distintos, aun con el mismo rigor; mientras que el necio tiene con la razón una relación cuantitativa, hace un uso inconveniente de la misma, incompleto y fragmentario.

El que se ríe ante la estupidez y ante la locura, se ríe afirmando el poder de la razón, y al reír exhibe la propia capacidad para dominar los mecanismos racionales, lo que supone no sólo un instrumento para el conocimiento sino también para la gestión de la realidad y es además un factor conformador del pacto social. Sin embargo, la actitud que acompaña a su risa es distinta en los dos casos. Mientras que es una actitud de suficiencia despectiva y tranquila con respecto de quien muestra su inferioridad en el empleo de las estructuras racionales, con respecto de quien propone el recurso a un tipo diferente de razonamiento la risa va acompañada de señales de desasosiego y desconfianza. En la ostentación de superioridad respecto del loco se enmascara el temor a que su lógica tan estructurada y fuerte como la del cuerdo constituya un riesgo grave para la presunta intacabilidad del sistema de pensamiento común. Sus leyes, dadas sin verificación alguna en la medida en que son absolutamente dudosas, siempre que se las someta a un análisis igualmente extrañador, se revelan discutibles y, por ello, inciertas, e implican en la duda a todo el sistema lógico.

Mientras que este temor explica la violencia de la sanción social que prescribe la segregación del demente, en el plano individual abre el camino a un movimiento, a contracorriente, de solidaridad. Por tal vía, de hecho, el *homo rationalis* toma conciencia de que los instrumentos de la razón son inadecuados para la tarea, que ellos mismos se proponen, de dar forma y cuenta de lo existente, y de reordenar de manera comprensible y tranquilizadora el misterio que lo circunda. Además, la experiencia de los hechos emotivos le demuestra que la aplicación rigurosa y única de los instrumentos racionales es reductiva, constrictiva y, a fin de cuentas, falseadora de la representación del mundo psíquico. Nacen de aquí, anidadas en la risa de superioridad, la contradictoria impaciencia ante la razón y la necesidad de desvincularse de la misma, recuperando el arbitrio sin condiciones y sin límites que caracteriza a la dimensión infantil, y conquistando la libertad que recorre los caminos del sueño, de las visiones y de los deseos, de donde extrae sus leyes, leyes que se substraen a las imposiciones de lo real y de las reglas lógicas que lo organizan.

Pero tampoco el desprecio del necio es inmune a complicidades que proceden, no ya de una alternativa radical a la razón, sino de una especie de guerrilla dirigida contra las solas posiciones racionales.

En cualquier caso, se introduce la sospecha de que el proceso de conocimiento puede prescindir de la razón, e incluso la sospecha de que se pueden alterar radicalmente sus instrumentos, y que tal procedimiento, lejos de paralizar toda capacidad de pensamiento, puede liberar en él otras posibilidades imprevisibles y desconocidas.

8. Una especie de contraprueba paradójica de todo esto es la frecuente aparición en la literatura del tema del engañador engañado, que asigna el papel más bajo en la escala intelectual no a quien no dispone de los instrumentos racionales, o no hace uso de ellos, sino a quien aparece utilizándolos aviesamente. Esta situación límite nos lleva a considerar la posibilidad de que la razón, como la moral, pueda recibir un ataque directo de lo cómico y, además, un ataque indirecto, esto es un

ataque tanto atribuido al sujeto del discurso como llegado de las seducciones oscuras y residuales del objeto. En este caso, no obstante, no habrá en el ataque un objeto propio, en la medida en que la común posesión de los instrumentos racionales por parte de los hombres no permite singularizar un blanco simbólicamente adecuado a encarnar en sí la dimensión axiológica, dado que se pone en riesgo esa misma dimensión. La libertad infantil de la razón será, pues, proclamada sólo en un campo de tensiones implícitas o latentes, y la forma de movimiento que describa tales tensiones será no la del asalto frontal, ni tampoco siquiera la de la guerrilla, sino la de un errar aparentemente ocioso.

La vaguedad es uno de los motivos de descrédito que afectan a esta forma cómica; el otro depende del hecho, muy comprensible pero no por ello menos engañoso, de que el juicio que de dicha forma cómica nos formamos está dictado por la razón, su rival, tal es el caso, por ejemplo, cuando, para definir aquella risa que parece excluir una participación esencial en el compromiso de la vida, hablamos de *pun* (la voz inglesa que podríamos traducir por retruécanos) o más provincialmente de agudezas correspondientes a las formas de ingenio verbal que Freud califica provisionalmente de inocentes.

El acceso al campo específico de los *Witz* (de las agudezas) es sintomático del hecho de que una de las formas más representativas de la risa contestataria de la razón es la utilización extremada del instrumento lingüístico en contra de la función social y pragmática que le es atribuida, la de su transparencia, y que puede definirse como la correspondencia biunívoca entre significante y significado que procede de la arbitrariedad del signo lingüístico. Y decimos extremado por relación con las muchas formas de opacización de la comunicación que de diferentes maneras responden a la necesidad de tratar a las palabras como cosas. Opera así, por ejemplo, la literatura, comprendiendo en ella todas las formas de lo cómico aludidas hasta aquí que a menudo ponen al servicio de contenidos ideológicos la alteración del lenguaje.

Pero cuando en la risa no se puede rastrear ningún otro sentido o valor psíquico que el llamado por Freud «placer de disparatar»[2], entonces convendrá preguntarse si la impresión de gratuidad no derivará del hecho de que esté dándose un conflicto demasiado intenso como para ser percibido en la peculiaridad de las situaciones discursivas. Si es así, no nos quedará otro remedio que atribuir cierta astucia a esa fuerza humana que se opone a la razón, aunque quizá fuera mejor atribuírsela a

<hr />

[2] *Ibídem*, p. 1099.

la razón misma en su paradójica capacidad de hacerse cargo de instancias que le son extrañas y opuestas. A todas estas situaciones se aplicaría lo que dice Freud de los que califica como Witz escépticos, caracterizados, al contrario de la sutileza intelectual, como aquellos que lo «que atacan no es una persona ni una institución, sino la seguridad de nuestro conocimiento mismo, uno de nuestros bienes especulativos»[3].

Por nuestra parte, creemos que la revalorización psicológica de este tipo de risa implica una revalorización paralela de las formas literarias que han hecho de ella su propio mensaje fundamental. Se trata de una revalorización paradójica que, al transformar en compromiso tanto más marcado la carencia de compromiso tanto más descaradamente exhibida, nos libera, si no de otras cosas, sí al menos de las hipotecas de la mala conciencia, lo que debería bastar para reconocer el clasicismo de Wodehouse o, aún mejor, de Achille Campanile.

Estos dos autores de un modo especial, aunque ciertamente no exclusivo, tienen también el mérito de mostrarnos cómo el uso del lenguaje absolutamente determinado a la finalidad cómica no se da sólo insistiendo en la importancia de un factor único –aquel en el que se fundamenta la posibilidad de una salida, o de un chiste– sino que es producto de un proceso de signo opuesto que consiste en desproveer de toda relevancia al conjunto lingüístico reduciéndolo a mero hábito social, rumor de fondo de un vivir, asimismo insignificante, que se deja representar simbólicamente en él: flujo de conversación fútil, oleada fangosa de lugares comunes, carencia de relación, como la que en el título de un librito de Campanile, *Gli asparagi e l'immortalità dell'anima* (*Los espárragos y la inmortalidad del alma*), basta para crucificar implacablemente, son otros tantos atentados a la funcionalidad de la comunicación.

Tampoco es raro que en la literatura cómica tenga lugar, como en los Witz escépticos de Freud, el ataque directo a los procedimientos lógicos del lenguaje. La aplicación al universo de los enunciados negativos propiedades válidas para los positivos, procedimiento explícitamente prohibido por la lógica clásica, alcanza en Beckett un efecto fulminante, que arranca de raíz toda ilusión de un positivismo cósmico:

ESTRAGÓN: Te digo que ayer por la noche no estábamos aquí. Lo has soñado.
VLADIMIR: ¿Y dónde estábamos ayer por la noche, según tú?

[3] *Ibídem*, p. 1093.

ESTRAGÓN: No lo sé. En otra parte. En otro compartimiento. No está el vacío que falta.

(*Esperando a Godot*, a. II)

El efecto de Beckett introduce en una presunción metafísica del lenguaje. Riesgo presente en muchas utopías por su aparente facilidad de funcionamiento lógico que confirma la incertidumbre de la línea límite entre lo verdadero y lo falso. Y, sobre todo, riesgo exaltado en un tema que lo cómico carga con un amplio impacto popular y, a veces, con una bastedad aparentemente inadecuadas a la extremada delicadeza de los problemas implicados en él: poner en crisis el principio de identidad. Nada denuncia más a fondo los abismos que se abren en la realidad ordenada que la duda que, pese a Descartes, resquebraja la autoconciencia de quien duda. Una vez más, lo que se rompe es una correspondencia biunívoca; se trata ahora de la correspondencia entre un conjunto de experiencias externas e internas y la unicidad de la persona que las vive: va desde la amplísima casuística del equívoco (qui pro quo, una persona en el lugar de otra) hasta la inquietante –tanto más inquietante cuanto más hilarante– temática del sosias.

Pero, a su vez, la duplicación de la persona no es sino el caso límite de un fenómeno mucho más amplio aún. Aplicada incluso a un acontecimiento minúsculo, Borges nos lo recuerda, la concepción racional de la historia como conjunto significativo de factores precisa una singularización en el tiempo lineal. En lo cómico, la repetición es tan frecuente que incluso ha propiciado definiciones de lo cómico demasiado fiadas a ese sólo recurso.

9. La confrontación entre las tipologías generadas por las grandes temáticas, la de la moral y la de la racionalidad, sugiere dos observaciones. La primera se refiere al hecho de que la risa contra la desviación mental se convierte en risa contra la razón, sin que se dé ninguna vicisitud comparable a la fase ambigua que aplicaba la risa moralizante al vicio social cuando éste está tan extendido y es tan sistemático que se convierte en norma. Seguramente esta diferencia se debe a que, contrariamente a cuanto sucede en el terreno de lo moral, no hay una razón relativa e histórica. Aun cuando los mecanismos de funcionamiento de la razón han sido especialmente objeto de ataques, revisiones y críticas, el sistema racional, en tanto que instrumento principal de conocimiento de la realidad, de sus formas y de las formas de las relaciones humanas no ha sido nunca puesto en crisis por el pensamiento occidental con el mismo radicalismo con que ese mismo pensamiento ha subvertido y desquiciado en el tiempo las organizaciones sociales y los ordena-

mientos políticos. En la conciencia humana está arraigado el convencimiento de que, mucho más que un contrato que organice las fuerzas colectivas y establezca los límites y los derechos de los individuos, se hace necesario un sistema de categorías formalizadoras, sin las cuales la humanidad se precipitaría en la oscuridad de lo inexplicable y quedaría sometida al caos. Por ello el sistema racional recaba un consenso unánime, interclasista y atemporal.

El otro punto que en nuestra opinión merece una atención específica se refiere a cierto vínculo que se establece entre las temáticas de la moral y las de la razón en muchas situaciones cómicas que consideran el engaño como motor narrativo y dramático.

En la medida en que el engaño implica la presencia al mismo tiempo de una negación moral y de una afirmación intelectual, tal engaño origina una estructura que recuerda la disposición de los elementos lingüísticos en el quiasmo, según la cual la vitalidad infantil que desquicia alegremente el orden autoritario se une a una sabiduría adulta que dispone de estrategias manipuladoras en perjuicio de ese mismo orden; connotarlo con rasgos infantiles no es más que hacer uso de la metáfora cruel, ya presente en el mundo clásico, que habla de un aniñamiento de los ancianos. En esa metáfora la debilidad intelectual se hace una con la debilidad general, la condición de inerme, en que melancólicamente decae la autoridad.

No resulta muy fácil concluir cuál pueda ser el éxito de este quiasmo para la determinación del grado de peligrosidad de la subversión. Si bien es más nítido que nunca el triunfo de la subversión armada *también* del poder racional, nuestra impresión es que hay un factor de defensa del orden social que coexiste y prevalece.

Si representatividad moral y debilidad intelectual no se asocian esencialmente sino sólo accidentalmente (por muy a menudo que ello pueda suceder), de tal circunstancia se deriva el mensaje de que no es en absoluto la moralidad lo que queda derrotado sino el deterioro que tales circunstancias acarrean.

10. Las observaciones precedentes llevan a concluir que en la dimensión cómica hay una tendencia oscura o pública, resistente o dominante, a afirmar un deseo de omnipotencia. No nos sorprenderá demasiado descubrir en una dimensión cómica específica la omnipotencia más extendida en la especie y, al mismo tiempo, más arraigada en el individuo, la omnipotencia que supone la liberación de la muerte.

¿Pero qué mecanismos pueden ordenarse a transformar en aparición de comicidad la reflexión sobre ese acontecimiento que, sean cuales fueren las circunstancias existenciales, coloca a la condición humana bajo el signo de lo trágico? Una vez más, es la dimensión adulta la que inserta el momento agresivo en la risa; y una vez más la dimensión infantil agredida presenta un aspecto bifronte.

Por un lado, la indefensión infantil se hace absoluta en una angustia irracional y en el miedo ante todo cuanto tenga que ver institucionalmente con la muerte.

Contrapunto bufo de esta situación es un cuento de Mark Twain titulado *El peligro de estar en la cama*, en el que una persona, ante la circunstancia de suscribir una póliza de seguros contra el riesgo ferroviario (riesgo que hay que considerar en términos decimonónicos), se abstiene de ello tras una atenta lectura de las estadísticas:

> un ulterior estudio de las cifras informaba de que entre Nueva York y Rochester circulaban ocho trenes de pasajeros de ida y vuelta al día, lo que suponía una media de 6.000 personas transportadas diariamente; alrededor de un millón de personas cada seis meses, lo que viene a ser la población de Nueva York. Pues bien, los ferrocarriles del Erie matan entre trece y veintitrés personas de cada millón en medio año; mientras que en ese mismo período de tiempo, ¡del millón de habitantes de Nueva York 13.000 personas mueren en sus camas! Se me puso carne de gallina y se me erizaron todos los pelos de la cabeza. «¡Es espantoso!», me dije. «En realidad, el peligro no está en viajar por ferrocarril, sino en meterse en esas camas homicidas. Nunca más dormiré en una cama».

Tras la paradoja clamorosa se esconde la tragedia silenciosamente consumada en la normalidad de la condición humana, mucho más vasta y mucho menos evitable que las situaciones que se convierten en noticia.

Dejemos a un lado la objeción derivada de la *vexata quaestio* sobre hasta qué punto y en qué medida hay en la infancia conciencia de la muerte; lo que nos interesa es que la naturaleza indistinta y totalizante de la superstición es homogénea a la actitud infantil hacia otras partes de lo real. El extendidísimo *humour* macabro se dirige precisamente contra este miedo.

Por otro lado, la omnipotencia infantil desencadena una vasta tipología de fantasías de derrota de la muerte: a su existencia y carácter definitivo se opone la fe obstinada y apriorística en la propia eternidad; es decir, se sustituye la finitud humana por la afirmación de un poder sobrenatural que hace de la supervivencia misma el presupuesto y la garantía de toda posibilidad de vida.

Tanto en un caso como en otro es casi superfluo señalar la enormidad de la recuperación afectiva asociada a la risa.

Una ambigüedad emotiva semejante se ejerce también en las soluciones de compromiso que, bajo la apariencia de razonable y responsable aceptación de la condición humana, se instituyen como excepciones de sólida apariencia en las que vuelve a refugiarse la fe infantil en la propia eternidad, movilizando ahora estrategias de persuasión, formalizadas según las reglas del equilibrio juicioso y que, de hecho, aplicadas en otras circunstancias y con otros objetivos, recibirían el consenso unánime del mundo adulto.

De este modo, las formas irracionales del miedo se configuran como problemas que se pueden resolver y convertir en inofensivos, si la razón demuestra su inocuidad o, del modo que fuere, consigue superarlos con sus argumentaciones, oponiendo a su evidencia desordenada, aunque bien concreta, la ordenada demostración de la solución contraria y tranquilizadora, por más teórica que sea. La primera y capital argumentación consiste en demostrar que la muerte afecta a los demás. A este objeto se elaboran categorías bien definidas (la vejez, la enfermedad), en torno a las que se concentra la condición de inevitable y próxima mortalidad, y de las cuales se excluye quien las establece. Una categorización semejante del sí mismo se plantea bajo la clave de la inmutabilidad, arrinconando la evidencia clamorosa que denuncia la movilidad de la condición humana, e incluso rechaza las elaboraciones conceptuales que la colocan en el esquema del tiempo lineal. Pero vejez y enfermedad pueden también ser exorcizadas de modo opuesto, aceptándolas e incluso asegurándoselas como garantía de una supervivencia de la cual serían el precio.

Como paradoja de ese mismo objetivo funciona el énfasis puesto en los grandes momentos de la vitalidad biológica, tales son la comida y el sexo, que atraviesan y arrastran la vida cotidiana en su normalidad. Mediante una operación que intercambia la condición de causa y efecto, a la vitalidad física, que es simplemente la confirmación del vivir, se le da un valor absoluto para que aparezca, así, como la matriz del vivir, convirtiéndose en garantía de supervivencia ilimitada.

También aquí la infundada pretensión infantil de inmortalidad se alía con el ejercicio de la instrumentación intelectual adulta, sometida, no obstante, a un último objetivo que ninguna racionalidad podría aceptar; es decir, a la asunción de que pertenece a la humanidad, o al individuo, la condición divina de la ilimitación vital, asunción necesaria para poner una barrera a la angustia inducida en los vivientes por la perspectiva de la propia muerte.

La risa está destinada a desmitificar lo profundamente erróneo de tales estrategias, mediante la conciencia tan irrebatible como inaceptable de que la muerte es plazo universal de los vivientes y que no tiene remedio alguno. Podíase reír del vicio y también de la moral, del necio y también de la razón, no nos es difícil entender que se ríe del miedo y de la ilusión de inmortalidad que hay en el hombre, pero nunca de la muerte.

I

La crítica de los vicios

1. Al principio de la IV sátira del libro I, Horacio define la función moral de la risa, implicando en ella –junto a su propia experiencia literaria y la del género que cultiva– a la gran comedia ática de la que procedería:

> Los poetas Éupolis, Cratino y Aristófanes,
> y demás varones representantes de la Comedia Antigua,
> si alguien era digno de ser retratado, porque fuera malo
> y ladrón, porque fuera adúltero o sicario o infame por
> alguna otra razón, lo censuraban con mucha libertad.

Más adelante, en la misma sátira, rechazando una acusación de agresividad gratuita («"Te gusta zaherir", oigo / decir, "y lo haces aposta, malvado"...», vv. 78-79), el poeta reivindica un objetivo positivo para la ridiculización del vicio, el de «evitar los vicios...» (v. 106). Los sabrosos esbozos que encadenan uno por uno los distintos tipos de comportamiento desviado tienen como objetivo apelar *e contrario* a una decisión virtuosa y a mantenerse alejado de tales conductas perversas.

En tales términos se fundamenta el dominio del recto pensar social vinculado a la autoafirmación de una clase dirigente. De tal suerte, el logro más elevado y justamente más famoso del Horacio satírico es la representación de la pureza química de dicha clase, en la sátira IX del libro I. Como siempre, la fama canónica distorsiona y simplifica, por lo que será conveniente reclamar para esta sátira una solidez que sólo se adelgaza si se la recuerda como el retrato de un inoportuno que estorbara la tranquilidad privada de Horacio, o bien como el retrato de un trepador social que se aprovechara de la bondad de Horacio como punto débil para penetrar en el elitista círculo de Mecenas:

... "¿Qué tal Mecenas
contigo?" –vuelve a la carga–. "Es hombre de juicio y
amigos selectos; nadie lidia mejor con su suerte.
Tendrías una gran ayuda para hacer el papel de secundario,
si quisieras introducir a este menda en el grupo. Te juro
que te harías el amo." "Allí no vivimos de ese modo
que tu piensas. No hay casa más pura ni más ajena
a esta clase de defectos. Nada me afecta, te lo aseguro,
que uno sea más rico o erudito que yo: hay un lugar
para cada uno." "Enardeces mis ganas de estar
lo más cerca de él." "Basta que lo desees: con tu virtud
lo tomarás al asalto. Es de los que se dejan conquistar;
por eso, los primeros acercamientos a él son difíciles."
"No desfalleceré: con regalos corromperé a los esclavos; si
soy rechazado, no desistiré; buscaré mi oportunidad,
le saldré al encuentro en la calle, le escoltaré. Nada sin
gran esfuerzo la vida da a los mortales."

(I.9, vv. 43-60)

Según una de las precisiones más clásicas de Freud, la que vincula
lo cómico al principio de economía, lo que aquí provoca la risa es un
esfuerzo malgastado, y malgastado en el sentido más fuerte de la palabra, un esfuerzo no ya inútil sino contraproducente: cualquier *avance*
es en realidad un retroceso, porque evidencia sistemáticamente una incompatibilidad lógica (procedente de una incompatibilidad moral) entre el deseo y el objeto del deseo. Viciado está, de hecho, el modo mismo en que se pretende la virtud, que, bajo la, ya por sí sola
desagradable, violación de la intimidad ajena, pone de manifiesto otras
violencias radicales, corrupciones, degradaciones, absolutamente opuestas al mundo armonioso en que se pretende entrar tras haberlo interpretado equivocadamente. De tal modo, en la medida en que el vicio
aproxima a sí a la virtud y se iguala con ella –y no viceversa– llega a ser
rechazado por la connotación objetiva y fría, racista cabría decir, de
pertenencia a lo otro. Es verdad que no se hace temer sino que sólo llega a mostrar su hipocresía («Enardeces mis ganas de estar lo más cerca
de él»), utilizándola como base para proponer sus propios métodos
(«corromperé a los esclavos», etcétera), pero precisamente su utilización
confirma circularmente la exclusión.

2. También Marcial, más que nadie probablemente, pues suyo es
el célebre «parcere personis, dicere de vitiis» (X, 28), afirma, mediante
la agresión cómica, el valor de la norma que proviene de la salud del
cuerpo social. Y ello aun cuando el vicio que él escarnece principal-

mente esté tan extendido como lo está el instrumento de las actividades y de las relaciones humanas que ese mismo instrumento pervierte, induciendo él mismo el proceso de corrupción; esto es, el dinero.

Hace poco no tenías dos millones completos de sestercios, pero cras tan pródigo y generoso y tan espléndido, Caleno, que todos tus amigos te deseaban diez. La divinidad escuchó nuestros votos y súplicas y en un plazo de siete calendas, creo, cuatro muertes te los proporcionaron. Pero tú, como si no te hubieran sido legados, sino arrebatados los diez, caíste, desgraciado, en un hambre tan grande que los banquetes más suntuosos que tú preparas una sola vez en todo el año, los realizas con la mezquindad de una moneda de cobre y tus siete viejos amigos te costamos media libra de plomo. ¿Qué cosa digna de estos merecimientos suplicaremos? Deseamos para ti cien millones, Caleno. Si esto sucede, morirás de hambre.

(I, 99)

En este epigrama se neutraliza, de modo excepcional, el tema de la caza de herencias, que ya Horacio denigraba[1], y que vuelve con muchísima frecuencia en Marcial, como clave obsesiva de una concepción trastrocada de las relaciones entre las personas. Según esa consideración el deseo de muerte constituye un modo de inversión, creándose así un cortocircuito que desencadena la risa por la instantánea conversión del valor en lo contrario, en lo carente de valor. Véase un ejemplo, entre muchísimos, en el que no se debe confundir la implicación absolutamente ficticia del yo hablante:

Paula desea casarse conmigo, yo no quiero casarme con Paula: es vieja. Querría, si fuese más vieja.

(X, 8)

La cosificación de la persona que se expresa en estas relaciones perversas halla una voz a la que concederemos un valor teórico o, al menos, un valor ampliamente ajeno a la historicidad de la situación descrita:

Cuando te pido dinero sin interés, dices «no tengo»; tú mismo, si responde por mí mi pequeño campo, tienes: lo que no me confías a mí, tu viejo camarada, Telesino, lo confías a mis coles y a mis árboles. He aquí que Caro te ha denunciado como reo de delito: que te preste asistencia mi pequeño campo. Buscas un compañero de destierro: que vaya mi pequeño campo.

(XII, 25)

---

[1] Recuérdese la gran sátira de Ulises y Tiresias (II, 5).

Otro epigrama ataca la falta de autenticidad burlándose de la pretensión misma de autenticidad (no se sabe bien si dictada más por la hipocresía o por el autoengaño), mediante una llamada a las trampas de la lógica:

«Dime la verdad, Marco, dímela por favor; no hay nada que escuche de mejor grado.» Así también cuando lees en público tus libritos y siempre que defiendes el pleito de un cliente me ruegas, Galico, y me suplicas siempre. Me resulta duro negarte lo que pides. Escucha, pues, lo que es más cierto que la misma verdad: no escuchas de buen grado la verdad, Galico.

(VIII, 76)

3. En la jornada I del *Decamerón*, Giovanni Boccaccio ataca una serie de vicios y los enmienda, generalmente, recurriendo a «prontas respuestas» de personajes agudos y críticos. La rápida corrección del mal, operada mediante la vergüenza suscitada en el pecador, es claramente reveladora de una naturaleza sólo superficialmente o quizá sólo ocasionalmente corrompida, que se arrepiente ante la primera manifestación de censura. En cualquier caso, no se atribuye protagonismo al pecador, y se da ese papel a quien tiene la respuesta pronta y resolutiva, que es, en todos los casos, un personaje caracterizado por una idealización moral y representativo de una sociedad sana.

Tal sucede con la bella marquesa de Monferrato (narración V), decidida, cueste lo que cueste, a mantenerse fiel a su marido. Asediada, en ausencia de aquel, por el rey de Francia, y obligada por las normas de cortesía a recibir al monarca con los honores debidos, la marquesa hace que le sirvan un suntuoso banquete. No obstante, consciente de las intenciones deshonestas del soberano, prepara su estrategia para sofocar sus *avances*, disponiendo que sólo guisen gallinas para la comida. El rey se asombra ante tan extraña providencia:

–Dama, ¿en este lugar sólo nacen gallinas sin ningún gallo alguno?

La marquesa, que entendió perfectamente la pregunta, pareciéndole que, según su deseo, Dios Nuestro Señor le había dado ocasión oportuna para poder demostrar su intención, volviéndose al rey que le preguntaba respondió resueltamente:

–No, monseñor, pero las mujeres, aunque en vestido y en honores varíen algo de las otras, todas sin embargo están hechas aquí igual que en otras partes.

La elegancia del ropaje metafórico le permite a la marquesa desviar a un terreno indiferenciado el *avance* de un personaje de status más elevado, sin ofenderlo por ello, desde el momento en que la censura no le está dirigida explícitamente; e inducirle, al mismo tiempo, a conformarse a las obligaciones de un rey, que tendría que ser el garante de las relaciones entre los nobles y, por ello mismo, con mayor razón aún, estar obligado a respetar las normas de tales relaciones.

Otro rey, que por cobardía, se sustrae a su deber de protector de los débiles y que ni siquiera sabe defenderse él mismo de los ataques, «hasta el punto que quien tenía algún enojo, con hacerle alguna ofensa o afrenta lo desahogaba» es objeto de una áspera acusación por parte de una dama de Gascuña, ultrajada por «unos depravados» en la isla de Chipre (narración IX). Su desaprobación se inspira en las normas de las virtudes caballerescas y corteses, que Boccaccio admira profundamente y que considera como el más elevado modelo de comportamiento social. Pero mientras que son estas virtudes antiguas las consideradas e invocadas por la dama cuando imagina al rey como el único que puede vengarla, en el discurso que le dirige, tras haberse percatado de su cobardía, adopta las maneras del trastrocamiento irónico y hace gala de pretender imitarlo en su pusilánime predisposición renunciatoria:

> –Mi señor, no vengo a tu presencia porque espere venganza del ultraje que se me ha hecho; pero para satisfacerlo te ruego me enseñes cómo soportas tú todos los que se te hacen para que, aprendiendo de ti pueda pacientemente soportar el mío; pues sabe Dios que si pudiese hacerlo, de buen grado te lo daría, ya que los soportas tan bien.

En el narración VI el pecado no es el de una persona en particular, sino de los frailes inquisidores en su conjunto; si bien, también en este caso el personaje en concreto, a través del cual se representa la culpa, acepta avergonzado las palabras de condena tácita de un hombre honesto, aunque no especialmente dotado de virtudes. Llamado por el inquisidor a justificar una frase impía que habría dicho en público y salvado de una condena más dura mediante la satisfacción secreta de una gran suma de dinero, «el buen hombre» debe, en penitencia, asistir a misa todas las mañanas y presentarse ante el inquisidor a la hora de comer, y todo ello durante un largo período de tiempo. Un día, tras haber oído el pasaje del evangelio en que se dice «Recibiréis ciento por uno y poseeréis la vida eterna», el buen hombre se llega afligido a la mesa del inquisidor y le confiesa que está triste por él y sus cofrades:

> Desde que vengo por aquí, todos los días he visto sacar hacia fuera para mucha gente pobre uno o dos enormes calderos de sopicaldo del que se retira a los frailes del convento, porque sobra; y si por cada uno

os serán devueltos cien, tendréis allí tanto que todos vosotros os vais a ahogar dentro.

El recurso a las palabras del evangelio impide al inquisidor y a los otros frailes culpables contestar a la censura y le permite al buen hombre expresar implícitamente la irritación que le ha suscitado el abuso de autoridad al que le han sometido y que toma la forma de maldición.

Aún más positivamente caracterizado el protagonista de la narración VIII, ese Guiglielmo Borsiere, «valioso hombre de corte sociable y elocuente», a quien Boccaccio considera el heredero de un conveniente modo de entender el papel social de los nobles.

En él recae el deber de hacer comprender su culpa al noble genovés Erminio Grimaldi, a quien ninguno de sus conciudadanos llama nunca por su nombre, sino sólo por el apodo de «Avaricia». Como quiera que un día le pide consejo a Guiglielmo sobre el tipo de figura con que decorar al fresco las paredes de su nueva casa, éste le contesta:

–... Si os place, os enseñaré algo que no creo que vos hayáis visto jamás.
Micer Erminio, no esperando la respuesta que se le dio, dijo:
–Vamos, os lo ruego, decidme qué es.
Y Guiglielmo le dijo entonces rápidamente:
–Haced pintar la Cortesía.

4. Como en el epigrama X, 8 de Marcial, en el relato de Antón Chejov, titulado *La víspera del juicio*, coinciden también las personas del yo narrador y del pecador, y queda puesto en ridículo sin que ello suponga ninguna profundización ni patetismo especiales. El tono pseudoautobiográfico implicará sólo que la sanción del pecado venga dada, no mediante un juicio, sino por los hechos mismos, por la capacidad punitiva que el principio de realidad pueda llegar a tener y a ejercitar a través de los caprichos de la suerte. En el curso del viaje a la ciudad en que va a ser juzgado por bigamia, un don Juan impenitente encuentra ocasión para intentar seducir a una dama; no vacila en inventar un embuste para acceder a la intimidad con la deseada señora y se hace pasar por médico.

Frustrado por la aparición del marido, queda destinado a un castigo ulterior cuando se desvele la entidad de aquél, que tendrá lugar en el momento de la vista. Sólo entonces, de hecho, adquiere sentido la frase –«He aquí un consejero de Estado, que todos temen y que no es capaz de coger una chinche»– que la señora había dirigido a su marido durante el viaje:

Pero lo que no puedo referir y lo que el lector no puede imaginar es el espanto y el terror que de mí se apoderaron cuando, al levantar los ojos a la mesa cubierta de paño rojo, descubrí, en el asiento del fiscal, a... Teodorito. Al verlo me acordé de las chinches, de Zinita, de mi diagnóstico, de mi receta, y experimenté algo como si todo el océano Ártico me inundara.

Teodorito y Zinita (Fedia y Zinoska), los diminutivos afectuosos con que se ha nombrado a la pareja, se hacen ahora incongruentes en una situación que se ha hecho fríamente pública.

Absolutamente sórdida es la avaricia de Dascheñka en el relato *Un descuido*. A su cuñado que, por error, creyendo que era vodka en la oscuridad, ha bebido petróleo y angustiadamente pide ayuda, le dice:

¿Y qué necesidad tenía usted de tocar el petróleo? ¿Acaso tiene usted algo que ver con él...? ¿Acaso estaba guardado ahí para usted..., o es que cree que el petróleo no cuesta dinero? ¿Eh...? ¿Sabe usted a cuánto está ahora el petróleo...? ¿Lo sabe usted?

El cuento se cierra con otro lance epigramático. Una vez superado el peligro, el cuñado se jacta de que ha sido su vida ordenada lo que ha propiciado la buena reacción de su organismo, pero Dascheñka da una explicación distinta:

–No, con esto no se demuestra que el petróleo sea malo –suspiró Dascheñka, con la mirada fija en un punto y pensando en el gasto–. Se demuestra que el tendero no me ha dado petróleo del mejor, sino del de *kopeka* y media la libra... ¡Soy una mártir! ¡Una infeliz! ¡Verdugos! ¡Tiranos! ¡Que tengan en el otro mundo la misma suerte que en éste! ¡Herodes! ¡Malditos...![2]

5. También en un pasaje de *La gramínea* de Raymond Queneau, la cotidianeidad del abuso oculta la relevancia moral de ese mismo abuso; en el relato, el comportamiento de los porteros, un gremio tradicionalmente caracterizado por su curiosidad, afición al cotilleo e incluso al espionaje, llega a convertirse en código.

El portero Saturnin abre con indiferencia un telegrama dirigido a uno de los vecinos de la finca:

---

[2] Una observación idéntica en *Schweyk en la Segunda guerra mundial* de Brecht, remite, en cambio, al plano modesto en que Schweyk coloca su oposición al poder nazi, y, así, la bomba que no consigue matar a Hitler «...probablemente era barata. Hoy en día se hace todo en serie y luego nos extrañamos de que las cosas sean de poca calidad» (I).

Es un telegrama para Narcense. Algo raro, seguramente importante. ¿Lo despegará y se enterará de algún secreto?...
Saturnin vuelve a cerrar el telegrama; nada interesante: «Abuela muerta». Esto no es ningún secreto. De todas formas se hubiera sabido.

(cap. II)

Tanto la violación de la correspondencia como la desilusión de ver frustrado en esa misma correspondencia el carácter transgresor de la violación son dos gestos igualmente obvios, pues la noticia no tiene nada de reservado[3].

---

[3] La situación es muy parecida a la de *El inspector* de Gogol, obra en la que el jefe de correos comete la misma violación, y en la que aquella misma motivación se eleva al rango de curiosidad cultural: «Nada de precaución, sabe, pura curiosidad. Para mí el mayor placer que hay es saber qué pasa en el mundo. Una lectura interesantísima, se lo aseguro. Hay algunas cartas, además, que se devoran. ¡Describen tan bien los hechos! Allí uno se entera un poco de todo. Las prefiero a las «Crónicas de Moscú» (a. I, esc. II). Pero en la gran comedia gogoliana no hay vicios concretos, ni de especial importancia, sino, más bien, porciones orgánicas de una sola y sistemática corrupción que coincide con el orden social. La comicidad que en ella se pone en funcionamiento es, pues, la que acompaña a la protesta política. También es diferente el punto de vista desde el que se organiza una espléndida réplica en la *Importancia de llamarse Ernesto* de Oscar Wilde: ante el reproche de su amigo por haber leído una dedicatoria personal escrita en una pitillera, Algernon le contesta: «Bueno, es absurdo tener reglas exactas sobre qué se debería y qué no se debería leer. Más de la mitad de la cultura moderna depende de aquello que no se debería leer» (acto I). A diferencia de las dos situaciones anteriores, la identificación queda desplazada por parte del transgresor; pero la dimensión moral deja de ser el espacio de la réplica. En realidad, su finalidad no es objetar las normas sobre la intimidad, sino salir del paso merced a la ambigüedad que permite dar dos significados diversos a la prohibición de leer, sustituyendo al pertinente en el contexto por el que se remite a la prohibición oscurantista.

II

La representación de la manía

1. Las primeras grandes representaciones del desenfreno maníaco, que afectan a la globalidad y complejidad de la persona se encuentran en Aristófanes.

En el personaje de Filocleón de *Las avispas* queda representada en su quintaesencia la perversión del poder judicial que en opinión de Aristófanes es el mayor y sobre todo el más persistente vicio de la democracia ateniense. Se trata de un poder que, habiéndose convertido en instrumento de un ejecutivo corrupto, se sirve de las necesidades sociales decididamente presentes en los jurados populares (compuestos fundamentalmente de ciudadanos pobres y ancianos), para ejercer una justicia violenta y arbitraria.

El objeto de la risa es el carácter obsesivo que llega a tener en la vida del juez Filocleón la función-pasión. Acude al tribunal la noche anterior a la vista para estar puntual por la mañana (vv. 99-104) y guarda en casa una playa entera para que no le falten las piedrecillas necesarias para votar (vv. 109-110). La dimensión judicial invade la generalidad de sus experiencias hasta representar para él un filtro universal. Desesperado porque su hijo, que representa el modo positivo de pensar, le ha encerrado en casa para curarlo de su manía, la toma con un esclavo:

«¡Miserable de mí! ¿Cómo podría matarte? ¿Cómo? Dadme una espada cuanto antes» o una tablilla para elegir sentencia.

(vv. 166-7)

Luego se deja caer en una desesperación que traslada al lenguaje de su idea fija la ilustre tradición del dolor autodestructivo:

«Dame, Señor, tu gracia, / ten piedad: con el rayo / ardiente hazme cenizas» / sácame luego y sopla, / y arrójame en la salmuera; / «o hazme la piedra» en la que / cuentan las conchas.

(vv. 327-33)

Para él, el placer de lo judicial llega a ocupar incluso el lugar del placer de lo alimentario, cuya preeminencia, históricamente consagrada en un contexto atormentado por guerras y carestías, debía de ser evidente para el público contemporáneo de Aristófanes[1]:

Y con razón por Zeus; porque yo ni leche de pájaro / preferiría en vez de esta vida que me quieres quitar; / y no disfruto con las lizas ni las anguilas, sino que con mayor gusto / me comería un pequeño proceso, bien asado en una fuente.

(vv. 508-11)

La razón adulta desprecia esa totalización maníaca en la medida en que ve en ella el defecto de organización que se expresa en la fallida distinción de campos heterogéneos, pero el deseo infantil la reconoce como hermana aún antes de considerar sus contenidos, que son el deseo de poder y su especialización en sentido agresivo, la *Shadenfreude* [la alegría por el mal ajeno][2]. La ambigüedad de actitud ante estas dos

---

[1] Véase, más adelante, pp. 222-23.

[2] Tal formalización se hace evidente en situaciones en que el contenido de la manía no tiene nada de criticable y lo único que la hace peligrosa es la tendencia a fagocitar cualquier otra actividad. Véase por ejemplo *La fammiglia dell'Antiquario* (*La familia del anticuario*) de Carlo Goldoni, donde la práctica del coleccionismo absorbe hasta tal punto la vida del protagonista que llega a imposibilitarle que se ocupe de la administración de las finanzas de su familia o, incluso, el ejercicio del afecto. Su comportamiento mantiene una coherencia estilística soberbia, iluminado ya desde el *incipit*, en el cual los recursos del lenguaje extrañador se vinculan con las perspectivas irónicas de la ruina económica: «¡Qué hermosísima medalla! ¡Un *Pescennio* auténtico! ¿Cuatro cequís? ¡Qué va!, la he conseguido por un trozo de pan». Y cuando estalla la disputa, previsible pero no por ello menos terrible, entre suegra y nuera, y al consuegro Pantalone no se le ocurre nada mejor para resolverla que, renunciando al ejercicio de su inexistente autoridad, prometer un anillo de diamantes a la primera que tenga un gesto conciliatorio para con la otra, se entremete el conde Anselmo para decir: «Si es antiguo me lo quedaré yo». Frase que cae en el vacío, como corresponde al carácter autista de la manía. En la novela de Wodehouse *Castillo de Blandings*, la idea fija se convierte en una grotesca unidad de medida para el juicio moral. Lord Emsworth dedica todas sus energías emotivas a la cría de una cerda a la que ama sobremanera, la «Emperatriz de Blandings»; pues bien, cuando se encuentra en la circunstancia de tener que convencer a una muchacha para que no se case con su sobrino, al que no aprecia especialmente, fundamenta su crítica al joven del siguiente modo. "«¡Ese muchacho arroja raquetas de tenis al lomo de los cerdos, me oyes! [...] ¡Lo he visto yo con estos ojos. Yo he visto como le tiraba la raqueta de tenis al lomo de la

formas emotivas está atestiguada en el contexto del teatro de Aristófanes que asegura su solidaridad plena cuando se ejercitan contra el mundo corrompido, en conformidad con las reglas de una sociedad que admite una versión bastante atenuada del pacto de no agresión. En *Las avispas*, no obstante, se propicia una vía de recuperación absolutamente específica, capaz de transmutar en simpatía por Filocleón aquellos mismos argumentos que denuncian su causa como errada. El hecho de que en último término Filocleón no tenga ningún poder, es decir, que sea subalterno respecto del poder político es, por un lado, el principal argumento esgrimido por su hijo para tratar de abrirle los ojos (además demostrar la iniquidad del sistema), pero, por otro lado, un arma formidable para rescatarlo de las responsabilidades del régimen que lo explota; régimen del que podrá, en ese momento mismo, definirse como víctima por las mismas razones que los moderados bienpensantes como su hijo.

Pautado en el ritmo persuasivo de la pelea entre padre e hijo, este proceso de desmitificación constituye el nervio ideológico de la comedia; pero llega a ser mucho más fascinante su presencia en el lenguaje emotivo de Filocleón, que hace estallar en carcajadas mediante el contraste psíquico que se expresa con apariencia de lapsus:

> Un hombre al que, cuando se escurre de la cama, le esperan junto a la valla / unos tipos grandotes, de dos metros; y en cuanto me acerco / me alarga uno «su mano suave»... ladrona de fondos públicos; / suplican con la cabeza gacha, vertiendo una voz lamentable: / «compadéceme, padre, te lo pido, si alguna vez robaste también tú / teniendo un cargo público o, en campaña, comprando para tus camaradas». / ¡Un hombre que no sabría que existo, si no fuera por la anterior absolución!
> (vv. 552-8)

Para comprender el sentido de esta última intervención, conviene recordar que la pulsión sádica de Filocleón está codificada en un oráculo que le amenaza con horribles desgracias en caso de que absuelva a un imputado. Ahora bien, ni pulsión ni oráculo valen nada ante los «peces gordos» que se imponen al poder judicial aun cuando sólo sea para ver en él (en su ejercicio) reconocida su impunidad de clase. De tal suerte, la concepción piramidal del poder (según la cual el juez está por encima de quien tiene ese poder, pudiendo, así, llegar a ser embriagadora en el parangón con la potestad soberana de Zeus), se derrumba súbita-

Emperatriz de Blandings! ¿Y lamentablemente no sólo una vez...! suspiró su señoría» (cap. X).

mente sobre Filocleón desvelando la indubitable realidad de su miseria, denunciada en otro lapsus:

> Unos lloran su pobreza y añaden otros males a los que tienen hasta que, a fuerza de aburrirme, los igualan a los míos.
>
> (vv. 564-5)

Incluso el áspero derecho de una clase social humillada se rebate dos veces en el *topos* procesal que consiste en aducir como atenuantes las dificultades sociales de los imputados. En un hilarante proceso doméstico al perro, el defensor aboga:

> Si te hurtó algo, perdónale: es que no sabe tocar la cítara.

Y la respuesta fulminante de Filocleón:

> Yo querría que ni supiera escribir, para que no nos hiciera sus cuentas con trampas.
>
> (vv. 959-61)

Tan cruel franqueza se verá mejor cuando la poco afortunada defensa se convierte en bumerán; invitado a absolver, Filocleón responde:

> De ningún modo: no sé tocar la cítara.
>
> (v. 989)

No hay excusación de orden populista que pueda tener efecto si el juez no tiene la mala conciencia de los privilegiados.

Nos hemos referido ya a la presencia en la dimensión infantil tanto de la omnipotencia como de la debilidad. Filocleón reproduce esta situación en una vejez regresiva hacia la infancia, tras haber perdido el vigor y las responsabilidades que corresponden a la edad adulta, mientras busca inútilmente en el oropel del poder público compensaciones a la pérdida de autoridad en la propia casa. Esto explica el rencor al hijo y explica también por qué la solución no será el *buen retiro*[3] que el hijo espera[4], cuando su impotencia queda mostrada al exterior y asumen valor objetivo y exclusivo aquellas vetas de angustia que antes afloraban en medio de una felicidad ampulosa hasta el punto de constituir incluso un rasgo de equilibrio psíquico.

---

[3] En español en el original (N. del T.).
[4] Véase más adelante, pp. 127-28.

2. Al principio de la obra, el protagonista de *Las nubes*, Estrepsíades, de origen humilde, despierta simpatías con sus lamentaciones por los enormes gastos que le ocasiona su hijo, habido en su matrimonio con una mujer noble. El objeto de la risa es la megalomanía, y se acepta el hecho de que se proponga como proyecto la deshonestidad de no pagar las deudas. El método utilizado, que consiste en hacer suyos los preceptos de la nueva cultura filosófica (las enseñanzas de Sócrates, a las que se atribuye un contenido inmoral), se constituye en el elemento central de la comedia y en él se entretejen las directrices de la identificación. El mensaje ideológico de *Las nubes* es la aversión por cualquier cultura que ponga en peligro el legado de valores ético-religiosos transmitidos desde la idealizada generación de los combatientes de Maratón. Se trata de un misoneísmo tan absoluto como para que en el final quede excluida la risa. Cuando Estrepsíades se da cuenta de que su hijo, al que ha enviado, en su lugar, a la escuela de Sócrates, ha aprendido allí a despreciar a sus padres, se hace consciente, arrepentido, de su error y quema la casa del filósofo, demandando al público ese mismo fanatismo, el fanatismo de los pogromos.

Hasta aquel momento, lo que se muestra en la escena, mediante la fracasada educación de Estrepsíades, es el conflicto entre dos realidades desacreditadas; por un lado, la persona tosca e ignorante que trata de auparse a un ambiente culturalmente superior, por otro, la inanidad culpable de ese mismo ambiente. Cabría aventurar como hipótesis que el sistema de estas dos negatividades lleva a cabo una reducción de la una en la otra, o bien que la estolidez del arribista demanda en ocasiones una identificación presentándose como resistencia (¿instintiva?, ¿producida por una memoria de clase?) a los no valores por otra parte pretendidos.

En este aspecto, la situación de *Las nubes* evoca con la mayor evidencia su identidad con la planteada en *El burgués gentilhombre* de Molière, donde la condena afecta precisamente tanto a las ambiciones socio-culturales de Jourdain como al mundo aristocrático que constituye su meta y que tiene su representación especialmente siniestra en la gorronería cínica de Dorante; pero en Molière las cartas se descubren antes que en Aristófanes, porque en la obra de Molière se hace explícito un punto de vista positivo, que consiste precisamente en la solidez burguesa de la familia de Jourdain.

Ciertamente Estrepsíades hace reír cuando toscamente malentiende a los discípulos de Sócrates que «investigan las cosas que se encuentran bajo tierra», interpreta que se dedican a buscar cebollas y les indica dónde podrán encontrarlas (vv. 188-190); o cuando se espanta de la proximidad de Esparta respecto de Atenas en el mapa, evidenciando no tener la menor idea de qué pueda ser una representación simbólica (vv. 214-16); o cuando toma por una divinidad personal el torbellino de aire que Sócrates coloca en el lugar de Zeus en la explicación de los fenómenos atmosféricos (v. 380); o cuando es incapaz de entender el sentido técnico, en poética, del término «metro» (vv. 638-45), etcétera. Provocan tanta risa las entusiastas sintonías como las discrepancias con las materia de enseñanza, a partir de la atribulada admiración con que sentencia:

> «¡Con qué facilidad conseguiría evitar la condena un demandado que conoce a fondo el intestino del mosquito!
>
> (vv. 167.8)

Y también hacen reír los despropósitos de Jourdain, sobre todo aquel inolvidable en que se entera que el habla cotidiana, no siendo en verso, es prosa, y, así, «hace más de cuarenta años que hago prosa sin saberlo» (a. II, es. V); tanto como su incapacidad para repetir la fórmula pseudoturca «Concédanos el cielo la fuerza del león y la prudencia de la serpiente», sin confundir sistemáticamente las cualidades atribuidas a los dos animales (a. IV, es. V). También en el caso de Jourdain mueve a risa su aquiescencia a los admirables descubrimientos que le son comunicados y que, como en *Las nubes*, competen en su mayoría a la lingüística. Pero en Jourdain, provoca a risa además su inseguridad y, con ello, su extemporánea variabilidad en el vestir, bien situada en el *milieu* histórico (a. II, es. V).

Tanto uno como otro resultan divertidísimos en su intento de poner en acto, de demostrar, la cultura que acaban de adquirir, con un éxito sólo aparentemente diverso. Fracasados en Jourdain, a quien le hubiera gustado exhibir su habilidad de esgrimista con la criada Nicole y es rechazado por la tosca agresividad de la mujer (a. III, es. III); o por el escaso éxito que tiene en su intento de sorprender a su mujer con la teoría de las vocales. Estrepsíades, en cambio, consigue rechazar a sus acreedores con una mezcolanza de agresividad física y de puesta en práctica de las doctrinas gramaticales de Sócrates, pero el coro comenta premonitoriamente el carácter precario de su éxito (vv. 1214-1320). Del mismo modo que éste lleva a la solución drástica que conocemos, así, el fracaso de Jourdain se deja rehacer, en cierto modo –*a contrariis*– en la operación de ficción ilusoria que permite vencer a la cultura burguesa aceptando enmascararse en el ídolo de quien la rechaza: Cleanto vestido de hijo del Gran Turco en el fantasmagórico ballet final.

Pero en ambas comedias, el cómico calvario del proceso educativo hace estallar explícitamente, además de implícitamente, el desquite del ignorante. En una ocasión, por lo menos, la rebelión de Estrepsíades es clamorosa:

> Pero ¿por qué me enseñas algo que sabe todo el mundo?
>
> (v. 693)

Por lo que hace a Jourdain, tras haberle pedido a su maestro de filosofía una fórmula más «a la moda» para su frase de cortejo a la marquesa Dorimene («Hermosa marquesa, vuestros bellos ojos me hacen morir de amor» a. II es. V), no tendrá otro remedio que reconocer –y en esta ocasión no sólo por adulación– que de todas las versiones obtenidas para hacer más artificioso el orden de las palabras, la mejor es la suya original. Marca de fatuidad en una cultura que modifica *in peius* la realidad natural, y que llega incluso a afectar al consolidado dominio de la moral. De hecho es con Jourdain con quien se identifica el público cuando, ante la propuesta de que asuma la moral propuesta por un filósofo que alaba la moderación pero que acaba de lanzarse porfiadamente a una pelea en la que ha tenido ridículamente la peor parte, le rebate:

> No, no, ni hablar de eso. Yo soy famoso por perder la paciencia, y no hay moral que valga: si me da por ahí, quiero enfurecerme cuanto me venga en gana.
>
> (a. II, es. V)

3. En la Comedia Nueva la representación del desenfreno maníaco es anómala con respecto a una estructura básica que colocara en su centro la solidaridad con la perversión transgresora y, así, por ello, neutralizada. En la *Aulularia* de Plauto, historia de un joven que ha seducido a una muchacha, que está a punto de casarse con su tío, toda la atención se centra en el padre de la chica, un sórdido y desmesurado avaro a quien le han robado la olla repleta de oro que constituye su razón de vivir. Consideraremos esta comedia en relación con *El avaro* de Molière, que se inspira en ella muy libremente, aunque con una riqueza y felicidad de recreación sólo comparable con Racine.

Mientras que el Euclión de Plauto está entera y exclusivamente dedicado a la custodia de su tesoro, el Harpagón de Molière extiende su peligrosidad a otras dimensiones sociales, tales el ejercicio de la usura o el cortejo de una joven, Mariana, en perjuicio ambas de su hijo Cleanto. Ambas comedias compiten en la muestra de paradojas: de Euclión se dice que apenas se lava para no desperdiciar el agua (v. 408); que cuando duerme se tapa la boca para no desperdiciar el aliento (v. 302), que se guarda los recortes de las uñas (vv. 312-3), que ha demandado a un gavilán por haberle robado un poco de polenta (vv. 315-9); Molière recoge el mismo motivo cambiando animal y tipo de alimento, añadiéndole la nota feroz de un Harpagón que por las noches se acerca al establo a robarles avena a sus propios caballos (a. III, es. V), si bien el calambur más celebrado y explotado es aquel por el que no «da» los buenos días sino que, como máximo, los presta (a. II, es. V). Molière, además, ha dramatizado el carácter obsesivo en algunas escenas hilarantes; baste recordar aquella en que todos los intentos de Valerio, enamorado de la hija de Harpagón, de objetar la boda de ésta con quien luego resultará ser su padre, chocan rítmicamente con el estribillo «sin dote» (a. I, es. VII); o piénsese en el momento en que Harpagón devuelve a los demás su propia obsesión, como cuando contesta al cochero y cocinero, Maese Santiago, que le pide dinero para la cena:

> ¡Qué diablo, siempre el dinero! Parece que no sabéis decir otra cosa: ¡dinero, dinero, dinero! ¡Ah! No tenéis otra palabra en la boca: ¡dinero! ¡Siempre estáis hablando del dinero! El dinero es vuestra palabra preferida[5].

(a. III, es. IV)

También es sumamente divertida, cabría decir que es un gag prácticamente, la escena en que Cleanto le regala a Mariana el anillo que lleva su padre en el dedo y atribuye los gestos de rabia de éste a las corteses negativas de la muchacha. (a. III, es. XI).

Pero el corazón común a ambas dos comedias esté en los momentos en que la implicación afectiva queda exhibida en la autorrepresentación, armada de todo el *pathos* de la subjetividad. Leamos primero, en Plauto, la requisitoria contra el siervo sospechoso de hurto:

ESTROBILO: ¿Qué te he robado?
EUCLIÓN: ¡Devuélvemelo inmediatamente!

---

[5] Otros avaros de más leve avaricia, o más adaptados a la imagen que exige la sociedad, o más dotados de una falsa conciencia, servirán para expresar aquella otra significación cómica que consiste en reprochar a los demás el propio pecado. De tal suerte se comportan los más característicos avaros goldonianos, el Don Octavio del *Vero Amico* (*El amigo verdadero*) y el protagonista de la comedia del mismo nombre, que se mueven en el terreno característico de quien busca casarse con el único objeto de hacerse con una dote. El acto único *El avaro*, considerado en su conjunto queda bastante desdibujado, pero es sumamente afortunado en el *explicit*: «Y a vos, señor conde, si perdisteis una fortuna, os está bien empleado, pues sois un avaro».

ESTROBILO: ¿Qué tendría que devolverte?

EUCLIÓN: ¿Y tú me lo preguntas?

ESTROBILO: Por lo que a ti te toca, no te he cogido nada.

EUCLIÓN: Pues entonces dame lo que has cogido por lo que a ti te toca. ¿Vas a decidirte de una vez?

ESTROBILO: ¿A qué?

EUCLIÓN: No puedes llevártelo.

ESTROBILO: ¿Puede saberse qué es lo que quieres?

EUCLIÓN: Dámelo inmediatamente.

ESTROBILO: Ya veo que estás acostumbrado a que te den, viejo.

EUCLIÓN: Déjalo aquí, te digo, y no te hagas el gracioso. Que yo no estoy bromeando en absoluto.

ESTROBILO: Pero ¿qué tengo que dejar ahí? ¿Quieres hacerme el favor de decirme qué es? Yo no he cogido nada, ni he tocado nada.

EUCLIÓN: Enséñame las manos.

ESTROBILO: Aquí están.

EUCLIÓN: Enséñame también la tercera.

ESTROBILO: Los fantasmas y la locura han hecho presa de este viejo ¿Está o no está haciéndome una injusticia?

EUCLIÓN: Claro que cometo una injusticia, pero por no hacerte colgar de una horca. Que es lo que acabará por sucederte de aquí a nada, si no confiesas.

ESTROBILO: ¿Pero qué tengo que confesarte?

EUCLIÓN: ¿Qué has cogido de aquí?

ESTROBILO: Que los dioses me fulminen aquí mismo, si te he cogido algo (lo que, por otro lado, tampoco me importaría nada haber hecho).

EUCLIÓN: Sacúdete la capa.

ESTROBILO: Como gustes.

EUCLIÓN: No tienes nada bajo la túnica.

ESTROBILO: Toca donde quieras.

EUCLIÓN: ¡Qué amabilidad exhibe el desalmado! Se comporta así para hacerme creer que no ha robado. Me conozco el truco. Vuelve a enseñarme la mano derecha.

ESTROBILO: Aquí está.

EUCLIÓN: Ahora la izquierda.

ESTROBILO: Aquí están las dos.

EUCLIÓN: ¡Bueno, ya no te registro más! Devuélvemelo.

ESTROBILO: ¿Que te devuelva qué?

EUCLIÓN: Te creerás que me engañas. Estoy seguro de que lo tienes.

ESTROBILO: Pero ¿qué tengo?

EUCLIÓN: ¡Eso es lo que tu qerrías saber! Sea lo que sea es mío así que devuélvemelo.

ESTROBILO: Estás loco: me has registrado cuanto has querido y no me has encontrado nada que fuera tuyo.

EUCLIÓN: ¡Espera! ¿Quién anda ahí? ¿Quién estaba contigo ahí dentro? Estoy perdido. Ahí dentro hay alguien hurgando. Pero si dejo a éste aquí, se me irá de rositas. Aunque, al fin y al cabo, ya lo he registrado y no tiene nada. Bueno vete donde quieras.

(vv. 637-57)

En Molière permanece invariable el principio generador de la escena, por el cual la totalidad de la implicación se convierte en totalidad o, mejor, en infinidad de la pesquisa, que va más allá de los límites de lo corpóreo (con el juego de la tercera mano), de la determinación objetual, de la única garantía de realidad (justamente protesta el interrogado: «¿queréis llamarlo por su nombre?), de la misma coherencia metódica: si el interrogatorio violento no da fruto, en ese momento puede utilizarse incluso la apelación a la confesión espontánea, con objeto de cubrir todas las posibilidades. En Molière se incluye, con la misma finalidad, una deprecación final («si me has engañado, que caiga sobre tu cabeza»); en ambas comedias se pone en función una ironía dramática por la que el sospechoso, inocente en ese momento, se convertirá efectivamente en culpable. El viejo no tiene la menor visión de futuro ni sensibilidad. La totalidad de su visión contiene en sí la realidad como subconjunto. Plauto ha cerrado felizmente la escena transformando la totalidad en alternativa y, por ello, en castigo: un rumor de dentro (o la impresión del mismo) atrae las sospechas de Euclión, que lo sigue haciéndose fuerte, aun en la desconfianza, con la tranquilidad obtenida («al fin y al cabo ya lo he registrado y no tiene nada»): buen ejemplo de un uso de la condición de razonable convertida en instrumental para la pasión, tratada como *faute de mieux*.

La simpatía suscitada por el personaje más acá del juicio moral, tan inconfesable como indudable, porque apela a los deseos más elementales y, por ello, más compartidos, está orlada, en el caso de Plauto, de señales de benevolencia, cuando no de salvación clara: Euclión se asocia a la crítica moralista de otro anciano, Megadoro, sobre las costumbres de las mujeres (vv. 523-4), e incluso opina sobre los peligros de los matrimonios interclasistas (vv. 226-35). En Molière el marco representativo es oscuro, pero precisamente esta diferencia de tratamiento hace instructivo el hecho de que, una vez perpetrado el hurto, la representación patética, que despierta la simpatía hacia el robado, es de nuevo superponible con su antecedente.

Ahora, sin embargo, es Molière el que reclama el privilegio de la cita, por haber ampliado en potencia y coherencia alucinatoria las sugerencias de Plauto:

¡Al ladrón! ¡Al ladrón! ¡Al asesino! ¡Al criminal! ¡Justicia, justo cielo! ¡Estoy perdido! ¡Asesinado! ¡Me han cortado el cuello! ¡Me han robado mi dinero! ¿Quién habrá podido ser? ¿Dónde habrá ido a parar? ¿Dónde está? ¿Dónde se esconde? ¿Cómo haré para encontrarlo? ¿Adónde ir...? ¿Adónde no ir? ¿No está ahí? ¿No está aquí? ¿Quién va...? ¡Detente! ¡Devuélveme mi dinero, bandido...! (*A sí mismo, agarrándose el brazo.*) ¡Ah, soy yo! Mi espíritu está trastornado; no sé donde me encuentro, ni quien soy, ni lo que hago. ¡Ay! ¡Mi pobre dinero! ¡Mi más querido amigo! Al privarme de ti, al arrebatárteme, he perdido mi sostén, mi consuelo, mi alegría; se ha acabado todo para mí, y ya no tengo nada que hacer en el mundo. Sin ti, me es imposible vivir. Se acabó, no puedo más; me muero... Estoy muerto; estoy enterrado... ¿No hay nadie que quiera resucitarme, devolviéndomelo, o diciéndome quién me lo ha robado? ¡Eh! ¿Qué decís? No hay nadie. Quizá el autor del golpe habrá acechado el momento con mucho cuidado, y ha escogido precisamente el momento que yo hablaba con el traidor de mi hijo... Salgamos. Voy a buscar a la justicia, y haré que den tormento a todos los de mi casa; a sirvientas, a criadas, al hijo a la hija, y si es preciso, también a mí. ¡Cuánta gente reunida! No pongo la vista en nadie que no despierte mis sospechas, y todos me parecen el ladrón. ¿Eh! ¿De qué se habla ahí...? ¿Del que me ha robado? ¿Qué ruido hacen arriba? ¿Está ahí el ladrón? Por favor, si alguien sabe noticias de mi ladrón, suplico que me informen. ¿No está escondido entre vosotros? Todos me miran y se ríen. Ya veréis como tomaron parte, a no dudarlo, en el robo de que he sido víctima. ¡A mí, comisario, alguaciles, prebostes, jueces, tormentos, horcas, verdugos...! Quiero colgar a todo el mundo, y si no encuentro mi dinero, me ahorcaré yo después...

(a. IV, esc. VII)

Sólo una sola nota discordante: la conjetura sobre el probable momento del delito. Única presencia de lo contingente en un escenario poblado por los fantasmas del deseo absoluto, un deseo tan grande como para salir de la misma persona que lo experimenta y proyectarlo en el universo sospechoso y hostil. Tal es la gran innovación de Molière, aunque ya Plauto pone en obra una escena virtual en la que se despliega el monólogo en diálogos tensos y vivísimos, que van desde la complicidad a la adulación y a la agresión. Pero esta flexibilidad se enmarca en la clave compacta del dolor trágico, retomado en una parodia que no puede contar, por parte de quien habla, con ningún *décalage* cómplice. La angustia que paraliza movimientos y palabra reproduce, de hecho, *ad verbum*, la situación del personaje trágico en lo más hondo de su carencia: la de Admeto que pierde a su esposa Alcestis (Eurípides, *Alcestis* 863); la de Polimnéstor cuyos hijos mueren por la venganza de Hécuba (Eurípides, *Hécuba* 1056-7); la de Hécuba en el desastre total de los suyos (Eurípides, *Las troyanas* 110-12).

Estos temas nos llevan a otro y más fácil término de medida del *pathos*, genialmente exaltado por la estructura de la anécdota cómica, tanto en Plauto como en Molière. En la medida en que el viejo avaro habla de su pérdida en términos genéricos (ya hemos visto cuáles eran los motivos de ello) y con una intensidad que demanda el afecto institucional más intenso, el joven que ha seducido a su hija se verá obligado, por el ataque que recibe, a confesar el pecado que ha cometido efectivamente, que el viejo confundirá con el único que verdaderamente le afecta. Esto encamina la solución de la trama, que en la comedia molieriana se sirve de un final feliz, también por el encuentro con el padre por parte de Valerio y Mariana. Pero Harpagón, que sigue equivocándose sobre el sentido de la confesión de Valerio, retrotrae a su idea fija el entero desarrollo de los acontecimientos:

> HARPAGÓN: (*a Anselmo*) ¿Éste es vuestro hijo?
> ANSELMO: Sí.
> HARPAGÓN: Os ruego entonces que me paguéis diez mil escudos que me ha robado[6].
>
> (a. V, esc. V)

4. En el centro de otra comedia de Molière, *Tartufo, o el impostor*, hay un par de personajes que da lugar a distintos niveles de comicidad. Se trata del par Orgón y Tartufo, en el cual, el mal absoluto, personificado en la hipocresía religiosa de Tartufo, halla campo de expresión únicamente porque existe la crédula confianza y el fanatismo de Orgón

---

[6] En la medida en que la eficacia de toda representación debe medirse no por su dimensión absoluta, sino por la diferencia y por la tensión que puede llegar a poner en obra, nos complace citar aquí, junto a las grandezas de la miseria humana representadas en épocas anteriores, la venenosa eficacia con que, siempre desde la minuciosa ambigüedad de lo subjetivo, queda socavada la autorrepresentación de la nobleza de espíritu en un pasaje de la *Conciencia de Zeno*: Zeno acaba de enterarse de que Guido, su cuñado, ha perdido sumas enormes en la bolsa y está desesperado: «"¿A quién quieres que me dirija?" Sin ningún afecto, al contrario con la ira de tener que obligar a privaciones a mí y a los míos, exclamé: "¿No estoy yo aquí?" Luego la avaricia me sugirió que atenuara desde su principio mismo mi sacrificio: "¿No está Ada? ¿No está nuestra suegra? ¿No podemos unirnos para salvarte?"» (cap. VII). De análoga manera, en *Castillo de Blandings* de Wodehouse, uno de los protagonistas, Sir Gregory Parsloe-Parsloe, trata de encargar a un detective, renuente a ello, la tarea de destruir un manuscrito que le compromete: «"Supongo que será de su interés saber que, a cambio de dicho manuscrito, estaría dispuesto a pagar mil libras esterlinas." Como había imaginado, esta respuesta golpeó a Pilbeam como un fustazo [...] "¿Cuánto ha dicho?", balbuceó. Sir Gregory, hombre prudente con el dinero, se dio cuenta de que su sentido dramático le había llevado un poco lejos. "He dicho quinientas", respondió con prontitud y desenvoltura» (cap. VII).

–del mismo modo que a otro par célebre del teatro trágico, el formado por Yago y Otelo, le corresponde interpretar el vínculo indisoluble entre los celos y la ingenuidad apasionada.

Desde su aparición en escena, Orgón interpreta el carácter absoluto de la idea fija:

> ORGÓN: (*a Dorina*) ¿Todo ha marchado bien en estos dos días? ¿Qué habéis hecho en casa? ¿Cómo están?
> DORINA: Anteayer la señora tuvo fiebre durante el día y, luego, por la noche, con un terrible dolor de cabeza.
> ORGÓN: ¿Y Tartufo?
> DORINA: ¿Tartufo? Admirablemente. Gordo y saludable, con el cutis lozano y la boca roja.
> ORGÓN: ¡Santo varón!
> DORINA: Por la noche, la señora tuvo náuseas y un fortísimo dolor de cabeza por lo que no pudo probar bocado en la cena.
> ORGÓN: ¿Y Tartufo?
> DORINA: Cenó solo delante de la señora, y devoró devotamente dos perdices y la mitad de una pierna de carnero picada.
> ORGÓN: ¡Santo varón!
> DORINA: La señora pasó la noche entera sin pegar ojo; tuvo unos sofocos que no la dejaron dormir; tuvimos que velar junto a la cabecera de su cama hasta el amanecer.
> ORGÓN: ¿Y Tartufo?
> DORINA: Dominado por un grato sueño, al levantarse de la mesa, se metió en seguida en su cama, bien calentita, y durmió sin sobresaltos hasta el día siguiente.
> ORGÓN: ¡Santo varón!
> DORINA: Al final, convencida por nuestras razones, se le hizo a la señora una sangría y sintió un alivio inmediato.
> ORGÓN: ¿Y Tartufo?
> DORINA: Se tranquilizó, como es lógico, y, con idea de fortalecer su ánimo contra todo mal, para compensar la sangre que perdió la señora, se bebió cuatro vasos grandes de vino en el desayuno.
> ORGÓN: ¡Santo varón!

(a. I, esc. V)

El carácter repetitivo de la pregunta, obsesiva y anhelante como una invocación de amor, pone de manifiesto que Orgón, exactamente igual que los enamorados, tiene a Tartufo como centro y clave del mundo, a sus ojos es como si en él se encarnara el modelo ideal e inalcanzable del santo, como si en él se cifrara su propia e irrealizada aspiración a una dimensión espiritual infinita, en la que el mundo borrara las vinculaciones de los afectos jerarquizados y debidos.

ORGÓN: Es un hombre... que... ¡Ah! Un hombre..., un hombre, en fin. Quien sigue sus lecciones goza de una profunda paz y mira a todo el mundo como por encima de la basura. Me enseña a no sentir afecto a nada y aparta mi alma de cualquier amistad, y ahora me tendría sin el menor cuidado ver morir a hermanos, hijos, madre y mujer...

(a. I, esc. VI)

La falta de mesura de Orgón es la del fanático, es una distorsión ridícula del mandato evangélico que dice «dejad que los muertos entierren a los muertos»; en ese sentido, el público tiende a compartir el sentido de reprobación que en la comedia adquieren los parlamentos moralistas de Cleanto, el cuñado, que expresa siempre el correcto punto de vista moral y social sobre las cosas. Pero, por otra parte, también simpatiza con la amoral necesidad de Orgón de no hacer caso de los deberes familiares o de las normas y costumbres sociales; y ello más justificadamente en la medida en que su confesión se basa en el deseo de una vida más fervientemente espiritual, una vida que en el desarrollo de la civilización normalmente está sometida a un impulso a las más nobles creaciones del hombre.

Por otra parte la fe de Orgón se basa absolutamente en una ingenuidad infantil, en una sincera necesidad de creer en la bondad humana, que le impide, entre otras cosas, reconocer las brutales miras sexuales de Tartufo para su bella esposa.

Él vela por todo, e incluso consagra un gran interés a mi esposa, para guardar mi honra; me señala a las gentes que la cortejan, y se muestra cien veces más celoso que yo.

Con un efecto especular, se reduplica su enternecimiento a la vista de la compasión y amor de que Tartufo hace ostentación incluso hacia las criaturas innobles de la creación:

No podrías creer hasta dónde llega su celo; se acusa de pecado por cualquier bagatela; cualquier nadería basta para escandalizarle; llegó el otro día a acusarse de haber cogido una pulga mientras oraba y haberla aplastado con demasiada cólera.

Su porfiada obstinación en defender a un malvado que sólo un extravío demencial hace posible que lo siga mirando con otra mirada, lleva a Orgón a despreciar las reglas sociales hasta el punto de obligar a su hija a casarse con Tartufo y desheredar a su hijo, también en beneficio de Tartufo. Y, aun así, Orgón no pierde la simpatía del público; y, si no otra cosa, lo muestra el final feliz, que inopinadamente lo salva de las desgracias a que le ha conducido su necia admiración, oponiendo su destino al de Tartufo condenado por expresa voluntad real.

Por otra parte aquella solución en que se da una aproximación de voluntad (simpatía) del público no excusa la índole obsesiva de Orgón, y, así, su primera intervención, tras haberse desengañado y haber reconocido la perversidad del impostor, tiene aún la marca del exceso, aunque sea en sentido opuesto:

> Se acabó; renuncio, de ahora en adelante, a todos los hombres de bien, hacia quienes, desde este momento, sentiré un horror espantoso; y seré para ellos peor que un demonio.
>
> (a. I, esc. VI)

5. También Alceste, el protagonista de *El misántropo*, se define por la exigencia de un absoluto, aunque en su caso se trata de un concepto laico, el de la autenticidad integral de las relaciones humanas. A esa obsesión se opone el sistema de comportamientos artificiosos e insinceros que constituyen el código de conducta de la aristocracia francesa en el reinado de Luis XIV, una clase social a la que, en la comedia, se le confiere un valor prácticamente representativo de toda la sociedad hasta el punto de llegar a identificarla *tout court* con el «género humano». En consecuencia, Alceste es el soporte de una utopía que reúne los rasgos de la grandeza idealista y las maneras de la ambigüedad.

A propósito de ambigüedad, hay que referirse aquí, en primer lugar, al encuadramiento de este texto en la consideración de los géneros literarios. Lo lógico sería incluirlo en la categoría de la comedia, pero, al final, se entenebrece tanto que se acerca al universo de lo trágico.

> Traicionado por todas partes, abrumado por mil injusticias, voy a huir del abismo en que triunfan los vicios y a buscar en la tierra un lugar retirado donde pueda permitirme la libertad de ser un hombre de honor.
>
> (a. V, esc. VII)

Esta última intervención sombría de Alceste precede a su última salida de escena y equivale simbólicamente a su muerte.

Por otra parte, la ambigüedad afecta también al papel cómico que Alceste representa, como marginado del sistema social y, ya desde el título, objeto inevitable de su sanción. Esto puede escapar al modo romántico de ver las cosas, que supuso la atribución definitiva de la mayor importancia a los sentimientos y a su expresión, así como a la necesidad de una formalización de lo social que refleje la autenticidad de los pensamientos y de los afectos. Tal modo de ver las cosas hace posible poner en causa el código de comportamiento dominante en la aristocracia francesa del siglo XVII y reconocer en su modelo estructurador el mal endémico de la hipocresía. El punto de vista que demandan las indicaciones textuales es, en cambio, el de Filinto, amigo sincero de Alceste, de quien condena, no obstante, su desmesura, desmesura que lo lleva al error, hasta convertirlo incluso en incapaz de interpretar correctamente el significado de los gestos y de las palabras. Su actitud de situarse frente a todo el mundo, demonizándolo («Hablándoos con franqueza, no me distingue con su amistad quien es amigo del género humano», a. I, esc. I), mueve a risa por el desequilibrio evidente de la relación. El propio Alceste se muestra consciente de tales riesgos cuando oye el retrato negativo que de él hace Celimena:

> Tenéis a todos los que ríen de vuestra parte, señora, y podéis satirizarme como os venga en gana.
>
> (a. II, esc. IV)

Sin embargo, ni Filinto, ni Elianta (otro personaje ciertamente positivo) dejan de ser solidarios con Alceste en virtud de los fundamentos éticos que con él comparten.

Tampoco pueden dejar de reconocerse las buenas razones de Alceste cuando, implicado injustamente en un proceso, pretende ganarlo basándose únicamente en la legalidad y se niega, así, a adular o a corromper a los jueces, de suerte que su misma rectitud le lleva a ser condenado, poniéndose, incluso, en peligro de acabar en la cárcel. Análogamente, y sin tener en cuenta la fuerza ejercida al código galante, Alceste suscita adhesión cuando le exige a Celimena (la gran dama galante y de moda, a la que ama en una equívoca atracción de lo contrario, y de la que, a su vez, es secretamente amado) que declare su amor públicamente y deje de admitir el cortejo de la legión de admiradores que no la dejan ni a sol ni a sombra.

Pero, sobre todo, despierta aprobación, por vía emotiva, el modo extremado en que Alceste lleva su polémica radical contra la sociedad y la hipocresía que la domina. Lo que resulta fascinante es su pasión utópica, ese rigor que se hace perentorio hasta el punto de hacerle desear un martirio que ennoblezca su batalla y le confiera el derecho de enajenarse de la sociedad humana.

Un ejemplo del comportamiento totalizador de Alceste es el episodio, extraordinaria y minuciosamente articulado, del soneto de Oronte, que puede definirse como una demostración por el absurdo. Efectivamente, en el momento en que el misántropo hace un esfuerzo de adaptación a las reglas de la vida en sociedad, el resultado es tan insostenible que constituye una confirmación definitiva de su ineptitud para permanecer en el mundo. Oronte le pide a Alceste su parecer sobre el valor literario de un soneto de amor que ha compuesto. Aunque a Alceste no le gusta, se esfuerza al principio en contestar con diplomacia, recurriendo a estrategias de ocultamiento de la verdad, las mismas que pudieran darse en las relaciones menos auténticas como son las de las dos falsas amigas Celimena y Arsinoe:

> ALCESTE: Señor, este tema es siempre muy delicado, y respecto a nuestro ingenio, lo que más nos satisface es que nos halaguen. Mas un día, a alguien cuyo nombre no importa, le decía yo ante unos versos de su cosecha, que los hombres galantes deben dominar por todos los medios el afán que sienten de escribir; que hay que refrenar las grandes impaciencias que puedan sentirse por hacer públicos tales entretenimientos, y que el hombre que se deja arrastrar por el deseo de mostrar sus creaciones, se expone siempre a desempeñar malos papeles.
> ORONTE: ¿Venís a decir, resumiendo, que yo hago mal tratando de...?
> ALCESTE: Yo no digo eso; lo que yo le decía a aquel amigo es que un escrito frío aburre, que basta con ese pequeño detalle para que un hombre se desacredite, y que aunque por otra parte se posean cien bellas cualidades, casi siempre miramos a las gentes por su lado malo.
> ORONTE: ¿Tenéis algo que reprochar a mi soneto?
> ALCESTE: No se trata de reprochar ahora. Lo que yo trataba de demostrar a mi amigo , es que el hecho de no saber escribir, había perjudicado en nuestra época a demasiadas gentes honradas.
> ORONTE: ¿Escribo mal acaso? ¿Me parezco a ellas?
> ALCESTE: Yo no digo eso.
>
> (a. I, esc. II)

Finalmente, la admisión sincera de que aquel poema hubiera estado mejor metido en un cajón ofende a Oronte, que recurre a los «mariscales», un organismo formado por caballeros y que tenía la función de resolver las diferencias de honor planteadas entre los nobles. El anuncio de la visita de los mariscales suscita nuevamente en Alceste la reacción de furor de quien no acepta restricciones a la libertad de pensamiento:

> ALCESTE: ¿Qué componenda quieren hacer entre nosotros? ¿El poder de esos señores va a obligarme a considerar buenos los versos, origen de nuestra disputa? No me retracto de nada de lo que dije sobre ellos; los encuentro pésimos.
> FILINTO: Yo creo que con un criterio más benévolo...
> ALCESTE: No rectifico; los versos son abominables.

FILINTO: Poco os cuesta mostrar sentimientos más afables. Vamos, venid.
ALCESTE: Iré; mas nada me obligará a que me desdiga.
FILINTO: Vamos a comparecer.
ALCESTE: Como no llegue una orden expresa del rey, exigiendo que encuentre buenos los versos de marras, sostendré siempre, ¡pardiez!, que son malos y que su autor merece la cárcel por ellos.

(a. II, esc. VII)

El efecto cómico mismo que produce la afirmación de que sólo podrá admitir que sea apreciable estéticamente un producto estético por orden del rey se incluye, una vez más, en el texto dramático de Molière, cuando los marquesitos presentes en la escena estallan en carcajadas, obteniendo como réplica la imposible pretensión de Alceste de substraerse a su papel:

(*A Clitandro y a Acasto que ríen.*) ¡Por Satanás! Señores, nunca creí que yo fuese tan divertido.

Pero también la hilaridad que, con ello, pide Molière al público toca, sin duda alguna, la cuerda de la simpatía respecto de la corajuda y tenaz pretensión (también del autor mismo muy probablemente) de que, al menos, el territorio del arte goza de ilimitados derechos de libertad. Y, por lo demás, al menos en lo que respecta a este episodio, la obstinación de Alceste obtiene una cierta forma de satisfacción, tal y como puede deducirse de la intervención de Filinto:

«Se puede ser una magnífica persona y hacer malos versos; no creo que afecten al honor tales materias; le tengo por caballero sobre todas las cosas, por hombre de categoría, de mérito y de corazón, todo cuanto se quiera, pero por malísimo escritor. Alabaré, si se quiere, su tren de vida y lo que consume, cómo monta a caballo, maneja las armas e incluso cómo baila; mas, por lo que se refiere a elogiar sus versos, me siento incapaz; e insisto: cuando uno no tiene la fortuna de hacerlo mejor, no debe sentir el menor deseo de cantar, no bajo pena de muerte». En fin; toda la merced y el arreglo a que se ha resignado en última instancia, ha sido decir, suavizando en su opinión el juicio: «Señor, siento ser tan exigente, y por afecto hacia vos, quisiera, de todo corazón, haber encontrado mejor el soneto que me brindasteis».

(a. IV, esc. I)

6. Aparentemente más previsible y materia tradicional de la literatura cómica es la obsesión por los cuernos que acosa a Arnolfo en *La escuela de las mujeres,* obra en la que el temor a ser traicionado asume un rasgo más específico, el del temor a ser traicionado, que ya había plan-

teado con vivacidad Rabelais en el III libro del *Gargantúa y Pantagruel*, que describe minuciosamente los escrúpulos de Panurgo antes de tomar mujer, previendo el adulterio y las contramedidas posibles. Pero los celos de Arnolfo constituyen una pasión de mayor enjundia y complejidad de cuanto pueda colegirse de la elemental explicación que da Alain, el criado necio:

> ¿Qué es una mujer?: la sopa del hombre; y cuando un hombre ve que otro pretende meter la cuchara en su plato, ¿qué le pasa?: se le nubla el cerebro.
>
> (a. IV, esc. I)

El de Arnolfo es un temor neurótico e imaginario, y, como veremos, nace de una necesidad defensiva ante la pasión amorosa, que debe exorcizar en la medida en que le hace sentirse –y ser– inerme.

De ahí proceden, para Arnolfo, las implicaciones sociales por las que pertenecer o no a la categoría de los cornudos debe considerarse como medida absoluta de juicio moral. Tan reductiva y mezquina operación será motivo de vivo reproche por parte de su amigo Crisaldo, el defensor del punto de vista sensato en la comedia:

> ¡Para ti no tiene la menor importancia ser avaro, mezquino, violento, hipócrita o vil! Se puede haber sido en la vida un canalla o un alma miserable, no pasa nada: ¡el honor consiste en no ser cornudo!
>
> (a. IV, esc. VIII)

La obsesión por la traición no sólo le lleva a Arnolfo a un empobrecimiento del sentido moral, todo su mundo, intelectual, humano, existencial, se agarrota por la urgencia de defenderse del temor que lo domina. Con tal objeto, el propio Arnolfo ha construido un sistema que califica de filosófico y que debería garantizarle la inmunidad a la traición:

> he recogido datos, he estudiado los motivos que pueden convertir a un hombre sabio en cornudo, y gracias a esta casuística, gracias al estudio de las desgracias ajenas, he descubierto, ante la perspectiva de tomar esposa, un sistema para asegurar mi frente de tales riesgos y convertirla en pieza única, en una frente distinta. Para esta gran idea me he servido de todo cuanto enseña la razón política.
>
> (a. IV, esc. VII)

El sistema se fundamenta en una consideración rigurosa de una relación de causa a efecto. Si la probabilidad de la traición de la mujer está en proporción con su vivacidad intelectual y con su curiosidad cultural, para prevenir su eventual traición bastará casarse con una mujer ignorante y estúpida.

> Cuanto más lejos de las mujeres que escriben, mejor; si una mujer piensa, sabe más de lo necesario. Quiero que mi mujer sea simple simple, tan tonta e ignorante que si un día, por casualidad, jugando a las rimas, el coro le preguntara «¿Que quieres, muchacha, que ponga en tu capacha?», ella contestase sin vacilar «Una torta rellena de crema». En definitiva, quiero que la suya sea una ignorancia crasa; la aguja, el huso, la rueca, quererme y rezar a Dios, esa es, en mi opinión toda la cultura que necesita.
>
> (a. I, esc. I)

Basándose en tal creencia, Arnolfo ha criado a una niña huérfana y pobre, educándola en el aislamiento, con la única compañía de dos criados lerdos; y se ha ocupado de que crezca ignorante, incapaz de comportarse en público o de articular sus pensamientos; pretende hacer de ella la mujer ideal.

Son los presupuestos morales del argumento teórico, más que la conducta práctica del protagonista, lo que suscita la discrepancia ideológica del público; discrepancia que, siendo hoy universal, era también muy intensa en la época de Molière, en la sociedad exquisita y galante de la corte francesa que consideraba como insoportablemente anticuadas y salvajes las ideas de aislamiento, ignorancia y violencia que articulan el modelo educativo y las relaciones conyugales propuestas por Arnolfo. El público no puede admitir el riguroso despotismo con que éste regula la vida familiar, ni la represión sexual, ni la misoginia, ni el oscurantismo cultural. A este último respecto, la crítica de Crisaldo (una mujer ignorante y constreñida a la estupidez estará también privada de principios morales y podrá pecar, si no por malicia, por ingenuidad inerme) pone en evidencia la inutilidad de las medidas adoptadas por Arnolfo y prepara el terreno para su fracaso, cuando Inés encuentra al «rubito» Horacio:

> ARNOLFO: Que quede claro, en definitiva, que aceptar cestillos de golosinas, prestar oídos a las tonterías del primer rubito que llegue, dejar que entre en casa, hacerse la zalamera, dejarse besar en los brazos, provocar sentimientos, todo eso es pecado y pecado mortal.
> INÉS: ¿Un pecado? ¿Y por qué? Perdonadme, ¿pero cuál es la causa?
> ARNOLFO: ¿La causa? La causa es que así está escrito, y que el cielo se indigna ante tales actitudes.
> INÉS: ¿Se indigna? ¿Y por qué? ¿Por qué al cielo le indigna, ay de mí, una cosa tan bonita y tan dulce? Para mí, ha sido una sorpresa sentir ese goce, no conocía yo todavía tales cosas.

ARNOLFO: Es verdad, es muy placentero decirse palabras de amor, intercambiar ternezas, hacerse caricias, darse besos y todas esas dulces emociones, pero siempre que sean honestas. Cuando se toma esposo, el placer se santifica.
INÉS: Entonces, ¿cuando se está casado ya no es pecado?
ARNOLFO: No.
INÉS: Desposadme, entonces, y hacedlo deprisa, os lo ruego.

(a. II, esc. V)

Ese «desposadme» es equívoco. Lo que Arnolfo entiende como un *avance* a su favor, para Inés significa «entregadme como esposa a Horacio». Y en ese equívoco, Arnolfo se queda muy en evidencia, exponiendo a la risa su ilusión. La carcajada del público será tan agresiva como cargada de soberbia ha sido su presunción de poder, su considerarse el único inmune a la traición, gracias a su excelencia intelectual y a su inteligencia práctica.

Cualidades que se desvanecerán rápidamente cuando en la rebelión de Inés se le plantea el peligro del abandono y cuando descubre, lo que le desconcierta absolutamente, la profundidad de sus sentimientos:

Me traiciona, se ríe de mi bondad, ¡y yo sigo amándola! La amo después de su engaño, la amo y ya no podré vivir sin amarla como la amo. Calla, cornudo, calla. ¿No te da vergüenza? ¡Ay, me muero, me muero!
Debería darme bofetadas, puñetazos, puntapiés. Vamos a casa. Sólo quiero mirarla a la cara, ver qué hace, qué dice después de su traición. ¡Oh cielos conservadme intactos la frente y el honor! Y, en el caso de que tenga que pasar por ello yo también, dadme aquella entereza, aquella paciencia que veo en los otros ante tales contingencias.

(a. III, esc. V)

La infidelidad pierde, así, su valor de peligro supremo en la medida en que ahora le hace perder pie un peligro aún más grave e imprevisto, precisamente el peligro de perder el objeto de su amor; y a éste transfiere todas sus fobias más profundas.

De tal suerte, la necesidad de posesión absoluta que le inspira su manía a Arnolfo y sus pretensiones de reducir a la condición de objeto al otro, deseado hasta deformar su identidad intelectual y emotiva, devienen en condición de matriz, ya no social, sino erótica, y no pueden dejar de mostrar su analogía con la necesidad voraz de la primera infancia de comerse el objeto de amor; impulso terrorífico respecto del cual todo el sistema de la civilización, individual y colectiva, lucha para tomar distancias, desarrollando, frente a él, los sentimientos de autonomía y de respecto recíproco.

El guiño de simpatía por parte del autor se descubre en la inserción en el lenguaje de Arnolfo, despótico y seguro de sí, de momentos de confesión abierta, de dependencia, de debilidad:

> pon atención, no hagas caso de los consejos de Satanás, o sea, resiste al rubito que fuere. Piensa que, al hacer de ti mi otra mitad, te entrego y te confío mi honor, Inés; y piensa, también, que basta muy poco, una nonada, para herirlo.
>
> (a. III, esc. II)

En este sentido, la asunción repentina de un lenguaje explícito de la pasión funciona hasta el punto de que resulta cómico por inelegante y poco suelto, aunque no deje, por ello, de ser menos sincero ni menos doloroso:

> Yo te acariciaré de día y de noche, te besuquearé, te lameré, te comeré. Podrás hacer todo lo que quieras, todo. No digo más. Es inútil. Qué más puedo decir. ¿A dónde me llevarás, voz de la pasión? Ya termino: no hay amor como el mío. ¿No te bastan estas pruebas?, ingrata, ¿quieres otras?, ¿qué quieres?, ¿quieres que llore?, ¿quieres que me tire de los cabellos, que me los arranque?, ¿o quieres que me mate? Lo haré, si tú quieres. Estoy dispuesto a morir para mostrarte mi amor.
>
> (a. V, esc. IV)

Si nos fijamos en la progresiva perdida de seguridad lingüística de Arnolfo, que partía de seguridades de orden filosófico, no nos sorprenderá que su última salida de escena se substancie en una exclamación inarticulada, que rubrica la pérdida del instrumento de adoctrinamiento durante tanto tiempo ejercido sobre Inés. Estamos, pues, en el extremo opuesto del lenguaje de la literatura edificante, como el de las *Máximas conyugales o Los deberes de la mujer casada*, parodia de la *Institución a Olimpia* de San Gregorio Nacianceno, que Arnolfo hace leer a una desorientada e inconsciente Inés. Pero, al final de la comedia, el amor, el gran Pigmalión, ha instruido y madurado incluso a Inés, que se queda en el mundo de los adultos, del que, en cambio –en el habitual alegre final amargo de Molière–, únicamente Arnolfo queda excluido, definitivamente relegado al universo infantil y derrotado de su locura.

7. Una idea integral de justicia sugerida por el imperativo caballeresco de enderezar entuertos y castigar ofensas es la que mueve a don

Quijote con la abnegación y la pureza que lo distinguen; se trata de una justicia que no coincide con la legalidad oficial, antes bien, en ocasiones, la niega y se opone a la misma.

–Ésta es la cadena de galeotes, gente forzada del rey, que va a las galeras.

–¿Cómo de gente forzada? –preguntó don Quijote–. ¿Es posible que el rey haga fuerza a ninguna gente?

–No digo eso –respondió Sancho–, sino que es gente que por sus delitos va condenada a servir al rey en las galeras, de por fuerza.

–En resolución –replicó don Quijote–, como quiera que ello sea, esta gente, aunque los llevan, van de por fuerza, y no de su voluntad.

–Así es –dijo Sancho.

–Pues desa manera –dijo su amo–, aquí encaja la ejecución de mi oficio; desfacer fuerzas y socorrer y acudir a los miserables.

(parte I, cap. XXII)

Don Quijote rechaza la idea de que la justicia se base en un pacto social colectivo y esté administrada por un sistema político que la impone, mediante la violencia, a los particulares; y ello, por una parte, porque separando el concepto de justicia del poder que pretende aplicarla, en nombre de la sagrada investidura caballeresca, se plantea a sí mismo como reparador de cualquier abuso; por otra, porque se remite al fundamento sobrenatural de la justicia, o sea al juicio divino, al que ninguna autoridad secular puede pretender sustituir. Basándose en tal principio libera a los galeotes encadenados, y justifica su gesto con una argumentación que se apresura a exponer con ceremoniosa y cómica cortesía a los soldados que escoltan a la cadena de presos. Se trata precisamente de una adhesión literal a la pureza evangélica:

porque me parece duro caso hacer esclavos a los que Dios y naturaleza hizo libres. Cuando más, señores guardas –añadió don Quijote–, que estos pobres no han cometido nada contra vosotros. Allá se lo haya cada uno con su pecado; Dios hay en el cielo, que no se descuida de castigar al malo, ni de premiar al bueno, y no es bien que los hombres honrados sean verdugos de los otros hombres[7].

[7] La única forma de justicia terrena que acepta don Quijote es la que se sigue del pacto convenido y establecido entre individuos, que se asienta en la libertad de elección personal y en la fe en la palabra de honor; condiciones que, a su vez, garantizan el respeto a la justicia. Cuando don Quijote impide al avaro amo de Andrés que siga azotándolo y le ordena que le pague el salario adeudado, fía el cumplimiento de todo ello al respeto de la propia honra de ese amo cruel; y, cuando el zagal expresa su temor de que, una vez ido el

Como siempre, la locura de don Quijote le impide interpretar correctamente los signos de lo real, con consecuencias que en parte son cómicas y en parte dramáticas y ello precisamente cuando trata de hacer el bien: una vez liberados de sus cadenas, los forzados apalean a don Quijote y a Sancho Panza y los dejan medio muertos en el camino; más tarde, como secuela de esa misma empresa, don Quijote estará a punto de ir a la cárcel.

El error que había de generar su diamantina voluntad de restablecer una justicia que fuera más fiel espejo de la divina es inmediatamente señalado por Sancho, que con las siguientes palabras trata de disuadir a su amo de que intervenga en favor de los galeotes:

> –Advierta vuestra merced –dijo Sancho–, que la justicia, que es el mesmo rey, no hace fuerza ni agravio a semejante gente, sino que los castiga en pena de sus delitos.

Sancho representa la voz de la normalidad, la voz con la que se identifica la opinión del lector; y, sin embargo, la intensa adhesión emotiva que don Quijote suscita en todas sus empresas insensatas, la tierna admiración producida por el sistema alternativo de interpretación del mundo a que le lleva su locura, no pueden faltar ni siquiera en este lance que citamos, en el que el fracaso de don Quijote coincide con el desencuentro que se da en las sociedades cristianas europeas, entre el reconocimiento formal o parcial del mensaje evangélico y la imposibilidad de aplicar sus formulaciones extremas.

Por otra parte, también en el plano racional consigue don Quijote suscitar dudas que afectan a la rectitud empírica de cada uno de los juicios:

> –De todo cuanto me habéis dicho, hermanos carísimos, he sacado en limpio que, aunque os han castigado por vuestras culpas, las penas que vais a padecer no os dan mucho gusto, y que vais a ellas muy de mala gana y muy contra vuestra voluntad; y que podría ser que el poco ánimo que aquél tuvo en el tormento, la falta de dineros déste, el poco favor del otro y, finalmente, el torcido juicio del juez, hubiese sido causa de vuestra perdición, y de no haber salido con la justicia que de vuestra parte teníades.

---

caballero, su amo siga con su atroz castigo, «–No hará tal –replicó don Quijote–: basta que yo se lo mande para que me tenga respeto; y con que él me lo jure por la ley de caballería que ha recebido, le dejaré libre y aseguraré la paga» (parte I, cap. IV). Cuando, bastante tiempo después, vuelvan a encontrarse el caballero y el pastorcillo, éste le rogará, no sin ira, que no vuelva a intervenir en su favor, a no ser que lo que realmente pretenda sea acortarle la vida (parte I, cap. XXXI).

8. Ese rasgo característico de don Quijote de permanecer fijado a una idea y de poder convencer de ella a todo el mundo lo tiene también, en la gran novela de Laurence Sterne, el padre de Tristram Shandy; con la diferencia de que la manía de éste está más articulada, pues se refiere a los múltiples aspectos concretos del universo, desde la existencia de Dios hasta el más insignificante de los problemas domésticos.

> El Héroe de Cervantes no discutía sobre la cuestión con más seriedad, ni tenía más fe, ni más que decir acerca de los poderes de la Nigromancia, que trastocaban sus hazañas, o acerca del nombre de DULCINEA, que les confería esplendor, de lo que mi padre tenía que decir acerca de los de TRISMEGISTO o ARQUÍMEDES, por un lado, y NYKY o SIMKIN, por el otro.
>
> (vol. I, cap. XIX)

Elabora sobre todo convicciones precisas que en su conjunto constituyen una especie de sistema filosófico, en torno al cual hace girar su existencia, haciéndola éticamente rigurosísima y, al mismo tiempo, enrigideciéndola de modo extraordinario. Con fe firme, intenta también la difusión de los elementos de su filosofía, en una especie de incansable acción propagandística, convencido de que es necesario educar en sus límites aunque sólo sea a sus familiares. El medio por que opta para esta labor de proselitismo no es nunca el de la autoridad sino el de la persuasión:

> Mi padre estaba tan orgulloso de su elocuencia como pudiera estarlo MARCO TULIO CICERÓN de la suya; y por mucho que trate de convencérseme ahora de lo contrario, tenía para estarlo tantos motivos como él. En efecto era su fuerte y su flaqueza también. Su fuerte, porque por naturaleza era elocuente, y su flaqueza, porque continuamente era víctima de ella; y con tal de que la vida le brindara oportunidades para demostrar su talento o decir algo inteligente, ingenioso o sagaz (excepto si el infortunio era ininterrumpido y sistemático), se daba enteramente por satisfecho. Una bendición que le frenara la lengua y una desgracia que se la soltara se encontraban casi a la par dentro de su sistema de preferencias; y a veces, de hecho, la desgracia era mejor recibida: por ejemplo, cuando el placer que le proporcionaba el discurso llegaba a *diez*, y el dolor de la desgracia sólo a *cinco*, mi padre consideraba que lo uno iba por lo otro y en consecuencia salía de la peripecia en el mismo estado que si nada le hubiera sucedido.
>
> (vol. V, cap. III)

La objetiva prepotencia de quien pretende imponer a todos sus propias convicciones como verdad única, se atenúa hasta desaparecer incluso, en muchas ocasiones, ante la valoración ingenua, alborozada y entusiasta, como si fuera de un niño, que el mismo padre de Tristram hace de sus propias capacidades retóricas:

> Mi padre poseía una pequeña yegua de su predilección a la que había asignado un hermosísimo caballo árabe con la intención de que entre los dos le dieran un potro que habría de convertirse en su cabalgadura; muy sanguíneo en todo lo relacionado con sus proyectos, hablaba a diario de su potro con tanta seguridad y convicción, como si ya lo hubiera criado y domado y lo tuviera a la puerta de la casa embridado, ensillado y listo para montar. Por uno u otro descuido de Obadiah, resultó que las esperanzas de mi padre tuvieron por respuesta una especie de mula extraña, un animal tan feo como jamás se hubiera visto que una yegua diera a luz.
>
> Mi madre y mi tío Toby esperaban que mi padre matase a Obadiah y que las secuelas de semejante desastre no tuvieran nunca fin. ¡Mira esto, bribón!, le gritó mi padre señalando la mula. ¡Mira lo que has hecho! Yo no he sido, dijo Obadiah. ¿Y cómo sé yo que no has sido tú?, le contestó mi padre.
>
> En sus ojos brillaba el triunfo de la agudísima respuesta que había dado; la sal ática se los llenó de lágrimas. Y, de este modo, Obadiah no volvió a oír hablar más de aquel asunto.
>
> (ibídem)

En el lance, el arte de la palabra se cristaliza en una salida característicamente *witzig* (que sustituye a la agresión directa: «¡Eres un asno!») y el divertido placer que se deriva de ella prevalece sobre la voluntad abstractamente didáctica y concretamente punitiva.

Por otra parte, la urgencia didáctica, tan molesta para los demás, y cuasi persecutoria, se funda en una tensión de carácter generoso, la voluntad de arrojar luz a las tinieblas de la ignorancia, la voluntad de acabar con las opiniones consideradas falaces y mejorar, así, la calidad de las personas y de la humanidad toda; ahora bien, este propósito civilizador se resuelve casi siempre en la frustración de encontrarse con el desinterés del otro, inconmovible ante el designio didáctico al que se le enfrenta:

> Mi madre nunca las hacía [preguntas]. Para abreviar, les diré que al final abandonó el mundo sin haberse enterado de si *giraba* o se estaba *quieto*. Mi padre, con enorme paciencia, se lo había dicho más de mil veces, pero ella siempre lo olvidaba.
>
> (vol. VI, cap. XXXIX)

En la novela aparece otra gran obsesión, la del tío Toby, militar de carrera, planteada como en «un primer plano», tras la experiencia del asedio de Namur y la herida que allí ha sufrido, y que la prolonga hasta convertirla en una enorme metáfora que cubre todos los campos de lo humano y en clave para interpretar toda la realidad. En un ataque de ira, le reprocha esto mismo su hermano, que, por otra parte, lo ama tiernamente:

> Hablemos de lo que hablemos, hermano y por muy distante o inadecuada que sea la ocasión para sacar el tema, de lo que siempre se está seguro que lo vas a sacar. No me gustaría nada, hermano Toby, prosiguió mi padre, te aseguro que no me gustaría en lo más mínimo tener la cabeza tan llena de cortinas y de hornabeques.
>
> (vol. II, cap. XII)

Incluso en el momento dramático del nacimiento del protagonista, cuando el manejo excesivamente enérgico del fórceps provoca la rotura del tabique nasal del niño y el médico trata de curarlo mediante una escayola en forma de puente, la obsesión del tío Toby le impide interpretar correctamente el hecho:

> Cuando Trim entró en el salón y le dijo a mi padre que el doctor Slop estaba en la cocina ocupado en hacer un puente, mi tío Toby, en cuyo cerebro el asunto de las botas acababa de suscitar una verdadera cadena de ideas militares, dio inmediatamente por supuesto que el doctor Slop estaba haciendo un puente según el modelo del marqués d'Hôpital.
>
> (vol. III, cap. XXVI)

Esta obsesión asume muy frecuentemente el aspecto de alienación alucinada, que imposibilita al tío Toby la concentración y el desarrollo equilibrado y coherente tanto de una vida interior como de una vida de relación, y así, por ejemplo, asoma para distraerlo precisamente en el delicado momento en que acaba de dirigirse a la señora Wadman para presentarle su penosa y largamente demorada propuesta de matrimonio:

> y sin entrar en más detalles acerca de los sufrimientos y placeres del matrimonio, se llevó la mano al corazón y se ofreció a tomarlos como vinieren (tanto los unos cuanto los otros) y a compartirlos con ella de por vida fueren cuales fuesen las circunstancias.
> Una vez dicho esto, mi tío juzgó superfluo seguir insistiendo en ello, de modo que, al recaer su mirada sobre la Biblia que Mrs Wadman había colocado encima de la mesa, la cogió; y abriéndola al azar, ¡alma bendita!, justamente por el pasaje que, de entre todos, más podía interesarle (y que era el sitio de Jericó), se puso a leerlo con la aparente

intención de llegar hasta el final, dejando, como ya había hecho con su declaración de amor, que su propuesta de matrimonio se desenvolviera y surtiera sus efectos por sí sola.

(vol. IX, El Capítulo Decimonoveno)

La imagen de la estrategia bélica, en torno a la que gira la emotividad, y la razón, del tío Toby es, como es obvio, perfectamente ineficaz para desempeñar esa función de mediación con la realidad y de intérprete de los sentimientos. Son representaciones impropias, producidas por la conmovedora pureza de una fe que hace posible que se represente el universo contemplándolo desde un observatorio visual reducido.

9. La época que arranca con las revoluciones americana y francesa —época en la que se abre el camino del poder y del protagonismo histórico-político a clases sociales a las que hasta entonces les había sido vedado, al tiempo que, además, se propicia una alfabetización creciente que posibilitará la aparición en la sociedad literaria de la voz de los excluidos— facilita la manifestación de un nuevo síndrome y, en consecuencia, una nueva representación cómica, la que enfrenta las ilimitadas aspiraciones del narcisismo con los papeles secundarios y oscuros en la vida pública. Entre estas dos realidades, la segunda tiende a reducir a la primera a delirio paranoico, mientras que la primera ve en la segunda el fruto de las injusticias, caprichos, privilegios, la traición, en una palabra, de la *chance* democrática. Pero la alternativa no es equilibrada, porque en ella el narcisismo se halla a sí mismo incompatible con el propio soporte ideológico: la voluntad de sobresalir, de llegar a la excelencia, presente en todo ser humano y, por ello, destinataria segura de identificación emotiva, no es, al mismo tiempo, realizable para todos: nadie puede pensar que cualquier seminarista puede llegar a ser rey, como Joachim Murat. Quedará, pues, suspendido en una ineliminable condición de angustia todo encuentro objetivo de la autoestima que presente una demanda contra la sentencia pronunciada por el principio de realidad y, frente a la sistematicidad de sus asaltos, esa autoestima no quedará siempre intacta.

Uno de los libros menos conocidos de Achille Campanile, aunque uno de los más bellos, a nuestro juicio, *Il diario di Gino Cornabò*, se presenta como una verdadera enciclopedia de la marginación. Por un lado, la forma de diario hace hincapié en el aspecto repetitivo, que es básico en esta interpretación de las relaciones entre el yo y el mundo, en la medida en que sólo en el conjunto de los acontecimientos y de las reacciones —y nunca en uno solo de ellos— cobra realidad la idea de persecución; por otro lado, esa misma forma diarista asegura el grado más alto de subjetividad afectiva:

> Lo hacen todo sin contar conmigo. Las cosas pequeñas y las grandes. Fíjense, por ejemplo, en la situación internacional. Los ministros de las distintas potencias se consultan. ¿Piensan que alguno se ha sentido en el deber de decir: «Perdonen, oigamos qué opina Cornabó»? Ni hablar. ¡Les aseguro que lo hacen todo sin tenerme en cuenta para nada! (9 de agosto de 1936)[8].

No es casual que, en un mundo de información generalizada, el reconocimiento consista en la aparición en las crónicas periodísticas; y que esta presencia –efímera por excelencia– sea un factor de afirmación ontológica es una amarga paradoja, y aún más paradójico que el dato de que los periódicos se ocupen de existencias vulgares es la circunstancia de que, en su mayoría, tales crónicas periodísticas se ocupan de la patología de lo cotidiano[9]:

> «*Festín de los ladrones en la casa saqueada*».
> Para tener el honor de un suelto en los periódicos, tendrías que ser ladrón o ser robado por los ladrones. No hay otra.
> «*Niño atropellado por el tranvía, muere a consecuencia de las heridas*».
> «*Muere al caer arrojado desde un automotor en marcha*».
> «*Fulminado en una central eléctrica*».

---

[8] De modo parecido se expresa el protagonista del relato de Mark Twain, *Los datos reales sobre mis recientes dimisiones*: «He presentado mi dimisión. Todo indica que el gobierno va a seguir haciendo más o menos las mismas cosas, aunque le falte un radio en la rueda. Yo era escribiente destinado en la comisión senatorial de conquiliología pero he renunciado a mi cargo. Era absolutamente evidente, por parte de los demás miembros del gobierno, la tendencia a impedirme la menor participación en los consejos de la nación, así que me ha sido absolutamente imposible conservar el cargo y mi sentido de la dignidad a un mismo tiempo». También Bouvard y Pecuchet tienen que lamentar la caída en el vacío de su actividad reformadora: «Mandaron un artículo al periódico de Bayeux, enviaron una nota al prefecto, una petición al parlamento, un memorial al emperador. El periódico no publicó el artículo. El prefecto no se dignó a contestarles. El parlamento permaneció mudo, y en vano esperaron un pliego de las Tullerías. ¿A qué se dedicaba, entonces, el emperador? A las mujeres, sin duda» (cap. X). Al carácter más pragmático, o menos onírico, de esta representación corresponde una crítica más circunstanciada de las instituciones, aunque se acoja a la forma de un cotilleo.

[9] En *Alegría*, un cuento de Chejov, un empleadillo se muestra alborozado porque el periódico da la noticia del accidente que le ha ocurrido a él mismo, el día anterior, estando bajo los efectos del alcohol; lo que le sirve, además, de motivo para defender los valores de la cultura ante sus «ignorantes» padres y proclamar a voz en grito su notoriedad entre sus conocidos.

«*Aplastado por el árbol que estaba talando*».
«*Cae por un sumidero del alcantarillado*».
«*Pierde la mano atrapada entre los rulos de una mezcladora*».
Basta. Basta, por qué me hago mala sangre.
Desgraciadamente ni he sido atropellado, ni matado, ni arrojado,
ni fulminado, ni aplastado, ni me he caído en una alcantarilla, ni me ha
atrapado una mezcladora, ni me he asfixiado.
Y ahora digo yo: si para aparecer en los periódicos tienes que ser
víctima de una desgracia, ¿no querrán los periódicos considerar como
desgracia el hecho de que no me haya ocurrido ninguna desgracia? (21
de enero de 1940)

El sarcasmo lógico reclama, en este caso, el valor de la normalidad; si
bien se mantiene en el terreno de lo alucinatorio al trastrocar el concepto
de noticia periodística (cabría pensar en la enorme lista, que sustituyera a
la presentada, con todas las personas a las que no les hubiera sucedido
ningún mal). Más frecuente es, por otro lado, la afirmación de la propia
excelencia como blanco digno de desventuras, y su medida a través de las
adversidades sufridas por los grandes hombres del pasado, desde Napoleón, polo privilegiado de la locura[10], hasta Gogol, imitado por Cornabò
en el acto de quemar su obra maestra a causa del abatimiento. Pero Adal-
gisa, criada-compañera-ama «estaba quitando el polvo y ha seguido qui-
tándolo», de manera que «si no me espabilo para rescatar el manuscrito seguro que se hubiera quemado» (6 de marzo de 1938).
Las grandes figuras de la historia de la literatura son evocadas por
contraste con la frustración creativa del protagonista, que vuelca en la
escritura buena parte de su deseo de reconocimiento. En una ocasión,
al menos, tal deseo se pone de manifiesto categóricamente cuando instrumentaliza el principio de anterioridad en la red en que se funda la
presencia histórica del género humano, en particular el concepto de
modelo. Cornabò ha ideado la trama de *Los novios*, pero no puede escribir la novela,

porque yo he llegado a este mundo después de Manzoni. Imagínense
que fuera él quien hubiera nacido un siglo después de mí, le habría caí-

---

[10] «En el caso de Napoleón, era sólo su criado el que no creía que fuera un gran hombre, mientras que los demás sí. En mi caso no hay nadie que lo crea. Sólo yo creo en mi
grandeza. Y es suficiente. No soy un gran hombre ni para los criados, ni para los amos, ni
para ningún otro. ¿No veis cómo supero a Napoleón?» (13 de junio de 1937). Por considerar otro caso, entre tantos como podríamos citar, piénsese en *Psmith en el banco* de
Wodehouse: «escapábamos, corríamos a todo correr, perseguidos por una muchedumbre
enfurecida. Una situación ignominiosa para un Psmith de Shropshire; pero, después de
todo, también Napoleón se vio obligado a hacer algo semejante» (cap. XVII).

do a él en la cabeza la teja que me ha caído a mí; habría sido él quien no hubiera podido escribir la novela ya escrita por mí (...). De tal suerte, por una mera cuestión de fechas, Alessandro Manzoni es famoso y celebrado por todo el mundo, se erigen monumentos en su honor, se da su nombre a calles, plazas, teatros y a todo tipo de instituciones; y yo vivo oscuro e ignorado, no se da mi nombre ni siquiera a una calleja del arrabal (23 de mayo de 1937)[11].

La risa, que, en este caso, se produce decididamente ante lo delirante, se articula de un modo bastante más equilibrado y sutilmente enigmático en el cuerpo a cuerpo que Cornabò mantiene con la clase dirigente intelectual:

> ¡Mi obra! Bastaría con que los periódicos se dignaran a publicar el plebiscito que constituyen los juicios laudatorios llegados hasta mí en privado procedentes de personalidades ilustres, para que palideciera, turbada, toda la generación actual. Sobre mi poema inédito *Et ultra*, se expresa así Ferdinando Martini, tras haberle enviado una copia mecanografiada «Agradeciéndoselo vivamente –Ferdinando Martini». He aquí otros juicios de personalidades a quienes he enviado copias: «Gracias, con mi simpatía –Marinetti»; «Con mi vivo agradecimiento –Palazzeschi»; «Gracias y felicidades –Ugo Ojetti»; «M. A. –Campanile»; «Se lo agradezco –Giovanni Papini»; «Agradeciéndoselo –Benedetto Croce»; «Gracias –Renato Simoni»; «Felicidades –Paolo Buzzi»; «Le agradezco su envío –Annie Vivanti», «Con mis mejores deseos –Ada Negri»; «El poema "Et ultra" tan amablemente enviado por usted ha sido del agrado de S.A.R., que se lo agradece vivamente –El Primer Ayudante de Campo de S.A.R.»; «S.E. el Ministro se ha complacido con el envío de su poema y se lo agradece –El Jefe de la Secretaría Particular de S.E. el Ministro de Correos y Telégrafos (firma ilegible)»; «Agradeciéndoselo vivamente –Sem Benelli», etc., etc., etc.; éstos son sólo los más importantes.
>
> Imaginarán ustedes que después de tan extensísima anuencia, los editores se estarán dando de bofetadas por publicar mi poema. Pues nada de nada. Se equivocan ustedes. Lo han rechazado sistemáticamente. Todos. Sin excepción. No hay espacio para la poesía (6 de marzo de 1938).

---

[11] También Wodehouse, en *Psmith en el banco*: «Cuando, en cierta ocasión, Mike le comentó que Shakespeare había escrito algo parecido (...), Psmith reconoció con graciosa desenvoltura que incluso muy bien pudiera haber sucedido que Shakespeare escribiera exactamente lo mismo que él, pero que ello únicamente demostraría, no sólo la verdad del aforismo, sino también del hecho de que, a menudo, las grandes inteligencias piensan las mismas cosas» (cap. XXII).

Es cierto que moverá a risa ese delirio del deseo que le lleva a confundir con «juicios críticos» el rutinario débito al código de las buenas maneras, pero al conjunto de sus interlocutores es achacable, además del vicio moral de la hipocresía, una insignificancia que cobra cuerpo precisamente en la repetición de lugares comunes –al propio autor, en un delicioso juego de espejos, se le atribuye el más avaro de tales lugares, la abreviatura M.A. (muy agradecido).

El pacto perverso que el desasosegado yo establece con la hostilidad de lo real encuentra la vía fulminante del lapsus: «Vosotros pasáis, yo permanezco», querría decir Cornabò a sus detractores, pero lo que le sale es el auténtico e insoportable «Vosotros permanecéis, yo paso» (27 de septiembre de 1936)[12], coherentemente con una perversión que en él se somete a la orgullosa llamada a la posteridad del intelectual incomprendido: la schilleriana contemporaneidad con quienes vendrán después se quiebra en la perpetuación de las relaciones frustrantes:

> no me ilusiono con la idea de que me hagan justicia mis contemporáneos.
> Quizá los que vengan después, aunque más vale que no me haga ilusiones. Pensarán lo mismo que sus padres, serán tan canallas como ellos. Malditos sean también ellos (10 de noviembre de 1939)[13].

[12] Una forma distinta de narcisismo autoagresivo –pragmática en este caso– es la que queda concernida en la contradicción según la cual la expansión del papel individual predispone en contra al mundo al que se pide algo. En *Amor y gallinas* de Wodehouse, el enamorado enfrentado con el padre de su amada simula un falso salvamento marítimo con la finalidad de propiciar su benevolencia, pero «también en un auténtico caso de salvamento, el salvado, si bien se mira, se sentirá siempre un poco molesto con el salvador, una vez que ha pasado el peligro. Inconscientemente lo considerará del mismo modo en que el director de una compañía de teatro ve al primer actor, como alguien que le debe a él su medio de vida aunque sea el otro quien está en el escenario y quien conquista todos los aplausos» (cap. XVIII). La frase podría servir de comentario al doble mecanismo con que se construye el *Viaje del señor Perrichon* de Labiche. De los dos aspirantes a la mano de la hija de Perrichon, uno elige el papel de acreedor moral, salvando a la protagonista; el otro, el papel opuesto, haciéndose salvar. La victoria correspondería a este último, si, también aquí, no se descubriera el carácter falso de la operación.

[13] Sólo aparentemente cabe considerar como opuesto a este tipo de temas el eufórico del delirio de omnipotencia, que considera esenciales y categóricos papeles sociales que se desdibujan hasta el parasitismo. Volvamos a oír a Psmith, el personaje de Wodehouse: «Le parecía estar oyendo al presidente informar del asunto en el Consejo de administración: "Me complazco en participarles, señores, que nuestros beneficios en el pasado año llegaron a tres millones sesenta mil libras esterlinas, dos chelines y dos *peniques* y medio. –Felicitaciones– Y, por otra parte –recalcando las palabras–, ¡que finalmente hemos conseguido convencer al señor Mike Jackson –sensación–, de que entre a formar parte de nuestro personal!" *Frenético alborozo y aplausos, a los que se une el presidente mismo*» (cap. IV). En

10. «No soy yo el culpable, sino los otros». Así se defiende el suboficial Prichibeyev, protagonista del cuento del mismo título, de Chejov, acusado de mil violencias ejercidas por él sobre los miembros de la comunidad campesina en que vive, con el común denominador en todas ellas de la indebida asunción de un papel autoritario por el que se cree destinado a representar la legalidad, a impedir o prevenir que se cometan «excesos». El mecanismo que se articula en el cuento no es el del delirio de omnipotencia, sino el de una idolatría del orden, opresivamente concebida según el lema de que está prohibido todo aquello que no está permitido: «No hay –decía– ninguna ley que permita cantar canciones».

La risa se atenúa en la piedad con que se acaba viendo en el opresor a la víctima de la propia manía, cuya irreductibilidad termina mostrando su auténtico rostro de pasividad. Tras ser condenado:

> Pero una vez fuera de la sala del tribunal y encontrándose en su camino un grupo de mujiks que charlan, *no puede contenerse y grita según su costumbre* (la cursiva es nuestra): ¡Circulad! ¡Circulad! ¡Nada de reuniones! ¡Todo el mundo a su casa!

Ese mismo sentido –tan característico en la cultura rusa– de la jerarquía que organiza las relaciones sociales y el orden de los valores, vuelve a plantearse en otro personaje genuinamente chejoviano. El protagonista de *De mal en peor* no piensa que sea delito insultar y golpear a quien haya sido antes subalterno suyo.

Un abogado le aconseja que pida excusas; pero no sólo no lo hace sino que acaba por agravar el carácter de las ofensas; cuando es condenado, acusa, sin más, de corrupción al juez y, luego, al tribunal de casación. En un *clímax* que tiende al infinito, también él «está convencido de su inocencia y tiene fe en que, más tarde o más temprano, le darán las gracias por haber descubierto aquellos abusos».

---

otro pasaje vemos la dimensión levemente irónica que, con la ayuda de los *topoi* del paisaje idílico, asume la necesidad de ser insustituible. Psmith deja el sombrero y los guantes en su mesa en el banco, y se va a dar un paseo, para que los empleados no se sobresalten pensando que se ha ido para siempre: «Hagamos, pues, una escapadita hasta la oficina de correos; dejaré los guantes y el sombrero como garantía y demostración de mi buena fe. Sin duda alguna correrá la voz: "¡Psmith ha desaparecido! ¡Algún banco rival lo habrá secuestrado!" Luego verán mi sombrero (...) y suspirarán aliviados. La terrible ansiedad cesará. Dirán "No, Psmith no ha desaparecido, no se ha ido para siempre. Volverá. Cuando los campos estén cubiertos de margaritas blancas, volverá"» (cap. VI).

11. En *La conciencia de Zeno*, donde abundan los mecanismos infantiles, aparece muy a menudo el intento de dominar el mundo tratando de frenar su dimensión casual y también el intento de burlar el orden moral que gobierna las relaciones adultas entre los hombres. En sus reiterados intentos de dejar de fumar, Zeno idea distintos rituales, entre los cuales estaría el de la atribución de un valor simbólico a las fechas en que formula, una y otra vez, ese propósito:

> Recuerdo una fecha del siglo pasado que me pareció que debía sellar para siempre el ataúd en que quería encerrar mi vicio: «Noveno día del noveno mes de 1899». Significativa, ¿no es verdad? El siglo nuevo me trajo otras fechas igualmente musicales: «Primer día del primer mes de 1901» (...) Pero en el calendario no faltan las fechas y, con un poco de imaginación, cada una de ellas puede adaptarse a un buen propósito. Recuerdo, porque me pareció que contenía un imperativo grandemente categórico, la siguiente: «Tercer día del sexto mes de 1912, a las veinticuatro horas». Suena como si cada cifra doblara la anterior.
>
> El año 1913 me procuró un momento de vacilación. Faltaba el mes decimotercero para ponerlo de acuerdo con el año.
>
> (cap. III)

El mismo mecanismo le hace adoptar fórmulas contra el mal de ojo que tendrían que garantizarle el éxito amoroso en el infortunado cortejo de Ada:

> Yo iba a aquella casa desde mis sueños, contaba los escalones que me llevaban hasta aquel primer piso, diciéndome que si eran impares demostrarían que Ada me quería; y siempre eran impares, porque su número era de cuarenta y tres.
>
> (cap. V)

La pretensión de exorcizar mediante rituales aseguradores lo que de incontrolable tiene el amor, y la convicción de poder modificar los sentimientos del otro se unen en este caso al uso no explícito, pero tampoco inconsciente, del engaño, mediante el sometimiento del ritual, de suerte que de éste no pueda seguirse más que un pronóstico favorable.

Pero una presunción de tales características no afecta sólo a las neurosis de los individuos en particular y a las relaciones entre las personas, sino que se extiende también a la dimensión metafísica y, así, trata de dar solución a la cuestión religiosa de la salvación o de la condenación eternas. Ante el comportamiento «normal» de la muchacha, Zeno —también en este campo— subraya su propia diversidad.

Los domingos, Augusta iba a misa, y yo la acompañaba algunas veces para ver cómo soportaba la imagen del dolor y de la muerte. Para ella no existía, y aquella visita le infundía serenidad para toda la semana. Iba también ciertos días festivos que se sabía de memoria. Nada más. Yo, en cambio, si hubiera sido religioso, hubiera querido garantizarme la salvación en la iglesia todo el día.

(cap. VI)

Lo que se pone en juego aquí es la pretensión de poner barreras al peligro de la muerte eterna mediante prácticas religiosas mecánicas y superficiales, cuya eficacia se fía al respeto a la corrección formal y sobre todo a la acumulación cuantitativa de su repetición.

La escritura de Svevo ridiculiza una concepción instrumental del mundo, ingenuamente confesada en los numerosos momentos de peligro y de angustia por los que pasa el protagonista, en cuya opinión el mundo existe para satisfacer su voluntad y para adecuarse a sus deseos; ridiculiza también la convicción simplista de que los hechos irracionales y transcendentes puedan ser controlados. Se ríe, en resumidas cuentas, de la fe en un universo mágico en el que es posible el diálogo con las fuerzas hostiles para reducir su hostilidad o para someterlas a voluntad mediante la adopción de instrumentos apropiados. En las fórmulas y en las acciones de Zeno reaparece, pues –rehaciéndose de la derrota sufrida con el pensamiento moderno–, el gran sistema del universo primitivo, poblado de divinidades que se pliegan a la voluntad de los humanos si se les ofrecen los sacrificios adecuados y si se negocia con ellos con buenas razones sobre los premios y los castigos; una regresión cultural, pues, en la estela de la vuelta al mundo infantil, que arrastra consigo el sistema de las relaciones sociales, el universo de la moral, las estructuras de la razón en una recuperación del universo animista y mágico de la mentalidad primitiva.

En otro momento dramático de la vida de Zeno, cuando hace el amor por primera vez con su guapa y joven amante, vuelve a recurrir a lo universal, no en una expansión del yo, sino con un sentido de protección y justificación: Zeno lleno de remordimientos intenta confesárselo a su mujer, pero la explicación que le sale es oscura, formulada en términos filosóficos y existenciales, y también en términos médicos porque, para asegurarse la piedad de Augusta, Zeno, que es un hipocondríaco, empieza por lamentarse de sus males físicos y del misterio enfermizo que es su cuerpo:

hablé también de nuestra sangre, que corría, corría, nos mantenía en pie, capaces de pensamiento y de acción, y por lo tanto de culpa y de remordimiento. Augusta no comprendió que se trataba de Carla, pero a mí me pareció que se lo había dicho.

(cap. VI)

Se ridiculiza la hipocresía y la vileza de quien, incapaz de soportar el sentimiento de culpa, busca el perdón, y la justificación del pecado cometido, precisamente de la persona que ha sido objeto de la ofensa. Pero, en la medida en que no quiere someterse a promesas que no piensa cumplir, remite su culpa particular a un mecanismo constrictivo universal, de base biológica –ineludible, por tanto– y a un sistema moral que niega al individuo la libertad de elección y, por ello, también la responsabilidad del mal cometido. Construye este enorme y complejo entramado para asegurar la egoísta conservación del placer y liberarlo del sentimiento de culpa que lo envenena. Se trata, en efecto, de una cruel pretensión infantil, que para llevar a cabo esta ardua obra de conciliación, se ve obligada a destruir órdenes y jerarquías y a aplastar en el microcosmos de la avidez individual el macrocosmos que estructura tanto el universo ético y social como la vitalidad animal del hombre.

III

La risa político-social

1. Lo cómico político en la cultura occidental hace su aparición –suntuosa– con Aristófanes, con la batalla que el poeta, y sus personajes, sostienen contra el régimen democrático; régimen responsable de una política que, además de corrompida en lo interior, es agresiva en lo exterior, y, por ello, responsable de la continuidad de la guerra del Peloponeso y de las condiciones de precariedad e infelicidad generadas por el estado.

Tres comedias, *Los Arcanienses*, *La paz* y *Lisístrata*, proponen una y otra vez la misma línea política y, con ello, la misma estructura dramática básica, a una distancia cronológica que subraya siniestramente la fijación, como una gangrena, del conflicto. Entre las tres comedias varía sobre todo la mayor importancia relativa que llegan a tener el interés colectivo y el individual, importantes focos de la dinámica cómica de Aristófanes. En *Los arcanienses*, Diceópolis, un campesino refugiado en la urbe, impotente para conseguir el triunfo de la causa de la paz en la vida política de la ciudad, hace la paz con Esparta, él solo, a beneficio suyo y de su familia exclusivamente; en *La paz*, un campesino sube al cielo para traer a la diosa Paz a la tierra con la ayuda de sus paisanos; en *Lisístrata*, la huelga sexual tiene un ámbito panhelénico y el bienestar alcanzado implica, pues, a la más extensa idea de colectividad que pudiera concebirse en el siglo V.

Pero ni el individualismo exasperado que caracteriza al protagonista de *Los arcanienses* impide que la acción tenga también un carácter institucional y constructivo (la ambición de fundar una organización política más justa y racional), ni el universalismo de *Lisístrata* excluye el carácter rebelde, que, por el contrario, en este caso se alza contra el más consolidado de los regímenes y de los poderes, el ejercido por el hombre sobre la mujer.

Leamos en *Los arcanienses* la parte final de un enfrentamiento sistemático entre las fatigas de la guerra, sufridas por el general Lámaco, y los placeres de la paz, individualmente saboreados por el victorioso Diceópolis, cuyas réplicas son otras retorsiones a las intervenciones de aquél.

LÁMACO: Chico, chico, bájame la lanza y tráela aquí fuera.
DICEÓPOLIS: Chico, chico, bájame el embutido y sácalo fuera.
LÁMACO: Ea, voy a quitar la funda de mi lanza. Ten, sujeta, chico. (*Así hace el esclavo. LÁMACO saca la lanza.*)
DICEÓPOLIS: También tú chico, sujeta esto. (*El esclavo sujeta un embutido,* DICEÓPOLIS *tira de él.*)
LÁMACO: Tráeme el caballete, chico, del escudo.
DICEÓPOLIS: (*Señalando a su vientre.*) Saca tú los panes apoyo del mío.
LÁMACO: Trae aquí el círculo de mi escudo de hombros de Gorgona.
DICEÓPOLIS: Y a mí el círculo de un pastel, de hombros de queso.
LÁMACO: ¿No es esto para todos una burla pesada?
DICEÓPOLIS: ¿No es esto para todos un pastel delicioso?
LÁMACO: Vierte, chico el aceite. (*Frota con él el escudo.*) Veo en el bronce a un viejo que será acusado de cobarde.
DICEÓPOLIS: Y tú vierte la miel. (*El esclavo la echa en el pastel.*) Veo en el bronce un viejo que manda a paseo a Lámaco, el de Gorgaso.
LÁMACO: Sácame, chico, una coraza de guerra.
DICEÓPOLIS: Sácame a mí también, chico, como coraza el jarro.
LÁMACO: Con ésta me acorazaré contra los enemigos.
DICEÓPOLIS: Con ésta me acorazaré contra los comensales.
LÁMACO: Ata, chico, las mantas al escudo.
DICEÓPOLIS: Ata, chico, mi comida a la cesta.
LÁMACO: Yo cogeré y me llevaré mi propio macuto.
DICEÓPOLIS: Yo voy a coger mi manto y a irme.
LÁMACO: Coge el escudo y marcha con él, chico. Nieva. ¡Ay! La cosa está tempestuosa.
DICEÓPOLIS: Coge la comida. La cosa está banqueteosa.

(vv. 1118-42)

La paz ajusta el tiro, tomando como diana en el triunfo final, no ya a los militares, perjudicados por la guerra por mucho que sean responsables de la misma, sino a la categoría de los mercaderes de armas, cínicos beneficiarios del malestar general. La visión de Aristófanes de las dinámicas socioeconómicas es, pues, una vez más, sumamente lúcida y anticipatoria.

EL FABRICANTE DE PENACHOS: ¡Ay, Trigeo, me has arruinado completamente!
TRIGEO: ¿Qué te pasa desdichado? ¿Acaso te salen penachos en la cabeza?

EL FABRICANTE DE PENACHOS: Nos has quitado el trabajo y la subsistencia a mí y a este otro, fabricante de dardos.
TRIGEO: Vamos, ¿cuánto quieres por esos dos penachos?
EL FABRICANTE DE PENACHOS: ¿Cuánto ofreces?
TRIGEO: ¿Que cuanto ofrezco? Me da vergüenza decirlo. Sin embargo, como el trenzado está hecho con gran primor, te daré tres quénices de higos secos, y me servirán para limpiar esta mesa.
EL FABRICANTE DE PENACHOS: Vengan los higos: más vale poco que nada.
TRIGEO: Vete al infierno con tus penachos: tienen lacia la cerda; no valen un pito. No daría una higa por todos ellos.

(vv. 1210-23)

La desesperación paratrágica está también ridiculizada mediante el brusco resurgir del instinto mercantil, por el que, hasta en condiciones catastróficas, tiene lugar la transacción. En este sentido, la primera agresión de Trigeo –cuya propuesta tenía valor simbólico de injuria, tanto por el precio ofrecido como por la manifestación del uso que pensaba dar a los penachos– queda frustrada al ser inmediatamente tomada en serio la oferta; pero ello se vuelve en contra, y no en provecho, del comerciante, porque abre el camino a una segunda y más violenta agresión, que, sin embargo, mantiene el carácter cómico, en la medida en que el rechazo encuentra una justificación de orden mercantil (los penachos «tienen lacia la cerda»).

Este procedimiento de que a un ataque velado le siga otro directo es característico de lo cómico ideológico en Aristófanes, y se puede descubrir especialmente en los *Witz* de tendencia agresiva, cuya utilización demuestra el valor general del descubrimiento de Freud, pero también la necesidad de su diversificación en relación con los distintos *milieux* históricos. Si en la Viena de Freud, o en otros ambientes en los que imperen reglas de convivencia social estrictas, un juego de palabras que sustituya y sugiera la agresión es lo máximo que pueda permitirse, en Aristófanes será, más bien, lo mínimo, y muy frecuentemente el *Witz* representará un nivel provisional e interlocutorio de la polémica política. Baste considerar que si el *Witz* es una violencia enmascarada mediante la risa, explicarlo, esto es, desplegar todos sus contenidos agresivos, dejará de mover a risa. En *Las avispas*, por ejemplo, se habla de un sueño en el que aparecen algunos personajes de la política ateniense, entre los que se cuenta un tal Teoro que, en la fantasía verosímil en el discurso onírico, aparece parcialmente animalizado, con cabeza de cuervo, junto a él está Alcibíades, que comenta el hecho con su conocido defecto de pronunciación por el que transforma la «r» en «l». Teoro (pronunciado «Teolo») tendrá, pues, cabeza, no de korax (cuervo), sino de kolax (adulador).

La animalización onírica se ha transformado en insulto político apenas velado. Pero incluso esta veladura es excesiva para el odio a la demagogia que profesa Aristófanes, que acaba descubriendo las cartas, y hace decir al personaje a quien se le ha narrado el sueño: «nunca ha balbucido más oportunamente Alcibíades» (vv. 42-6).

2. Al principio de la carrera teatral de Aristófanes, la iniciativa política reformadora o, mejor, restauradora —pues se trata de que Atenas vuelva a los ideales del pasado— consigue un éxito estelar, y las reservas a que nos referíamos antes a propósito de las ambigüedades de lo cómico político llegan a implicar dificultades y niveles intermedios de realización. En *Lisístrata*, por ejemplo, se ridiculiza la estolidez de los hombres, sorprendidos en la inatacabilidad de sus privilegios, pero también la fragilidad de las mujeres y las tentaciones a que son sometidas en el curso de la ejecución de su plan.

Hay una ridiculización triunfal y paradójica que es concomitante con el éxito del protagonista de *Los caballeros*, el morcillero que derrota al demagogo Paflagonio (Cleón), aun siendo más despreciable que él[1]. Aristófanes, pues, nos invita a asociarnos a las mismas acciones políticas que constituyen el objeto de su disgusto: en este caso en la risa contiene, con una presencia más intensa que en otras partes de su obra, la tristeza del ciudadano por su pueblo (Demos es el protagonista alegórico de *Los caballeros*) que se deja engañar hasta ese punto.

Oigamos el relato victorioso del morcillero:

> Me postré en adoración; y luego, empujando con el culo la barrera, la hice saltar; y abriendo al máximo mi boca, grité: «Consejeros, traigo buenas noticias y quiero dároslas antes que nadie: desde que comenzó la guerra, jamás vi las sardinas tan baratas.» El Consejo, al instante, serenó su rostro; luego querían coronarme por las buenas noticias; y yo les dije como un gran secreto que al instante, para poder comprar muchas sardinas por un óbolo, se hicieran con todas las fuentes de los artesanos. Aplaudieron y se quedaron mirándome boquiabiertos. Pero el Paflagonio, cayendo en sospecha y buen conocedor de las palabras que más gustan al Consejo, hizo una propuesta: «Señores, propongo que por las buenas noticias que nos han sido anunciadas, sacrifiquemos en

---

[1] En la última etapa de *Los viajes de Gulliver* de Swift, el País de los Caballos Sabios, donde los humanos, conocidos como *yahoos,* en estado primitivo, están sometidos a aquéllos, se cuenta como «en la mayor parte de las manadas hay una especie de *yahoo* jefe (de modo semejante a como en los parques suele haber un ciervo que ejerce el poder sobre los demás y los guía) que es siempre el de cuerpo más deforme y el de carácter más perverso de todos ellos» (parte IV, cap. VII).

acción de gracias cien bueyes a la diosa». El Consejo prestó ahora su asentimiento. Pero yo cuando vi que era derrotado por las boñigas, lancé más lejos mi jabalina, proponiendo doscientos bueyes; y les aconsejé hacer mañana a la Cazadora un voto de mil cabras si las sardinas se pusieran a cien el óbolo. Volvió su rostro hacia mí otra vez el Consejo. Y él, aturdido, comenzó a tartamudear; los prítanis y los arqueros se pusieron a sacarle a rastras, mientras que ellos, en pie, gritaban sobre las sardinas. Pero él les suplicó que aguardaran un momento «para que os enteréis de lo que dice el heraldo de Esparta: ha llegado para hablar de la paz», decía. Pero todos con una sola boca, gritaron: «¿Ahora de la paz? ¡En cuanto se enteraron de que estaban baratas las sardinas! No tenemos necesidad de paz: que siga la guerra».

(vv. 640-73)

3. En las comedias que nos han llegado de la producción última de Aristófanes, nos encontramos con un cambio que se hace difícil no poner en relación con el derrumbe militar y político acaecido en la *polis* y que supuso el fin de un régimen cuya vitalidad era también garantía de la pervivencia de una oposición. Hay –se ha impuesto– un plan de saneamiento sociopolítico, cuya consecución, además de ir acompañada del habitual tono triunfalista, está amenazada por ciertas sombras, errores, incongruencias, demandas incumplidas.

Tal sucede en *Las mujeres en el parlamento*, donde la desconfianza general en todos los regímenes experimentados lleva a identificar la llegada de las mujeres al poder con un programa político que plantea el comunismo de los recursos y de las estructuras familiares. Cuando tal cosa se convierte en ley, se enfrentan en escena Cremes, neófito entusiasta que se apresura a aportar todos sus bienes, y un anónimo escéptico que pone de manifiesto, con la ironía y el tedio característico de quien todo lo sabe, la divergencia entre el proyecto teórico y su realización: se dice y se promete, pero no se hace, porque la avidez egoísta de los ciudadanos es mucho más fuerte que cualquier valor colectivo. El negativismo de los individuos y de las muchedumbres, que en *Los caballeros* podía, mediante un giro de la fantasía cómica, quedar transformado para bien, ejerce aquí su causticidad al sobrepasar los límites de persuasión de cualquier ética y de cualquier política.

HOMBRE: Tú, ¿qué significan esos cacharritos? ¿Los has sacado fuera porque te mudas o es que los vas a dar en prenda?
CREMES: De ninguna manera.
HOMBRE: ¿Y por qué están así en fila? ¿O es una procesión que hacéis en honor del heraldo Hierón, para que los subaste?

CREMES: No, por Zeus, es que quiero entregarlos a la ciudad en el ágora, según las leyes que han sido aprobadas.

HOMBRE: ¿Vas a entregarlos?

CREMES: Desde luego.

HOMBRE: Eres un infeliz, por Zeus Salvador.

CREMES: ¿Cómo?

HOMBRE: ¿Que cómo? Muy fácilmente.

CREMES: ¿Pues qué? ¿No debo obedecer a las leyes?

HOMBRE: ¿A cuáles desgraciado?

CREMES: A las decretadas.

HOMBRE: ¿A las decretadas? Qué tonto eres.

CREMES: ¿Tonto?

HOMBRE: ¿Cómo no? El más imbécil de todos.

CREMES: ¿Porque hago lo que está ordenado?

HOMBRE: ¿Y el hombre cuerdo debe hacer lo que está ordenado?

CREMES: Antes que ninguna cosa.

HOMBRE: Querrás decir el estúpido.

CREMES: ¿Y tú no piensas entregar nada?

HOMBRE: Me guardaré mucho, antes de ver qué es lo que quiere el pueblo.

CREMES: ¿No ves que están dispuestos a entregar sus cosas?

HOMBRE: Cuando lo vea, lo creeré.

CREMES: Por lo menos, es lo que van diciendo por la calle.

HOMBRE: Lo dirán sin duda.

CREMES: Y aseguran que las cogerán y las llevarán.

HOMBRE: Lo asegurarán, sin duda.

CREMES: Desconfiado, vas a estropearlo todo.

HOMBRE: Desconfiarán, sin duda.

CREMES: Que Zeus te machaque.

HOMBRE: Machacarán sin duda. ¿Te crees que va a llevarlas ninguno que tenga juicio? No es costumbre tradicional nuestra, sino que nosotros sólo debemos recibir, por Zeus. Lo mismo hacen los dioses, lo conocerás por las manos de las estatuas: cuando hacemos oraciones para que nos den sus bienes, allí se quedan extendiendo su mano con la palma hacia arriba, no con aire de dar, sino para recibir.

(vv. 753-83)

La última batalla de Aristófanes queda confiada a un personaje debilitado por la ruptura de la solidaridad pluridecenal entre voluntad política y racionalidad: Cremilo, el protagonista de *Pluto*, quiere restituir la vista al dios de la riqueza, representado como ciego tradicionalmente, es decir, pretende redistribuir la riqueza según criterios éticos. Pero la Pobreza, amenazada con tal proyecto, le demuestra que es ella precisamente el motor de la vida humana productiva. Cremilo la rebate con determinación furiosa y jura: «vete al infierno y no digas una palabra más, no me convences ni aunque me convenzas» (vv. 598-660)[2].

4. Una crítica del sistema –feroz, aunque mesurada por el ritmo distendido del *understatement*– se encuentra en el pasaje de *Los viajes de Gulliver* de Swift que describe las costumbres del reino de Luggnagg. El carácter central de esa crítica se anuncia ya en el sumario del capítulo que habla de la «gran indulgencia del soberano para con sus súbditos» (parte III, cap. IX). Considera, pues, el valor de la clemencia; valor que, para Séneca, y así se lo enseñaba a su discípulo Nerón, era el fundamento positivo del poder, y que en el siglo XVIII se ensalza como ideal de compromiso entre legitimismo e ilustración, hasta culminar idealmente en la mozartiana *La clemencia de Tito*, dos años después de la toma de la bastilla.

La clemencia del soberano de Luggnagg se ejerce también en las condenas a muerte, ejecutadas por el procedimiento de esparcir polvo envenenado en el suelo de la sala que debe lamerse, según la etiqueta palatina, para ser admitido a presencia del soberano.

> Pero, para hacer justicia a la desmesurada clemencia de este príncipe y a las molestias que se toma para preservar la vida de sus súbditos (y sería muy deseable que los monarcas europeos lo imitaran), hay que decir en su honor que está rigurosamente ordenado que se lave cuidadosamente la parte infectada del pavimento tras cada una de tales ejecuciones; y si los criados se olvidan de hacerlo, corren el riesgo de caer en desgracia ante el soberano. Yo mismo oí con estos oídos cómo daba orden de que azotaran a uno de sus pajes, que debería de haber hecho lavar el suelo tras una ejecución y que lo había descuidado adrede, de tal suerte que un joven Par de lo más prometedor había tenido la desgracia de envenenarse cuando fue recibido en audiencia, a pesar de que el rey no tenía en aquel momento la menor intención de quitarle la vida. El buen príncipe tuvo más tarde la clemencia de perdonarle el castigo al paje tras haberle hecho prometer que no lo haría nunca más de no tener órdenes especiales.

Tan prueba de clemencia es el castigo infligido como el castigo revocado. Ambos tienen el mismo valor, ambos quedan unificados con la misma denominación de «desgracia soberana», tanto el castigo familiar

---

[2] Tal contradicción lógica no es muy distinta de la que ofrece la *Granja de animales*, de Orwell, donde la ley de que «todos los animales son iguales» se transforma mediante el añadido «pero algunos son más iguales que otros» (cap. X), con la diferencia de que aquí es una mistificación organizada.

como la vida humana irremisiblemente perdida[3]; y lo mismo sucede con la omisión por olvido y la omisión por malignidad que cualquier otro tipo de justicia, consideración moral de las intenciones aparte, estimaría de manera muy distinta. Con estas equivalencias se pierde toda especificidad, toda articulación, toda jerarquía de valores, y se consuma una indiferencia de orden universal en relación con el arbitrio omnipotente, realidad absoluta que anula el tejido horizontal de las relaciones sociales, quedando como únicas y distintas las relaciones bilaterales y verticales entre el rey y cada uno de sus súbditos, entre el sol, centro del sistema, y el objeto tocado por cada uno des sus rayos[4].

5. En el polo opuesto, en *Canibalismo en el tren*, un delicioso cuento de Mark Twain, las relaciones horizontales de la democracia quedan igualmente vaciadas de sentido y reducidas a la condición de disfraces de una violencia primordial ordenada a la supervivencia: los viajeros de un tren detenido en medio de la tormenta se ven compelidos al remedio extremo de comerse los unos a los otros, pero con garantías que consisten en «elegir un presidente de la asamblea y los funcionarios destinados a asistirlo». El rito parlamentario se desarrolla siguiendo la dinámica bien conocida de la praxis política, aplicando en su previsible fisiología la patología monstruosa del momento; y, así, a los valores morales que en el lenguaje propagandístico se atribuyen a los candidatos a un cargo se les superponen las cualidades físicas que los hacen aparecer más o menos comestibles. Se asume también la hipócrita praxis según la cual la aspiración a los cargos se considera un servicio a la sociedad, de la que procede la invitación a asumirlos, invitación ante la que no deja de estar bien visto mostrarse reticente, y que,

---

[3] Del mismo modo, en *La lección* de Ionesco, el Profesor que ha matado a la muchacha a la que daba clases particulares es consolado por el Ama: «Profesor (entre sollozos): "No lo he hecho aposta, yo no quería matarla" Ama: "¿Está arrepentido, por lo menos?" Profesor: "¡Oh sí, sí, María, se lo juro" Ama: "Me da usted pena, ¿sabe? ¡Ay, en el fondo es usted un diablillo bueno! Ahora vamos a ver si podemos arreglarlo. Pero no vuelva a hacerlo... Acabaría por tener problemas de salud..."».

[4] En un fulminante diálogo de *Esperando a Godot*, Beckett se plantea como blanco de su ataque, no ya el envilecimiento connatural a un determinado régimen político, sino la indiferencia universal ante los hechos morales y la asimismo universal negación de la ley moral: «Vladimir: "Uno de los ladrones se salvó (Pausa) Es un porcentaje decoroso (Pausa) Gogo..." Estragón: "¿Qué" Vladimir: "¿Y si nos arrepintiésemos?" Estragón: "¿De qué?" Vladimir: "Bueno... (Piensa) Tampoco sería imprescindible descender a los detalles" (acto I). Si la cuestión de las culpas y de las penas se resuelve en términos estadísticos y se niega y ridiculiza cualquier especificación, precisamente en el terreno que necesariamente la reclama, la justicia distributiva pierde su sentido en cuanto respecta al arrepentimiento.

aquí, adquiere un dramático verismo, en la medida que la elección consiste en el consiguiente sacrificio del elegido. Así pues, éste se opone con toda la fuerza que pueda permitirle este marco normativo, marco que por otra parte define como correcta dinámica entre mayoría y minoría lo que en realidad es la prevaricación suprema y total del grupo en contra del individuo:

> hubo cinco votaciones sin que se pudiera alcanzar una decisión mayoritaria. En la sexta se eligió al señor Harris, votado por todos menos por él. Se propuso entonces que se ratificara la elección por aclamación, pero con resultado nulo, pues él volvió a votar otra vez en contra de sí mismo.

Perfecto, el sistema democrático, en su equilibrada composición de instancias colectivas y de garantías individuales, sólo se agotará cuando todo conflicto haya sido sofocado juntamente con la existencia misma de toda relación social, es decir, cuando el grupo haya quedado reducido a la persona del último superviviente:

> Luego, llegada la hora de las votaciones para la comida y no habiendo ninguna oposición, fui debidamente elegido; tras lo cual, sin que se presentara a ello ningún tipo de objeción, dimití. Es por ello por lo que estoy aquí.

Sigue una explicación tranquilizadora. Quien ha relatado la historia es un exdiputado que en una ocasión estuvo realmente en un tren bloqueado por la tormenta y se ha vuelto loco:

> Experimenté un indecible alivio cuando me di cuenta de que había estado escuchando el delirio de un loco, en vez de la experiencia auténtica de un caníbal sediento de sangre.

¿No será éste el alivio de quien puede atribuir al imaginario enfermo la amenaza de un funcionamiento perverso de las instituciones lógicamente queridas a todo demócrata, y que sólo a condición de confinarlas en él, mediante el habitual expediente delegatorio, puede ser expresada?

6. Desde Aristófanes, la administración justicia ha tenido siempre un papel dominante, entre todas las instituciones públicas, en la medida en que se presta especialmente a representaciones cómicas que desvelan el carácter ilusorio de la igualdad a que alude el símbolo de la balanza. Se la acusa con frecuencia de reproducir en su práctica las

relaciones de poder que se dan entre las distintas clases sociales y de optar por la culpabilidad o inocencia basándose en dicho modelo. El *mayor agravio* a lo procesal está sobriamente representado en *La contenible ascensión de Arturo Ui* de Brecht con un testimonio en un proceso que alude al proceso del incendio del Reichstag:

> Reconozco clarísimamente al imputado por su expresión culpable y por su altura de un metro setenta.
>
> (IX d)

Reconocimiento basado en una petición de principio y en un rasgo bastante más homologador que distintivo.

Aún más a menudo suele ponerse en cuestión otra relación de equidad, la establecida entre delito cometido y sanción impuesta. Veamos dos textos en que este principio se trastrueca en situaciones paradójicas, en las que, por otra parte –y en el primero de ellos así se declara literalmente–, queda afectada «una condición normal de la vida humana».

Así se expresa Samuel Butler en *Erewhon* a propósito del hecho de que, en el oscuro país de su contrautopía, se procese y se condene no por algo que se haya hecho voluntariamente, sino por algo que se haya involuntariamente soportado como puedan ser las enfermedades que destruyen el cuerpo. En esta situación alterada volvemos a oír una vez más los argumentos de que se valen los abogados defensores (lo veíamos ya en Aristófanes[5]) para atenuar la responsabilidad de sus clientes. Si el esquema clásico es «ha robado, pero no ha sido por su culpa», la versión «está enfermo, pero no ha sido por su culpa» parece revestirse de un inmediato carácter de convicción; y, por ello, confiere rasgos de cinismo absoluto a la objeción que a ello se haga. A un imputado, declarado culpable de tuberculosis pulmonar, el juez que ha de establecer la pena le dice:

> Insistís en decir que habéis nacido de padres con poca salud, y que en vuestra infancia sufristeis un grave accidente que minó vuestra constitución; excusas todas ellas en que siempre se refugian los criminales; excusas que no podrán nunca ser atendidas por la justicia. Y no estoy aquí para ocuparme de complicadas cuestiones metafísicas sobre el origen de esto o de aquello, cuestiones que una vez abordadas no terminaríamos nunca de dilucidar y que, en último término, tendrían como resultado volver a situar toda la culpa en los tejidos de la célula primitiva

---

[5] Véase más arriba, p. 38.

o en los gases elementales. No se trata de saber cómo y por qué habéis llegado a ser un criminal, sino, sólo y únicamente, de lo siguiente: ¿sois o no sois un criminal?[6]

(cap. XI)

Interés especial reviste otra observación posterior del juez, quizá más absurda aún, que ensancha el carácter criminal de la enfermedad a cualquier infortunio sufrido y, en un círculo vicioso, al procesamiento judicial mismo, por tanto, en tanto que proceso persecutorio. Tal carácter autorreferencial oscila entre los fantasmas, igualmente siniestros, de la totalidad y de la inutilidad:

> En fin, si por casualidad el jurado os absolviera –idea que ni siquiera puede tenerse en consideración– sabed que consideraría como deber mío dictar una sentencia poco menos severa que la que voy a dictar. Pues aunque fuerais declarado inocente del crimen que se os ha imputado, no dejaríais de ser culpable de otro crimen tan odioso como aquel, el de haber sido injustamente calumniado.

En contraste con tanta sutileza, destaca el sencillo *aprosdóqueton* con que concluye el proceso que en el *Pinocho* de Collodi se instruye contra el gato y la zorra, alterando de modo más lineal la relación entre culpables y víctima. El juez tras haber simpatizado con Pinocho durante todo el relato, sentencia:

> A aquel pobre diablo le han robado cuatro monedas de oro; así que prendedlo y metedlo inmediatamente en la cárcel.

(cap. XIX)

7. En una sociedad corrupta el mecanismo judicial que regula y gradúa las relaciones entre los delitos y las penas se reproduce, con lógica perversa, para dar la medida de la corrupción misma. Entendemos la palabra corrupción en su sentido técnico, es decir, con el significado que implica la posibilidad de cambiar las normas que la ley y la moral establecen oficialmente, mediante el pago de las correspondientes sumas de dinero u otros bienes cuantificables. De ello se sigue la construcción de un sistema que instituye equivalencias numéricas entre la transgresión perpetrada, o que se intenta perpetrar, y el precio a pagar.

---

[6] Compárese con una réplica de Lady Bracknell en *La importancia de llamarse Ernesto* de Oscar Wilde: «"Los padres de usted, ¿viven?" "He perdido a ambos, lady Bracknell" "Perder a uno de ellos, míster Gresford, puede pasar por una desgracia, pero perder a los dos, parece realmente una falta de cariño"».

Los criterios para establecer la medida deben ser reconocibles, aun cuando sólo sea por una costumbre que se haya convertido en derecho y, obviamente, deben ser compartidos –como si se dieran en un pacto social degenerado, aunque no por ello menos constrictivo. En la novela de Queneau *Mi amigo Pierrot*, esa medida es aproximada, hecha a ojo de buen cubero:

> Pierrot evalúa en cincuenta centavos la conciencia del vigilante nocturno y se los da. Así pudo llevar las consumiciones a los señores del 15.
>
> (cap. VIII)

El desembolso, decidido en base a una valoración de conjunto del sistema moral del vigilante nocturno, equivale, en síntesis final, a un contrato que regula la relación entre demanda y oferta en un régimen de mercado libre: la necesidad de conseguir la aquiescencia del vigilante frente a su disponibilidad para ser corrompido.

Más articulado es el caso que considera Voltaire en *Pot-pourri* a propósito de la moral católica:

> Pocas cosas hay más convenientes que amar a una prima; también se puede amar a una sobrina; pero casarse con una prima cuesta dieciocho mil liras, que hay que pagar a Roma; mientras que irse a la cama con la sobrina en legítimo matrimonio cuesta ocho mil francos.

Con ello, Voltaire critica la licencia que –con la oportuna valoración gradual de los casos– la Iglesia Católica concede para no tener que acatar la prohibición del matrimonio entre consanguíneos; y la juzga como la hipocresía de quien, tras haber establecido una regla, se apresura a instituir otra que permite de hecho burlar la primera. Por otro lado, el carácter absoluto de la norma es, así mismo, pervertido por el establecimiento de un tarifa que especifica y diversifica las sumas exigidas dependiendo del grado de consanguinidad para el que se pide dispensa. De manera que la prohibición del incesto termina por diluirse en una serie de distingos que en su conjunto destruyen el principio normativo general.

En la comedia de Gogol, *El inspector*, la cuantificación del acto ilegal no se articula sobre la base de la valoración de su gravedad, es decir, basándose en un criterio interno, sino basándose en el rango social del sujeto que lo perpetra. En dicha comedia el alcalde corrupto amonesta a uno de sus guardias, tan corrupto como él, no porque acepte sobornos, sino porque se los procura en medida exagerada.

Y dime, ¿qué bromita le has jugado al comerciante Chernaiev? Él se pensaba que sería suficiente con un corte de tela para el uniforme, pero tú... ¡rediez!, le has soplado la pieza entera. Mucho corres. Demasiadas pretensiones empiezas a tener para tu grado.

(a. I, esc. IV)

Mueve a risa la idea de que la subordinación jerárquica, por lo general entendida como criterio ordenador de la legalidad, tenga, en igual medida, sus efecto en el terreno de la ilegalidad.

8. El mal representado por Tartufo en la comedia de Molière es el mal absoluto e irremisible de la hipocresía, practicado en la Francia de Luis XIV por un poderoso grupo de presión, que seguramente podía identificarse con la Compañía del Santo Sacramento, y que presumiblemente contaba con el apoyo en la corte de la Reina madre.

Muy cuidadoso de no descubrir su verdadera naturaleza y de llevar con extremado rigor su máscara de hombre virtuoso, Tartufo sólo deja ver su bellaquería cuando el deseo sexual lo arrastra a ello. La impetuosa *avance* dirigida a Elmira configura la relación amorosa como una especie de asociación para delinquir, y las exigencias que plantea en el plano de los sentimientos no son sino complicidad.

Podéis estar segura del secreto absoluto, que el mal no está, señora, más que en su excesivo ruido. El escándalo social es el que origina la ofensa; pecar en silencio no es pecar.

(a. IV, esc. V)

En la misma ocasión Tartufo expone esquemáticamente un verdadero tratado sobre el comportamiento hipócrita, en el que se uniforman también sus relaciones con Dios, y que se sustancia en la supresión de la moral:

ELMIRA: ¿Y cómo consentir en lo que deseáis sin ofender a ese cielo que tanto os preocupa?
TARTUFO: Si es solamente el cielo lo que se opone a mis deseos, apartar tal obstáculo es fácil para mí, y por ello no debe contenerse vuestro corazón.
ELMIRA: ¡Mas nos atemorizan tanto con los decretos de la providencia!
TARTUFO: Yo puedo disiparos esos temores ridículos señora; conozco el arte de acallar los escrúpulos. El cielo prohíbe, en verdad, ciertos goces; mas pueden realizarse con él algunas transacciones... Según las necesidades, existe el arte de ensanchar los lazos de nuestra conciencia y de rectificar la maldad de los actos con la pureza de nuestras intenciones. Ya se os iniciará, señora, en esos secretos: no te-

83

néis más que dejaros guiar; satisfaced mis deseos y no temáis; os respondo de todo y cargo con el pecado[7].

En la comedia, el personaje de Tartufo suscita pocas risas; la antipatía del autor se manifiesta en sus ataques directos, sin otras mediaciones, dejando espacio al humor únicamente cuando los personajes más rústicos, la criada Dorina por ejemplo, ponen en evidencia sus falsedades o exageraciones específicas, para lo que, por otro lado, se articulan recursos del lenguaje no verbal, es decir recursos de puesta en escena, característicos de la representación dramática.

> TARTUFO (*dirigiéndose a su criado, en cuanto ve a Dorina*): Lorenzo, guardad mi cilicio con mis disciplinas, y rogad al cielo que siempre os ilumine. Si vinieran a verme, estoy con los cautivos, a quienes debo repartir mis limosnas.
> DORINA (*Aparte*): ¡Cuánta afectación y fanfarronería!
> TARTUFO: ¿Qué queréis?
> DORINA: Deciros...
> TARTUFO (*Sacando un pañuelo*): ¡Ah, Dios mío! Antes de proseguir, tomad este pañuelo, os lo ruego.
> DORINA: ¿Cómo?
> TARTUFO: Cubríos ese seno, que no podría ver. Se ofende a las almas con prendas semejantes, pues siempre hacen que broten los malos pensamientos.
>
> (a. III, esc.II)

---

[7] En *El ingenuo, historia verídica procedente de los manuscritos del padre Quesnel*, Voltaire ataca en términos semejantes, si bien con mayor minucia y detalle, la hipocresía de los jesuitas: el poderoso Señor de Saint-Pouange le promete a la señorita de Saint-Yves liberar al hombre a quien ama a cambio de sus favores sexuales. Desesperada, la muchacha pide consejo al jesuita que es su confesor: «Haga lo que haga estoy perdida; la única opción que deja es o bien la desgracia o bien la deshonra. O mi amante es enterrado vivo o yo me hago indigna de vivir; no puedo dejarlo perecer pero tampoco puedo salvarlo». A lo que responde el jesuita: «En primer lugar, hija mía, no vuelvas a emplear esa expresión de *mi amante*; tiene un carácter mundano que podría ofender a Dios. Di mejor *mi marido*, pues, aunque no lo sea todavía, tú lo consideras como tal, y nada puede ser más honesto. En segundo lugar, aun cuando idealmente y en la esperanza sea tu esposo, no lo es de facto; así pues, consintiendo, no cometerías adulterio, gravísimo pecado que debes evitar siempre que te sea posible. En tercer lugar, cuando la intención es pura, no hay malicia pecaminosa en las acciones, y ¿que puede haber más puro que liberar a tu marido? En cuarto lugar, en los libros sagrados antiguos encontrarás ejemplos que pueden servirte maravillosamente en tu decisión (...) Estáte segura, hija mía, de que si un jesuita cita a san Agustín, es necesario que este santo tenga razón plena. Yo no voy a darte ningún consejo; sé prudente; seguro que serás útil a tu marido. El Señor de Saint-Pouange es un caballero y no te engañará; más no puedo decirte. Pediré a Dios por ti, y esperemos que todo suceda a su mayor gloria» (cap. XVI).

Ante los intentos de reacción de los otros personajes, Tartufo responde de modo temible. Cuando Cleanto le reprocha haber inducido solapadamente a Orgón a que deshrede a su hijo en favor suyo, opone un silencio inapelable, enmascarado en motivos religiosos, equivalente, de hecho, a una censura contra la libertad de expresión:

> Son ya, señor las tres y media; me reclama ahí arriba cierto deber piadoso; excusadme si os dejo tan pronto.
>
> (a. IV, esc. I)

Más adelante, cuando, enterado de todo el fraude, Orgón pasa al contraataque, la reacción de Tartufo es violentísima; se ha convertido, además, en poseedor legal de todos los bienes de Orgón y ejerce con dureza los derechos de la propiedad; para mayor escarnio, lo denuncia, aprovechándose de que le haya confiado cartas comprometedoras.

En el terreno de los hechos se hace imposible enfrentarse con el enorme poder de Tartufo; de tal suerte que la única esperanza que cabe en una moral positiva capaz de derrotar al mal se reduce a refugiarse tras un poder aún más grande, el poder real; de hecho, detrás de un acto de fe. Y así, sólo la orden de detención de Tartufo dictada por el rey, con todas las características del *deus ex machina*, consigue restablecer la equidad, gracias a un final feliz que no deja de ser ajeno al mecanismo de las relaciones de fuerza representados en la comedia.

9. También en *El enfermo imaginario* se ataca a una corporación socialmente dominante, la de los médicos, cuyo poder se basa en el miedo universal a la muerte. La comedia despliega un apremiante acto de denuncia contra los médicos, que tiene el sentido retórico de un pliego de cargos del ministerio fiscal y se extiende en distintos planos y con distintos argumentos.

El primero de ellos, el más simple y duro, se resuelve en una acometida a la inferioridad intelectual. En relación con el joven Tomás Diafoirus, con quien el protagonista, Argán, quiere casar a su hija a toda costa, para poder tener así un médico siempre al alcance de la mano, el propio padre da cuenta de la estupidez que le caracteriza, lo que no le ha impedido llegar a ser un médico de fama:

> Señor, no es porque sea mi hijo, pero tengo motivos sobrados para estar orgulloso de él. Todo el que le conoce habla de mi hijo como de un joven que no tiene doblez. Nunca tuvo la imaginación viva, ni esa fogosidad que se echa de ver en algunos; pero por eso mismo aseguré siempre que sería juicioso, cualidad indispensable para el ejercicio de

nuestro arte. De pequeño, jamás se le tuvo por un muchacho listo y despejado. Siempre se le veía dulce, apacible y taciturno, sin hablar jamás, sin dedicarse en ningún momento a todos esos juegos que se llaman infantiles. Costó un trabajo tremendo enseñarle a leer, y a los nueve años aún no conocía las letras...

(a. II, esc. V)

Un segundo argumento del pliego de cargos es cultural y específico; se encuentra también en esa misma réplica en que Diafoirus padre hace la loa de su hijo Tomás; en nombre de una abstracta fe en las *auctoritates*, los médicos rechazan tanto la evidencia concreta como los resultados de la ciencia experimental:

> Pero sobre todas esas cualidades la que más me agrada es que, guiándose de mi ejemplo, sigue ciegamente las opiniones de nuestros clásicos, sin que haya querido discutir ni prestar atención a esos presuntos descubrimientos y experiencias de nuestro siglo referentes a la circulación de la sangre y otras teorías por el estilo.

Un argumento moral específico es el tercer cargo de la acusación, y consiste en sostener que, en el ejercicio de su profesión, lo único que preocupa a los médicos es su propio interés[8]; sólo se ocupan del enfermo cuando éste pertenece a las clases privilegiadas:

> DIAFOIRUS: Si he de deciros la verdad, nuestra profesión aplicada a la gente aristocrática es muy desairada. Yo he preferido siempre vivir del público. El público es más manejable. No tiene uno que responder de sus actos ante nadie, y con sólo aplicar las reglas del arte no hay que preocuparse por los resultados. En cambio, asistiendo a la grandeza, siempre se está en vilo, porque en cuanto caen enfermos quieren decididamente que su médico los cure.

---

[8] Esa misma, tan poco acrisolada, deontología profesional se atribuye, en la *Conciencia de Zeno* de Italo Svevo, al médico llamado para atender a Guido, el cuñado del protagonista, cuando intenta suicidarse; intento que le llevará a la muerte precisamente por falta de cuidados médicos. Ante la perspectiva de tener que atravesar dos veces toda la ciudad en medio de un temporal, el médico, que tendría que ir a buscar los instrumentos necesarios para hacerle un lavado de estómago y luego volver a la casa del paciente, prefiere engañarse a sí mismo sobre el mal que aqueja a Guido y dejarlo con unas muy pocas prescripciones y una buena cantidad de buenas palabras tranquilizadoras, mientras murmura para sí del desatento comportamiento de los enfermos: «¡No debería estar permitido simular suicidios con este tiempo!" (...) Luego añadió que los profanos en medicina no se podían imaginar hasta qué punto, durante el transcurso de su práctica, el médico tiene que defender su vida contra los clientes que se suicidan no pensando más que en sus asuntos» (cap. VII). La diferencia con la diatriba de Molière consiste en que, en la novela de Svevo, es sólo un caso aislado, aunque grave, de inmoralidad profesional.

ANTONIA: ¡Vaya una gracia! ¡Se necesita ser impertinentes para querer que los curen los señores médicos! Los médicos no son para eso; los médicos no tienen otra misión que la de recetar y cobrar. Curarse es cuenta de los enfermos[9].

En la burlesca ceremonia final de concesión de un doctorado los médicos mismos, en pomposo latín macarrónico, proclaman los privilegios que se siguen del ejercicio de la profesión, y la necesidad de conservarlos mediante la selección interesada de los aspirantes:

> Spectat nunc nostrae sapientiae,
> bono sensui atque prudentiae,
> fortemente laborare
> ad nos bene conservare
> in tali credito, voga et honore;
> et badare ad non recipere
> in nostro docto corpore
> quam personas capabiles,
> et totas dignas tenere
> has sedia honorabiles.

(a. III, intermedio)

En la misma ocasión, en forma de celebración, se agradece la autorreferencialidad del saber médico, que se sirve de la tautología como única explicación de los hechos y demostraciones de las hipótesis:

> Mihi a docto doctore
> demandatur causam et rationem quare
> opium facit dormire.
> Ad quod respodeo,
> quia est in eo
> virtus dormitiva,
> cuius est natura
> sensus assopire[10].

[9] La burla paradójica de Antonia se corresponde, en clave «seria», con la afirmación de don Juan en la comedia del mismo nombre: «Lo único que tienen que hacer es arrogarse el mérito de los buenos resultados; también tú puedes sacar provecho de la buena suerte del enfermo, y tratar de atribuir a tus medicinas cuanto en realidad depende de los humores del caso y de las fuerzas de la naturaleza» (a. III, esc. I).

[10] La tautología, planteada aquí por Molière como rasgo característico del modo de razonar de los médicos, se corresponde exactamente con la característica intelectual que Collodi asigna a los petulantes médicos reunidos en torno al lecho del Pinocho enfermo: «"En mi opinión este muñeco está perfectamente muerto; ahora bien, si por desgracia,

10. Cuando la sociedad llega a tal punto de inmoralidad, también el principio de verosimilitud se pervierte y adquiere nuevas dimensiones sobre la base de categorías negativas.

Tal es el caso de la comedia de Diderot *¿Es bueno? ¿Es malo? Sobre la inconsecuencia del juicio público,* en la que el protagonista, el poeta Hardouin, trata de ayudar a la viuda de un oficial, que ha acudido a él para que le ayude a tramitar que su pensión de viudedad, en caso de que ella muera prematuramente, le sea transferida a su hijo, aún niño pequeño.

> SEÑORA BERTRAND: ¿Servirá de algo hablar del capitán Bertrand? (...)
> HARDOUIN: Era un valiente; y nunca he visto nada más interesante que su viuda.
>
> (a. II, esc. III)

Sólo ya en esta réplica, el esquema de valores morales queda pervertido al ponerse en el mismo plano el heroísmo del oficial y el aspecto sexualmente apetecible de su viuda. Pero el trastorno absoluto de la jerarquía ética se manifiesta con mucha mayor evidencia aún cuando, para ayudar a la hermosa e íntegra señora Bertrand, Ahardouin, que aboga por ella ante sus poderosos amigos, no tiene una idea mejor que dejar caer la sospecha de que el niño de la viuda es en realidad hijo suyo. Atribuirse una falta y pretender, al mismo tiempo, sacar de ello cierta ventaja le parece bastante más creíble que el gesto generoso de ocuparse desinteresadamente por una mujer respetable que se encuentra en dificultades. El resultado es que aquello mismo, que la señora no había conseguido en nombre del sacrificio del heroico marido, será conseguido por Hardouin en nombre de la solidaridad cómplice entre personas que practican el vicio y que sólo creen en la inmoralidad[11].

En la extraordinaria novela de Jaroslav Hasek, *Las aventuras del valeroso soldado Schwejk,* hay un caso semejante. El depravado capellán de la compañía envía a Schwejk a ciertos oficiales amigos suyos con el en-

---

no estuviera muerto, entonces, ello sería síntoma de que sigue vivo". "Lamento –dijo la Lechuza– tener que discrepar del Cuervo, mi ilustre colega y amigo: para mí, en cambio, el muñeco sigue estando vivo; aunque si, por desgracia, no estuviera vivo, ello sería entonces señal de que está verdaderamente muerto"» (cap. XVI).

[11] En *La importancia de llamarse Ernesto* de Wilde se deplora la misma paradoja: «Supongo que no *habrá usted llevado* una doble existencia, echándoselas de perdido *y siendo* luego una persona decente, ¿eh? Eso sería una hipocresía» (a. II). Definir como hipocresía la mistificación de hacer pasar el bien por mal, antes que –como suele ser habitual– lo contrario, trastrueca el canon ético con la anuencia del lector; y de tal suerte, el inmoralismo no sólo se mediatiza sino que incluso se exagera por obra del *calembour.*

cargo de que les pida un préstamo para comprar aguardiente, pero le sugiere que les ponga la excusa de que el dinero es para el caballo. Sin embargo, Schwejk

> basó su petición en el pretexto de que su amo debía pasarle cierta cantidad, en concepto de alimentos, a una muchacha que había seducido. Y, de esta manera, obtuvo el dinero de todos ellos y sin la menor dificultad.
>
> (parte I, cap. X)

Una alteración de este tipo es casi un juego, y puede uno reírse tranquilamente con ello, en la seguridad tácita de que con otro gesto idéntico, e igualmente simple, se pueden cambiar de nuevo los términos y restablecer la correcta jerarquía de valores así como la primacía del bien.

Tal sucede literalmente al final de la comedia de Diderot; pero la marginación en que cae el protagonista, a consecuencia de su confesión, muestra la consciencia de hasta qué punto el mal es contaminante.

En la comedia de Ionesco, *El cuadro*, se presenta otra subversión entre crédito y descrédito tradicional. Un rico especulador de bolsa le cuenta a un paupérrimo pintor su vida de *self-made man* y ello le da ocasión para articular reflexiones y moralejas:

> Si quiere seguir mi consejo, haga usted también de su arte un instrumento de batalla. En cierto modo, su... arte es una forma de lucha por la vida tan digna de respeto como cualquier otra, como la guerra o como el comercio, como la trata de blancas o como el mercado negro. La elección entre una u otra es sólo una cuestión de temperamento.

Se trata de una ejemplificación provocadora que conforma la idea de que la elección depende de una decisión de orden subjetivo, absolutamente desvinculada de las normas morales.

11. En las sociedades modernas funciona una jerarquización de clases que desmiente o frustra todo aquello que, en abstracto, se presenta como funcionamiento igualitario de las instituciones o de la opinión pública.

Por lo que hemos podido ver, el ejercicio de la ironía respecto de estas desigualdades no tiene un carácter revolucionario, ni tampoco reformista, pues no plantea una auténtica ideología de cambio, sino que más bien se limita a subrayar, con resignación dolorida, la discrepancia entre imagen ideológica y realidad, y ello en relación con sistemas sociales tan diferentes como para hacer buena la sospecha de que lo puesto en cuestión sea más bien una propensión humana general a la prevaricación y/o al servilismo, y la sospecha, así mismo, de que tal propensión esté más hondamente arraigada que todas las ideologías y que sea capaz de convertirlas a todas en utopías.

El camaleón de Chejov es un oficial de la policía zarista a quien recurre el orfebre Chiriukin porque le ha mordido un perro. El título del cuento se debe a que la opinión del comisario varía sin ningún pudor cada vez que varía la hipótesis de la pertenencia, o no, del perro al general Zigalov. En una primera intervención, el comisario se lanza a una severa afirmación de autoridad y de las prohibiciones.

> ¡Ya es hora de darles un escarmiento a los señores que se niegan a hacer caso de la normativa! ¡Cuando le impongan la multa a ese sinvergüenza, se enterará por mí de lo que quiere decir «perros y otros animales vagabundos»!

Cuando «alguien de la multitud» deja caer el nombre del ilustre propietario, el comisario, no pudiendo fundamentar en la pura y dura diferencia clasista un súbito cambio de opinión, se transforma en sagaz investigador, en perjuicio del damnificado; se pregunta en voz alta cómo un perro tan pequeño ha podido morderle el dedo a un hombre tan grande, e inmediatamente lo acusa de haberlo simulado:

> Probablemente te has desgarrado el dedo con algún clavo y se te ha venido a la cabeza la idea de sacarle un dinerillo.

Un guardia expresa primero escepticismo, pero, luego, cierta posibilidad de que el perro pertenezca al general. Efecto de la primera opinión es la depreciación inmediata («El general tiene perros valiosos, de raza, y éste... el diablo sabrá de donde viene: ni pelo, ni línea... un chucho infame»); efecto de la segunda es una inmediata revalorización («El perro es un animal delicado»). Al final llega el cocinero del general que, por servir en su casa, puede sacarles de dudas; pero, no obstante, introduce una última posibilidad, pues, en primer lugar, niega que el perro pertenezca al general, con lo que provoca un último y más perentorio encono: («Si he dicho que es un perro vagabundo, eso quiere decir que es un perro vagabundo... Matadlo y no se hable más»), para, inmediatamente después, informar de que pertenece al hermano del general, que acaba de llegar a visitarlo, lo que provoca un súbito y servil homenaje del Comisario al nuevo personaje.

«La gente –indica el narrador– se ríe de Chriukin». A lo que el texto apunta, pues, no es tanto al camaleón, pese a la endeblez de su posición, sino a la víctima vilipendiada, objeto de la risa de un grupo social que se asocia con la injusticia, ya sea por un talante autoagresivo, ya sea porque singulariza en el acusado a un chivo expiatorio[12].

También en *El gordo y el flaco* la relación de poder entre las clases se manifiesta en un repentino cambio en el uso del lenguaje. Cuando dos antiguos compañeros de escuela se encuentran empiezan a recordar juntos y a intercambiarse confidencias hasta que uno de ellos se da cuenta de que el otro ha alcanzado una posición social enormemente superior a la suya. A partir de ese momento se expresa en un registro determinado por la jerarquía, que la distancia histórica de la administración zarista nos lo hace más que grotesco: «La graciosa atención de vuestra excelencia... es como un vivífico rocío». Luego vuelve a presentar a su mujer y a su hijo, como si la presentación que había hecho antes hubiera quedado invalidada por la confianza indebida[13].

---

[12] Idéntico sentido y significado tiene una historieta que forma parte del *Tratatto delle barzellette* [*Tratado de los chistes*] de Achille Campanile: «El oficial instructor le pregunta al recluta: "¿Qué oficio tenía usted en la vida civil?". "Estaba en la universidad". "¡Ah sí? ¿Cómo se llama usted?". "Pirabbioni". "¿Es usted pariente del general Pirabbioni?" "No". "¿En qué facultad estaba usted matriculado?". "Era bedel". "Vuélvete a tu puesto"» (parte II, cap. VIII). Aquí el reconocimiento de los papeles sociales pasa por la utilización «clasista» de los pronombres personales. Tampoco es muy distinta la situación que se crea entre Renzo y Azzecca-garbugli [Picapleitos] en los *Novios* de Alessandro Manzoni. También aquí se pasa de la adhesión emotiva, con que el abogado escucha en un principio a su cliente, al disgusto en cuanto se hace cargo del rango social de la otra parte: «"Quisiera saber, si está castigado el amenazar a un cura porque se niegue a celebrar un casamiento". "Comprendo —dijo para sí el letrado, que, en realidad no había comprendido—, comprendo". Y, de pronto, se puso serio, aunque con una seriedad en la que se mezclaba la compasión y la solicitud (...) "Un caso serio, hijito; un caso estudiado. Has hecho bien en venir a verme"» (cap. III). El cambio radical se produce en el momento mismo en que el abogado se da cuenta de que Renzo no es el agresor sino la víctima, y, sobre todo, que quien ejerce la fuerza para tratar de impedir el matrimonio es don Rodrigo: «"¡Pero, bueno! (...) ¿Cómo vienes a fastidiarme con estos embustes? Ve a contar esas cosas a la gente como tú, ¡no sabéis medir vuestras palabras!; deja de molestar con vuestros cuentos a un señor; yo sé lo que verdaderamente valen. Vete, vete; no sabes lo que dices: yo no me mancho las manos con chicuelos; no quiero oír este tipo de cosas, no quiero oír más sandeces"». La expulsión de Azzecca-garbugli se completa con la orden a la criada de que devuelva a Renzo los capones que éste había traído como obsequio: «En todo el tiempo que llevaba en la casa, nunca no había oído aquella mujer una orden semejante, pero había sido dada con tal resolución que no dudó en obedecerla. Cogió los cuatro pobres animales y se los dio a Renzo con una mirada de compasión no exenta de desprecio, con la que parecía querer decir: "¡Buena la has tenido que hacer!"» El comportamiento de la criada recuerda al comportamiento de la gente en el cuento de Chejov.

[13] Pero en esa sociedad un comportamiento impropio puede incluso llevar a la muerte por el despiadado rigor de los sentimientos de culpa que el orden clasista llega a generar en los oprimidos, confiriendo a una futilidad cualquiera el carácter simbólico y metafísico de una violación. Tal es el caso de *La muerte de un funcionario público*, en donde

Del mismo modo, en la espléndida novela corta de Maupassant, *Bola de sebo*, se presenta el carácter voluble de las actitudes asumidas desde los prejuicios sociales dependiendo de que las circunstancias permitan o desaconsejen la asunción plena de su carácter intolerante. La prostituta *Bola de sebo* viaja en compañía de un grupo de señoras y señores respetables; todos huyen de la ciudad de Rouen, amenazada de invasión por el avance de las tropas prusianas. El aislamiento a que el resto de los viajeros ha reducido a *Bola de sebo* se rompe cuando se percatan de que ella es la única que previsoramente ha traído algo de comida para el viaje; su tímido ofrecimiento de compartirla es aceptado con una liberal e hipócrita afirmación de los principios de la solidaridad humana («en estos casos todos somos hermanos y hay que ayudarse»). Pero la situación evoluciona de modo imprevisto cuando los viajeros son interceptados por una patrulla prusiana, y el oficial al mando, encaprichado súbitamente de *Bola de sebo*, decide no dejarles seguir viaje mientras la mujer no le conceda sus favores. Empieza entonces una campaña de presiones. La prostituta se niega, argumentando con razones patrióticas que la convierten en la única y paradójica depositaria de los valores ético-sociales, los demás se apasionan en la negación y en la afirmación simultánea de la diferencia de clase. Negada en el carácter cortés de los ruegos y más aún en la relación de dependencia que se ha creado, en la medida en que de su decisión depende el bienestar o malestar de todos ellos; afirmada más que nunca en el meollo de lo rogado, con distintas matizaciones de un mismo contenido brutal:

> Entonces el carácter vulgar de la señora Loiseau se puso de manifiesto: «No nos vamos a morir aquí de viejos... ¿No lo hace por su oficio, la muy furcia, con todos los hombres? Me parece a mí que no tiene derecho ni a rechazar a éste ni a ningún otro».

No tiene nada de extraño, pues, que tras hacer *Bola de sebo* lo que se le pide, la vuelvan a marginar en mayor medida aún que antes; el na-

---

un pobre funcionario, que estornuda en el teatro, salpica sin querer en la calva a un secretario de estado y no sobrevive a la frustración de no conseguir excusarse. En realidad se excusa, pero tiene la sensación de que sus excusas no han sido aceptadas, porque se imagina que el modo descuidado, y finalmente impaciente, con que el secretario de estado le escucha no se debe a la carencia de importancia del episodio, sino a una actitud de rechazo que expresa la majestad ofendida («ni siquiera quiere hablar»): el Brecht de *La excepción y la regla* diría, sin dejar el menor resquicio a la risa, que el funcionario tiene razón, porque la reacción terrible que cabría esperar es la regla en ese universo violento, y que el sentido común de ese secretario de estado es la excepción.

rrador registra con simpatía su sorpresa ingenua y su sufrimiento, haciendo que prevalezca la indignación sobre la sátira:

> Nadie la miraba, nadie pensaba en ella. Se sentía inmersa en el desprecio de aquellos honrados tunantes que primero la habían sacrificado y después la habían echado a un lado como se tira una basura inútil.

Más tenue y ligero es Brecht cuando, en *El círculo de tiza caucasiano*, presenta los cambios del tono con que dos nobles señores se dirigen a una mujer del pueblo, Grusha, compañera obligada y no querida, también aquí, de un viaje difícil. Cuando la presencia de la mujer de inferior clase social ofrece la posibilidad de una división y aligeramiento de los gastos, la aceptación de la misma se reviste, ahora sin mayor dificultad, de la apariencia de caridad solidaria.

> Por lo demás, querida, ¿cómo íbamos a dejarla en la calle? ¡Arriba, pase usted también!

En *Si yo fuese usted*, Wodehouse trata de un amor interclasista y articula una aguda ridiculización del orgullo nobiliario. El amor nace en un incidente en la vía pública; una vez superado el peligro tiene lugar la siguiente presentación:

> «¡Pero deberíamos presentarnos, creo yo! yo me llamo Droitwitch... lord».
> Polly sonríe con su fresca sonrisa.
> «Yo me llamo Brown... Polly»
>
> (cap. IV)

Del nivel neutro del apellido, el hombre asciende al énfasis del título nobiliario, la chica desciende a la intimidad del nombre de pila: el carácter auténtico de su actitud condena automáticamente la actitud del otro.

En otro momento de la novela el poder mágico con que el amor puede llegar a superar la desigualdad social se compara deliciosamente con necesidad de las normas gramaticales y de los fenómenos fisiológicos:

> –No puedes casarte conmigo. Tú tendrías que casarte con una chica de tu rango.
> –¿Qué entiendes tú por mi rango?
> –Imagínate que el Tribunal decide que seas conde...
> –Óyeme –dijo Tony enfáticamente–, óyeme bien para que no tenga que repetírtelo nunca más. Si a mí me hacen conde, tú serás condesa.

93

–Yo no puedo ser condesa.

–¡Tendrás que serlo! ¡Forzosamente! Es algo contagioso. Femenino de conde: condesa. ¿No te lo enseñaron en el colegio?

(cap. XVII)

Carlo Emilio Gadda, en el cuento «Cine» de *Nuestra Señora de los filósofos*, recurre a una abundante dosis de ironía para representar la condición de obligada subordinación social en que se encuentra el protagonista, un joven y culto estudiante del Politécnico, que para pagarse los estudios no le queda más remedio que dar clases particulares a una muchacha de la aristocracia llena de presunción e ignorancia.

Le manifesté a la condesita Delrio cuánto sentía no podérselo ocultar por más tiempo. Tenía que resignarse a la idea: las diagonales del paralelogramo se cortan en el punto medio; y eso no es todo, dividen el área del mismo en cuatro triángulos equivalentes (...) me permití instar una quinta vez ante ella, a fin de que tuviera a bien acoger estas dos tesis, y concederles su graciosísimo *placet*, reconociendo su validez. Pues ellas suscitan el aplauso plebiscitario de las multitudes, el favor de los académicos más meticulosos en todos los países adornados con el sistema métrico decimal.

La forma de la súplica es la que, en el plano del uso del lenguaje y de la retórica, ha mediado siempre en las relaciones de los inferiores para con los poderosos. Aquí se utiliza en una relación de magisterio en la cual la justicia y el sentido común pedirían que el orden jerárquico fuera el opuesto. Precisamente el deslizamiento de la lección a los arcaicos terrenos de la súplica indica la persistencia, aún más ofensiva, de la iniquidad social en el mundo moderno. Por otra parte, la exageración grotesca de la forma servil pone de manifiesto, por parte del protagonista, la conciencia de la persistencia de tales privilegios, conciencia no sólo no resignada sino más bien despreciativa respecto de quien los ejerce sin motivo. Este microcosmos educativo pone de manifiesto del modo más claro posible la convivencia de superioridad e inferioridad que ya habíamos considerado como característica de la crítica a los regímenes políticos y sociales[14].

12. En el límpido universo de Voltaire las interpretaciones del mundo basadas en la aceptación acrítica de la autoridad[15] y en la trans-

---

[14] Véase más arriba, p. 17.

[15] El dogmatismo, negación de la razón humana, esta representado como constricción profunda, interiorizada hasta el punto transformarse en una necesidad, en un pa-

misión pasiva de creencias no verificadas son objeto constante de polémica. Polémica que habiéndose originado en el plano de lo intelectual, se extendió al plano político, en donde encontró su terreno más propicio, pues, a los ojos de Voltaire, las ideas infundadas se convierten en soporte de las estructuras sociopolíticas en que triunfan la injusticia y la barbarie. Uno de los asuntos que con mayor vigor e ironía más acerada trata Voltaire es el de la interpretación finalista del universo, según la cual los fenómenos se articulan construyendo instrumentalmente las relaciones de causas y de efectos y subordinando todo lo existente a la utilización que de ello hace la sociedad. En *Cándido*, el punto de vista finalista está personificado en Pangloss, el pedagogo cuyas enseñanzas están todas ellas encaminadas a demostrar que el mundo en que viven todos los personajes de la novela es el mejor de los mundos posibles, aun cuando en él sean horriblemente perseguidos, incurran en grandísimos peligros y estén siempre expuestos a la rapacidad de otros individuos y, con mucha más virulencia aún, a la amenaza de sistemas políticos inicuos, tiránicos y arbitrarios:

> Está demostrado —decía— que las cosas no pueden ser de otro modo: pues si todo ha sido hecho para un fin, necesariamente todo es para el mejor fin. Obsérvese bien que las narices se hicieron para llevar anteojos; y así es como llevamos anteojos. Evidentemente, las piernas están destinadas a llevar calzas, y llevamos calzas. Las piedras se crearon para ser talladas y para hacer con ellas castillos; y así es como monseñor tiene un hermosísimo castillo: el primer barón de la provincia debe ser el que habita en la mejor mansión; y como los cerdos se hicieron para ser comidos, comemos carne de tocino todo el año[16].

(cap. I)

---

saje de *Bouvard y Pécuchet*: «Se discute la existencia de los reyes de Roma, los viajes de Pitágoras. Se ataca a Belisario, a Guillermo Tell e incluso al Cid, convertido según los últimos descubrimientos en un simple bandido. ¡No debería haber más descubrimientos! ¡El Instituto debería establecer una especie de ley que prescribiera qué se debe creer y qué no!» (cap. IV). La misma sensación suscita la abrumada y rabiosa salida de un profesor en *Terror y miseria del Tercer Reich*, de Bertolt Brecht: «¡Y yo qué sé cómo quieren que haya sido Bismarck!» (X). En la que a la omnipotencia tiránica se le atribuye el poder ontológico y retroactivo sobre la historia, tal y como sucede en la pesadilla de *1984* de Orwell.

[16] Recuérdese el chiste de Lichtenberg citado por Freud en el *Chiste*: «Se asombraba de que los gatos tuvieran dos aberturas en la piel, en el sitio precisamente en que estaban los ojos» (p. 52)

En un par de cuentos de Mark Twain, *Historia del chico malo* e *Historia del chico bueno*, se desarrolla también una sátira contra el finalismo providencial enmarcado en el ámbito de la cultura americana decimonónica «de las escuelas dominicales». En ellos se pone en solfa la creencia de que la virtud es recompensada y el vicio castigado, creencia sistemáticamente negada hasta transformar el cuento en una serie de actos fallidos que la justicia retributiva reclamaría y que la literatura edificante ha convertido en *topoi*. Veamos uno sólo de tales lances a título de ejemplo:

> Una vez se subió a un manzano del amo Acorn para robarle las manzanas, y la rama no se rompió, y él no se cayó y no se rompió un brazo, y no lo despedazó el perrazo del capataz y no languideció en un lecho de dolor durante semanas y semanas para, finalmente, arrepentirse y hacerse bueno. ¡Oh no! Robó todas las manzanas que quiso y bajó sano y salvo y estaba perfectamente preparado cuando se le acercó el perro para morderlo y él lo revolcó de un cantazo.

Simétricamente (y metalingüísticamente) el chico bueno

> cuando vio a Jim Blake robando manzanas, se acercó al árbol para leerle la historia del niño malo que se cae del manzano del vecino y se rompe el brazo, y Jim se cayó del árbol, sí, pero se cayó encima de él y le rompió el brazo a él y a Jim no le pasó nada. Jacob no conseguía entenderlo. En los libros no pasaba nada de aquello.

El mismo motivo en *Ellos y yo*, de Jerome, se adorna con una punta surrealista, cuando representa caricaturescamente un mundo en el que la rigurosa aplicación de la norma ética prevalece sobre las certezas científicas:

> El niño bueno, pese lo que pese, pasa por encima del hielo impunemente. El niño malo ya puede pesar siete kilos menos, que el hielo no querrá saberlo. «Ya me pueden decir todo lo que quieran sobre la presión relativa por pulgada cuadrada –dice el hielo enfadadísimo–. Hace dos semanas, tú no fuiste bueno con tu hermanito: así que te vas al fondo».

(VII)

De igual manera en el *Diccionario de las ideas aceptadas* de Flaubert se ridiculiza el convencimiento de que todo lo creado existe en función del uso que quiera darle la humanidad: «PERRO. Específicamente creado para salvar la vida de su amo».

También Bouvard y Pécuchet admiran la funcionalidad de los organismos animales y vegetales, motivo que no deja de dar ocasión para una puntada a la ética de los buenos sentimientos:

> Se asombraban de que los peces tuvieran aletas, los pájaros alas, las semillas cáscara, imbuidos de esa filosofía que descubre en la naturaleza intenciones virtuosas y que la considera como una especie de san Vicente de Paul, siempre ocupado en sembrar buenas acciones.
>
> (cap. III)

Naturalmente la polémica intelectual no consigue evitar en tales estructuras consolidadas de pensamiento la fuerza social y política, que les permiten plantearse como base de la opinión pública y que constituyen el cemento ideológico de la injusticia, del racismo, de la persecución contra toda forma de alteridad. Prueba de ello es que Voltaire no puede nada contra el sistema; tan sólo vengarse de Pangloss, cómplice de dicho sistema, aunque inocuo a fin de cuentas, y lo hace quemar por decisión del sistema mismo.

También en el *Cándido* se hace derivar la superstición de la grave presunción intelectual y moral de que el hombre esté en el centro del universo:

> Tras el terremoto que había destruido tres cuartas partes de Lisboa, a los sabios del país no se les ocurrió un remedio más eficaz para prevenir la ruina total que regalar al pueblo con un hermoso auto de fe. La universidad de Coimbra había decidido que el espectáculo de algunas personas quemadas a fuego lento en una ceremonia es un infalible secreto para impedir que la tierra tiemble.
>
> (cap. VI)

La inseguridad primigenia de la humanidad instrumentaliza tal comportamiento, tan inútil como violento, recuerdo de cuando se sentía incapaz de defenderse de las amenazadoras fuerzas de la naturaleza. Esa misma debilidad se encuentra en la superstición infantil del individuo que experimenta aisladamente la condición de angustia e impotencia y, por tal debilidad, suscita conmiseración y participación emotiva[17]. Por el contrario, suscita condena y escándalo cuando se convierte en instrumento del poder e, incardinándose en la estructura de la organización social, se hace norma, control y represión. Doble represión: porque el prejuicio cultural que se nos evidencia como

---

[17] Véase más arriba pp. 68-70.

anacrónica destrucción de los niveles más diáfanos y evolutivos de la civilización, se replantea en sus contenidos como eliminación física de los opositores.

13. En el frente opuesto, habrá que esperar al siglo XX y a la comprometida propuesta intelectual de Luigi Pirandello para encontrar ridiculizada la ideología positivista que considera superstición toda creencia en fenómenos no explicables racionalmente. En el *Avemaria di Bobbio*, la desaparición del dolor de muelas que afecta al notario y «filósofo» Bobbio se remite a un núcleo de autenticidad infantil, que se hace creciente en la lejanía temporal y psíquica.

> percepciones y acciones que siguen permaneciendo ignotas, porque en verdad ya no son nuestras, sino de quien fuimos en otro tiempo, con pensamientos y afectos oscurecidos en nosotros, cancelados, agotados por un largo olvido; aunque a la llamada súbita de una sensación, un sabor, un color o un sonido, pueden aún dar muestras de vida, haciendo perceptible en nosotros, todavía vivo, un ser insospechado.

La violencia del dolor físico le suscita a Bobbio un «temblor de ternura angustiosa». Sujeto y objeto al mismo tiempo de este movimiento psíquico es «el chiquillo que iba a misa todas las mañanas con su madre y sus dos hermanitas» y que, todavía hoy, cuando pasa en coche «por delante de cualquier capillita rústica de la Santísima Virgen», recita el avemaría antes de que la conciencia adulta pueda percibirlo y menos aún impedírselo.

La superstición está sobre todo en el modo en que el yo adulto registra el milagro; junto con el escepticismo racionalista convive en realidad el «secreto temor de que, el mal pudiera volverle a atacar súbitamente a causa de esta ingratitud». Una relación mediata y otra inmediata con el inverificable acontecimiento se confrontan una vez más cuando un Bobbio fuerte o débil por la experiencia pasada se enfrenta de nuevo con el dolor: lo primero que le sobreviene es una actitud racionalista, según la cual el invisible interlocutor es desafiado a intervenir de nuevo, mediante la repetición del guión de la oración. Ahora bien, si la oración recitada con toda consciencia y en su forma culta («ahora en latín») no surte ningún efecto, sí lo surte, en cambio, la invocación que exclama tras una nueva embestida del dolor («¡Oh María!, ¡oh María!»).

El final del relato es una auténtica explosión burlesca. Sintiéndose provocado por la expresión lexicalizada («¡Alabado sea el santísimo!») con que un amigo comenta su curación, Bobbio toma la decisión de hacerse extraer la muela en cuestión, antes de sacárselas todas, para negarle el sitio al mundo incontrolable que le ha invadido y que con semejante decisión saldrá obviamente reforzado. El hecho de que las certidumbres racionalistas son sólo negativas queda aquí, pues, confirmado con el «cuanto peor, mejor»[18].

Un resultado semejante se da en el cuento *Las sorpresas de la ciencia*, donde se enfrentan la obtusa presunción de cientifismo con una razonable idea de progreso: el pueblo de Milocca se queda sin luz (y sin agua, sin pavimentación, etcétera) porque las violentas y doctísimas discusiones del pleno municipal concluyen siempre que las soluciones propuestas serán insuficientes e insatisfactorias en relación con ulteriores proyectos futuristas. Un principio sacrosanto del saber científico y experimental, el del carácter potencialmente infinito de todo hallazgo, de toda invención, que impide considerar definitivo cualquier estadío que se haya conseguido, acaba por degenerar en inmovilismo; como en una paradoja de Zenón, el movimiento infinito acaba por coincidir con la paralización.

> «Ahora bien, ¿En qué condiciones, ¡oh ciegos administradores!, en qué condiciones de inferioridad se encontrarán el ayuntamiento y el pueblo de Milocca con sus míseros 1000 caballos de fuerza eléctrica, cuando esta trascendental revolución sea, tanto en la industria como en la vida, un hecho consumado?»
>
> «–Perdona –le dije, en voz baja, al amigo Tucci, mientras los aplausos atronaban en la sala con tal fuerza que parecía que iba a caérsenos el techo encima–, aclárame una duda: ¿no estará a oscuras, mientras tanto, el pueblo de Milocca?»

También aquí, como en las polémicas de la ilustración, la clase dirigente se presenta como estúpida e interesada: lo que triunfa es el narci-

---

[18] También en el cuento de Maupassant *Mi tío Sosthène*, el carácter ilustrado del libre pensamiento sufre una dura derrota, pero la responsabilidad de la derrota está en la ceguera autoagresiva de tal ideología antes que en la densidad del misterio e incognoscibilidad que Pirandello atribuye a lo real. En el cuento de Maupassant la conversión del librepensador es la imprevista consecuencia de la burla que el sobrino del personaje gasta a un venerable sacerdote, cuando lo envía a la cabecera del lecho de su tío, afectado de indigestión y embriaguez. Efectivamente, la artimaña del autor de la burla para quedarse al margen, pidiéndole al clérigo que no diga su nombre («le ruego que no le diga a mi tío que me ha visto, dígale que se ha enterado usted de su enfermedad por una suerte de revelación»), se convierte en un bumerán: el mismo carácter inexplicable de la «revelación» rompe la frágil envoltura racionalista del tío y determina que se convierta.

sismo competitivo de los políticos, cuya confrontación desoladoramente da cero como resultado.

14. Una traducción del finalismo a términos laicos es la fe en la organización que pueden llegar a asumir en particular las formas degradadas y cómicamente atacables del burocraticismo. El rasgo característico más conocido de la mentalidad burocrática es el de su inmovilismo y el de su incapacidad para dejarse influir por pensamientos, puntos de vista, necesidades objetivas, distintos de la única razón que es el motor de la burocracia, la tautológica necesidad de su existencia. La esclerosis burocrática queda cómicamente enfatizada cuando se la opone a una realidad móvil y progresiva, como sucede en la comedia *El baño* de Maiakovski, donde el científico Ciudakov, que ha inventado una máquina del tiempo, y el obrero Velosipedkin dirigen una petición de financiación al obtuso burócrata Optimistenko y reciben una respuesta muy semejante a la de una historieta que cuenta Freud:

> OPTIMISTENKO: Vuestra propuesta no se ha remitido al comisariado del pueblo para las comunicaciones, no es necesaria para las masas de trabajadores y ciudadanos (...)
> CIUDAKOV: Es verdad, no puede preverse toda la magnitud de las consecuencias y es posible que, con el tiempo, mi invento pueda también aplicarse útilmente a los problemas de los transportes: con un máximo de velocidad y casi fuera del tiempo...
> VELOSIPEDKIN: De todas formas, se puede remitir al comisariado del pueblo para las comunicaciones; por ejemplo, uno se sienta a las tres, aún de noche, y a las cinco de la mañana está ya en Leningrado.
> OPTIMISTENKO: ¿Pero qué dices? ¡Rechazada! No es una invención práctica. ¿Qué necesidad hay de llegar a Leningrado a las cinco de la mañana cuando todas los despachos están todavía cerrados?
>
> (a. II)

Con una lógica semejante, en la novela de Hasek, el soldado Schwejk, que tras largas marchas consigue reunirse con su batallón, recibe una represión del subteniente de semana:

> Su uniforme había sido encontrado junto al estanque, y ya se lo habíamos comunicado a la brigada a través de la Bataillon-skanzlei. El expediente indica que usted se había ahogado cuando se bañaba, debería haber evitado volver y causarnos todos estos trastornos con su doble

uniforme. No tiene usted ni idea del sinfín de molestias que le ha creado al batallón[19].

(parte IV, cap. III)

La polémica se matiza ahora con una veladura de angustia: el obsesionante problema del orden se hace uno en Hasek con la puesta al desnudo del sustancial desorden técnico y moral que permea toda la estructura del ejército austro-húngaro.

La reedificación paradójica de un sistema riguroso tiene, por tanto, carácter de oposición intelectual y moral. Cuando el soldado Marek recibe la orden de documentar en un diario de guerra las hazañas del batallón, encuentra en ello ocasión para poner en obra una utopía, sustituyendo la realidad por un mundo mejor, el de las cosas posibles. Con tal objetivo, Marek se pone a escribir los hechos del batallón antes de que se den, elaborando «un sistema sistematizado, sistemático», en el que cada acción bélica tiene un desarrollo claro y un éxito indiscutible, y cada muerte en el campo de batalla es ejemplar por su heroísmo - todo ello dentro de un criterio de verosimilitud, necesario para que la realidad sea reconocible incluso en la invención:

> Nuestro batallón no puede ganar a la primera tacada esta guerra mundial. *Nihil nisi bene*. Lo más importante para un historiador concienzudo como yo, está, ante todo, en diseñar el plan de nuestras victorias. Ahora, por ejemplo, estoy escribiendo sobre el momento en que nuestro batallón, probablemente dentro de dos meses, esté a punto de atravesar la frontera de Rusia, valerosamente defendida, digamos, por los regimientos del Don, al mismo tiempo que algunas divisiones enemigas rodean nuestras posiciones. A primera vista, se diría que nuestro batallón está perdido, que están a punto de hacernos picadillo, y, entonces, hete aquí que el capitán Ságner envía la siguiente orden a nuestra línea: «¡Dios no quiere que perezcamos todos, huyamos!». Entonces, nuestro batallón se da a la fuga, pero la división enemiga que, mientras tanto, había conseguido rodearnos piensa que nos arrojamos contra ella, emprende, a su vez, la fuga presa de un terror pánico y cae sin que se vierta una sola gota de sangre en manos de nuestra retaguardia. Así es como, en lo sustancial, empieza la historia de nuestro batallón.

(parte III, cap. III)

[19] No menos cáustica es la observación con que arranca la anécdota de *Un hombre es un hombre*, de Bertolt Brecht: «Las cartillas militares no tienen que sufrir el menor deterioro. Un hombre puede ser sustituido en cualquier momento, pero nada hay más sagrado que una cartilla» (a. II).

La risa se relaciona con la pretensión, más bien divina, de instituir el mundo como sistema significativo y equilibrado. Según Aristóteles tal es también el objetivo del arte, que, en cuanto tal, no suscita la risa, sino más bien admiración. Lo ridículo está en el hecho de que se transforme en ejercicio artístico la tarea meramente documental que se le encarga a Marek, con la consecuencia de que también en ello quede invocada la libertad absoluta que rige al arte, y que, ello no obstante, se atribuya al arte un papel rector y estratégico en relación con la realidad.

No queda menos enmascarada la presunción metafísica de la burocracia cuando su inmovilismo proverbial queda afectado por una crisis o por un movimiento interno.

En el amargo cuento de Chejov, *Los suprimidos*, una variación en el orden jerárquico de la burocracia (una de aquellas que, también hoy día, se denominan «reformas», a riesgo, cuando menos, de caer en la ironía) determina una oscura sensación de extravío y desplazamiento. Toda una categoría de funcionarios, los alféreces, ha sido «suprimida», es decir, lo suprimido ha sido la denominación, con la consiguiente promoción de las personas a la categoría superior; ahora bien, en el alférez retirado Vivertov se produce un efecto de pérdida de realidad que tiene consecuencias desoladoras en la vida cotidiana:

> Si he dejado de ser alférez, ¿qué soy ahora? ¿Nadie? ¿Un cero? Así que, ahora ya, si no entiendo mal, ¿cualquiera puede faltarme al respeto?, ¿cualquiera puede llamarme de tú?

Aquí empieza su angustiosa busca de las causas, que se extiende a individuos de niveles sociales cada vez más altos, para detenerse sólo finalmente, cuando el jefe de la nobleza declina con una cortesía empapada de airado despecho el título de «excelencia» que gracias a la misma reforma ya no le corresponde.

> Vivertov balbuceó algo confuso y salió, olvidando en el despacho del jefe de la nobleza su gorro. Al cabo de dos horas llegó a su casa pálido, sin gorro, con una obtusa expresión de aflicción en el rostro. Al bajar de la calesa echó una tímida mirada hacia el cielo: ¿y si también hubieran suprimido ya el mismo sol?

La inferencia del orden social hasta el cósmico tiene evidentemente un sentido de hipérbole grotesca, que da la medida de un oscuro rencor dirigido a los autores indefinidos de una conjura de proporciones incontrolables. La misma actitud desemboca al final del cuento en la superación de la depresión mediante la rebelión y la valoración del individuo. Vivertov ostentará por su cuenta, «por despecho», el título que le han arrebatado.

En *Los arcángeles no juegan al flipper* de Dario Fo, el terremoto que trastorna el orden burocrático no tiene su origen en ese mismo orden, sino que nace de la burla de un funcionario que, frustrado en su carrera, se venga alterando el censo:

> TERCER FUNCIONARIO: Como consecuencia de tales manipulaciones aparecían casos como, por ejemplo, que un cura estuviera casado con un guarda forestal.
> PRIMER FUNCIONARIO: O que otro hubiera muerto antes de haber nacido.
> QUINTO FUNCIONARIO: O que un general no hubiera hecho todavía el servicio militar.
> SEGUNDO FUNCIONARIO: Había otro que había resucitado veinte años después de haberse muerto, haber emigrado a América, haber cambiado de sexo y haberse casado con...
> TERCER FUNCIONARIO: Un mulato de la Martinica.
>
> (a. II, esc. I)

Es legítimo pensar que la carcajada del autor de la hazaña *in artículo mortis* («su risa era tan contagiosa que todos los parientes y amigos reunidos en torno a su lecho de muerte no pudieron contenerse y se dejaron arrastrar por ella») concierna no tanto a la degeneración del sistema, como al sistema mismo y a su obtusa implacabilidad, que, incluso en su degradación, continúa afirmándose. El protagonista de la comedia que, a causa de la burla queda descrito en el registro como «sabueso», no se liberará fácilmente de tal definición; le aconsejan que desaparezca como perro y que reaparezca como hombre, lo que, con respecto a la normativa, supone «ser cogido sin bozal o sin la chapa que ordena el reglamento por algún lacero municipal».

15. Una parte sustancial de lo cómico «político» tiene como objetivo, no ya la ideología, sino aquellas manifestaciones del pensamiento y de los hábitos sociales, aquellos lugares comunes y convenciones, que sin estar revestidos de un carácter oficialmente normativo se revelan frecuentemente con el mismo rigor, o más, que las leyes, a la hora de determinar comportamientos y relaciones.

Podemos introducir este tipo de temas con una cita de *Bouvard et Pécuchet* en la que se ataca el mito global de lo ideal.

> Bouvard estaba sorprendido por el contraste entre las cosas que le rodeaban y las que se decían, pues parece que las palabras deben corres-

ponder con el ambiente, y que los techos elevados deben construirse para los grandes pensamientos.

(cap. VI)

Mueve a risa el hecho de que la elevación cultural se materialice en los «techos» y se la haga equivalente a las jerarquías sociales. De tal suerte, en ese tono y estilo solemne, se insinúa venenosamente la carcoma de la envidia de clase.

Los ideales relativos a las empresas militares, o sea, la materia que en la tradición literaria constituye el patrimonio de la épica, son sometidos a una desmitificación cómica en cuanto se descubre en ellos un trasfondo contradictorio, repugnante o mezquino. En la novela de Hasek, cuando ordenan a la compañía del soldado Schwejk trasladarse al frente, éste comenta así, en el tren que les lleva, el discurso del capellán:

> Verdaderamente será bastante hermoso, como ha dicho ese *Feldkurat,* cuando al caer la tarde, el sol hunda sus rayos de oro tras las montañas y en el campo de batalla se oiga, como ha dicho, el último suspiro de los moribundos, los relinchos de los caballos caídos, las quejas de los heridos, juntamente con los lamentos de la población civil al ver arder sus casas. La verdad es que es muy agradable oír tanta majadería junta.
>
> (parte III, cap. I)

En este discurso la dimensión trágica de la guerra se organiza, a un mismo tiempo, desde dos fuerzas opuestas, que se disputan esquizofrénicamente la adhesión de Schwejk: la conciencia equívoca según la cual guerra y violencia son celebradas como momento heroico de la humanidad y la conciencia crítica que desmonta ese mismo mecanismo[20].

Un caso distinto, en el que la desmitificación tiene lugar eludiendo lo afectivo, es el que trae Queneau en *Flores azules.* Luis IX, el rey santo, trata de convencer al duque de Auge para que participe en la cruzada:

> «En fin (...) ¿Queréis venir a despanzurrar a Mustansir Billah?».
> «Que se despanzurre por su cuenta, sire, es mi última palabra.»
> «¡Ay, me da la sensación que esta octava cruzada no me va a dar más que disgustos!»

---

[20] En *Madre Coraje y sus hijos* Bertolt Brecht simula ceñir esta misma contradicción a un sólo caso especial: es verdad que se trata de «una guerra en la que se incendian casas, se degüella, se rapiña, junto a otras violencias que tampoco hay que olvidar, pero que es distinta de cualquier otra guerra porque es una guerra de religión» (III).

El buen rey santo estaba consternado.

«Ánimo, ánimo, dijo el duque de Auge, vuestra majestad no dejará de encontrar un par de docenas de cojones que lo acompañen a aquellas inhóspitas tierras.»

«Esperemos que así sea, dijo melancólico el rey.»

(cap. II)

En este caso lo cómico se da en el descenso del material tradicionalmente épico-sublime al plano de la cotidianeidad, incluyendo en tal descenso la autoridad del rey –un rey, además, celebrado por sus méritos en la defensa de la cristiandad–. La ausencia de complicidad emotiva en su interlocutor coloca al soberano al margen de la certidumbre de la ideología de la gloria. Y así, el entusiasmo que debería ser concomitante con una guerra inspirada en Dios se transforma en un deber que le preocupa y le aflige como una molesta tarea doméstica.

En *La squadrigila della morte* [«La escuadrilla de la muerte»] un relato de *Los espárragos y la inmortalidad del alma*, Achille Campanile pone en obra una desvalorización hilarante del heroísmo. El objetivo de la comicidad en dicho relato está decididamente singularizado en el carácter extremo, último frontera de los valores, que llega a tener la autoinmolación. La necesidad lógica de la existencia de este límite como referencia indispensable, en relación con la cual se clasifican todos los demás valores, se identifica con la necesidad de la existencia misma, y por lo tanto de la supervivencia misma, de los hombres que lo encarnen; instancia, pues, opuesta a los valores militares, y que tiene como consecuencia el trastrocamiento de la vocación a la muerte en holgazanería y cobardía:

> «Algunas veces, prosiguió Zadaras, nos telefoneaba jefatura por la mañana, cuando aún estábamos en la cama: "¡Tenéis que llevar a cabo una acción en la que hay que dejarse la piel, en marcha!". A lo que contestábamos: "¡Magnífico, y, si puede saberse, ¿quién se encargará de las acciones en que hay que dejarse la piel, cuando nos hayamos dejado la piel?". "Es verdad, decían entonces los generales, bueno, no os mováis, esperad"». En conclusión, siempre estuvimos lejos del peligro, al abrigo de los resfriados, descansando, a cubierto.»

En el cuento de Maupassant, *La aventura de Walter Schnaffs*, el heroísmo militar se desmitifica en un tono grotesco. Un prusiano despistado y cobarde, en su ansia de entregarse al enemigo, es tomado por un temible atacante e ilusoriamente multiplicado en la fantasía de los presuntos atacados y en su boletín de guerra:

105

Tras una encarnizada lucha, los prusianos han tenido que batirse en retirada, llevándose sus muertos y sus heridos, que evalúan en cincuenta hombres fuera de combate. Algunos quedaron en nuestras manos.

Junto a la satisfacción de una de las partes, sancionada con el ornato oficial, se da la satisfacción –contra todas las reglas que exigen un vencido y un vencedor– aún más regresiva de la parte opuesta:

el prusiano, loco de alegría, se puso a bailar, a bailar como un loco, echando por alto brazos y piernas, a bailar gritando frenéticamente hasta caer agotado junto al muro.
¡Lo habían hecho prisionero! ¡Estaba a salvo!

16. La familia, como mediadora en la oposición entre lo público y lo privado, puede también considerarse como sociedad nuclear y como lugar de las relaciones necesarias que modelan el psiquismo. Su indiscutible solidez institucional se ofrece como blanco de la comicidad en cuanto se sugiere la idea de que el material afectivo que la constituye es distinto de lo que convencionalmente se considera natural; por ejemplo, no es el lugar de la bondad y de la ternura sino de la malignidad y del odio.

El más tenaz explorador cómico del infierno familiar es Anton Chejov. Pensemos, por ejemplo, en *Veraneantes*, en donde la llegada inesperada de unos parientes a la casa de un matrimonio joven es vivida con una rabia que quiebra el marco hipócrita de la hospitalidad, pero que, sobre todo, rompe la armonía de los esposos, que acababa de ser presentada como un idilio:

Sacha mira con odio a su mujer y le susurra:
–Han venido por ti... ¡El demonio se los lleve!
–No, no; ha sido por ti –contesta ella, pálida, y con el mismo odio y fastidio– no son mis parientes, sino los tuyos.
Y volviéndose a los visitantes, les dice con sonrisa acogedora:
–Pasad, pasad.
Por detrás de las nubes vuelve a deslizarse la luna; se diría que sonríe; como si experimentara el placer de no tener parientes.

Hay una crueldad más punzante aún en el cuento titulado *El billete premiado*, en el que marido y mujer dilatan artificialmente la esperanza de haber ganado la lotería por el expediente de demorar el momento de comprobar el número del billete premiado, tras haber comprobado el de la serie. En ese lapso de tiempo, el marido cultiva una imagen dorada de felicidad, en la que la esposa asume el papel de represora y de quien pone obstáculos a todo.

> Viajar es agradable si se hace solo, o en compañía de mujeres lige-
> ras, despreocupadas, que viven el momento, pero no con una de esas
> que sólo piensan en sus hijos y no hablan más que de eso, suspiran, se
> asustan y temen por cada kopek. Ivan Dimitrik se imaginó a su mujer
> en un tren cargada de paquetes, cestas y bultos; suspirando por todo,
> quejándose de que el viaje le ha dado dolor de cabeza, de que se han
> gastado mucho dinero; bajándose del tren en cada estación para com-
> prar agua hirviendo, bocadillos, agua... Ella no puede comer en el va-
> gón restaurante, es tan caro...

Al reproche de avaricia, en el invisible diálogo imaginario que sos-
tendrían los dos, responde el reproche de la disipación, y ambos giran
mezquinamente en torno a la distinción entre quien había comprado el
billete, la mujer, y quien gozaría de sus beneficios, únicamente poten-
ciales («Es muy bonito fantasear –dice el punto de vista de la mujer– a
costa de los demás»); esta distinción simboliza la ruptura del pacto familiar de solidaridad ante un acontecimiento que confiere una plenitud
significativa a la vida, y, por tanto, pone en evidencia el hecho de que la
persistencia del pacto se funda sólo en la resignación vegetativa a la rutina. Rutina en la que caen los dos tras comprobar que no han ganado,
pero sobre su humilde angustia pesa el agravante del derroche psíquico
inútilmente consumido en la doble dirección del deseo y de la agresividad.

Otros cuentos representan la descomposición del matrimonio en
una dura relación de dependencia. Así, *La última mohicana*, con un título paródico de la célebre novela de Fenimore Cooper, es la representación hiperbólica de un matriarcado agresivo y sometedor, propiciado
por una obtusa superioridad clasista. El modo en que se presenta a la
protagonista es inolvidable. Antes de verla, oímos una frase suya que
basta para condensar, en la futilidad, la quintaesencia del dominio y la
culpabilización:

> «¡Ajústame el moño a fondo!» –decía la voz femenina de bajo–.
> «¡Una vez más te has puesto los pantalones que no debías!».

Se entiende que, en la pareja complementaria y funcional, el ridículo afecta sobre todo al servilismo del hombre, esclavizado hasta el
punto de vetarse a sí mismo cualquier protesta, incluso en condiciones
de absoluta confianza. Al cuñado que le compadece le contesta com-
pungidamente, con un lenguaje característico de súbdito:

107

La señora es severa, es verdad, pero yo sólo puedo dar gracias a Dios día y noche por tenerla, pues no me reporta más que beneficios y amor[21].

Si la cotidianidad rutinaria tiene rasgos trágicos (cómicos en tanto que trágicos), lo que habitualmente se interpreta como dramático puede a su vez resolverse en la insignificancia de la rutina; en *El vengador*, un marido traicionado va a comprar una pistola para cumplir con las «obligaciones» que su condición le impone:

«¡Sé lo que tengo que hacer!... El hogar está destruido; el honor burlado; el vicio triunfa, y yo, como hombre y como ciudadano, tengo que ser el vengador. ¡La mataré y mataré a su amante; luego me suicidaré!

Tan diamantino radicalismo se ve sometido a la afrenta de la interferencia del lenguaje del dependiente de la armería, que le ilustra sobre las características de los distintos tipos de pistola, lo que basta para que se difumine el valor simbólico, ya no sólo del arma, sino del lance mismo. Se encaran numerosas objeciones al proyecto, empezando por el principio de conservación, inductor de una cobardía que se convierte en su opuesto («dispararse significa tener miedo»). Pero también el plan modificado, según el cual sólo mataría al amante, cae, con ayuda del dependiente *qualunquista*[22], que lamenta la inmoralidad generalizada, y señala que en los procesos:

---

[21] Una violencia semejante se justifica con la elegancia de la paradoja lógica en la *Famiglia affezionata* [«La familia cariñosa»], otro cuento de *Los espárragos y la inmortalidad del alma* de Achille Campanile, en el cual unos hijos y esposa especialmente cariñosos urden «una pequeña conjura afectuosa contra el cabeza de familia». Es el verano, la familia pasa la estación a orillas del mar y el padre se reúne con los suyos únicamente durante los fines de semana. Para que pueda cumplirse lo que el hombre, imprudentemente, ha deseado en voz alta, o sea, para atenuarle el dolor de esa separación periódica, deciden tratarlo especialmente mal, llegan a acompañarlo a la estación entre patadas e insultos. Consiguen con éxito lo que se habían propuesto, o sea, «transformar aquello que había sido un disgusto en alegría deseada y saboreada», aunque no sin haber dejado de sembrar ciertos indicios inquietantes de que tal ficción pueda corresponderse con una verdad latente. Pues la excesiva insistencia en el artificio sugiere la duda paradójica sobre su autenticidad. Así, por ejemplo, en la frase: «La mujer resopló (con esfuerzo: violentando sus propios sentimientos), levantó los hombros con indiferencia (simulada: padeciéndola ella misma)».

[22] Partidario del *qualunquismo*, movimiento de opinión italiano de la segunda mitad de los años cuarenta, que tomó el nombre del periódico *L'uomo qualunque* (el hombre cualquiera, el hombre de la calle), y que consistió en defender que las opiniones y aspiraciones más generales se fraguaban en una forma de Estado sin partidos políticos ni ideologías, puramente administrativo e inspirado en el sentido común. (N. del T.)

El tribunal se pone siempre de parte del amante. ¿Por qué? Sencillísimo, *Msié*. Los jueces, los jurados, los procuradores, los defensores, todos se divierten con la mujer del otro, y para ellos siempre les será más cómodo que en Rusia haya un marido menos.

La decisión final se reviste del humor lógico de los no-eventos («A ella la dejaré con vida, yo no me mato, a él... tampoco lo mato»), que, unido al escrúpulo burgués de haberle hecho perder el tiempo al armero, halla una ridícula salida (de la tienda y de la situación) en la compra de del objeto menos caro, «una red para atrapar codornices».

También es muy conocida la sátira chejoviana sobre los fundamentos del contrato matrimonial, cuando éstos no tienen una base pulsional ni de tipo psíquico, sino práctico-familiar, y se resuelven en las «maniobras para casar a una hija». En *Habitaciones de hotel*, una señora con dos hijas casaderas, que ha ido a protestar al encargado por el comportamiento, que califica de escandaloso, de otro huésped, cambia súbitamente de tono, pasando a la proposición, apenas enmascarada («quizá venga a excusarse») cuando se entera de que es soltero. En *De las memorias de un hombre irascible* se cuenta la conquista que la acostumbrada alianza madre-hija hace de un hombre refractario, quien se describe así:

> Yo soy un hombre serio, y tengo un cerebro enfocado a lo filosófico. Mi profesión es la de financiero, estudio derecho financiero y escribo una disertación que lleva por título *Pasado y futuro de la tasa sobre los perros*. Convendréis conmigo en que no estoy ni para muchachas, ni para romances, ni para la luna y demás sandeces.

La trama urdida por madre e hija presupone que tal hombre esté perdidamente enamorado de la muchacha, cuyo nombre confunde constantemente, mientras ella condescenderá con reticencia. La estratagema, basada en el código que veta a la mujer la expresión directa del deseo, puede funcionar en la medida en que ese mismo código impide al hombre una negativa, cuando menos, demasiado brusca («Decirle a una mujer "no la amo" es tan grosero como decirle a un escritor "usted escribe mal"»). La necesidad de escapar con delicadeza y mediante rodeos está explotada narrativamente con salidas chuscas, en las que la sátira de las costumbres está matizada con el ataque a la estupidez del hombre serio. Cuando, por ejemplo, a la pregunta «por qué está tan triste?, ¿por qué está tan callado?», al protagonista no se le ocurre otra respuesta mejor que «La desforestación está provocando un daño enorme a Rusia», incluso semejante salida es inmediatamente aprovechada para los objetivos propuestos:

> – *Nicolás* –suspira Varenka, mientras enrojece su nariz–. *Nicolás*, usted elude, lo veo claramente, una conversación abierta... Como si quisiera castigarse con su silencio... Sus sentimientos no son correspondidos, y usted prefiere sufrir en silencio, en soledad... eso es horrible, *Nicolás!*

En el trastornado universo de la *Cantante calva* de Ionesco los Martin, que se han quedado solos en la sala a la espera de los dueños de la casa, mantienen una conversación construida según el modelo de quienes se acaban de conocer:

> SEÑOR MARTIN: Perdone señora, no quisiera molestarla, pero tengo la impresión de haberla conocido antes, en algún otro sitio.
> SEÑORA MARTIN: También a mí, me parece conocerle de algo.

Tras una larga búsqueda común para dar con las circunstancias del conocimiento anterior, llegan a la solución:

> SEÑOR MARTIN: ¡Así que, querida señora, deberemos concluir que vivimos en el mismo cuarto y dormimos en la misma cama! ¡Seguramente nos conocemos de eso!
>
> (esc. IV)

En la cómica incapacidad para reconocerse, la convivencia, el rasgo más evidente de la cotidianeidad familiar, lo que tendría que ser expresión tanto de la intimidad sexual como del calor de los sentimientos, se convierte en un paradójico y frío extrañamiento.

Pero el caso límite de la hipocresía familiar, un caso que, en consecuencia, mueve a la risa más amarga y triste que pueda darse, es la hipocresía que en un sistema afectivo sincero induce la devastadora y expoliadora violencia del poder nazi, lo que no deja otra alternativa que la imposible necesidad de la heroicidad. En *Terror y miseria del Tercer Reich*, de Bertolt Brecht, una mujer judía que se marcha de Alemania y abandona a su marido, para no poner en peligro la posición de éste, ve, en un lúcido monólogo, el fin de su relación, sin recriminaciones, ni ilusiones, ni paliativos:

> No decir «A fin de cuentas son sólo unas pocas semanas», mientras me das la capa de pieles que no voy a necesitar hasta el invierno.
>
> (IX)

Precisamente esto será lo que haga y diga el marido al final de la escena, actualizando el ridículo que golpea a los hombres constreñidos por el régimen a comportarse del previsible modo de los autómatas.

17. Entre las convenciones sociales, la hipocresía en materia de sexo está especialmente expuesta a la ridiculización, tanto si lo que se expresa en la ficción es la ausencia de pulsiones sexuales; como si lo expresado es la recurrencia a la elaboración de estrategias que, respetando en apariencia la normas puritanas, las transgreden secretamente; como si procede a recursos lingüísticos –de elusión o separación– que hacen posible la expresión indirecta de la especie sin mencionarla directamente.

El desvío lingüístico desempeña un papel fundamental en la novela de Sterne, para representar, con la elegancia que caracteriza a su estilo, dos anécdotas que se desarrollan paralelamente con características de absoluta inocencia, si bien las dos entran de lleno en el tema de lo sexual. Se trata de la concepción del protagonista y del cortejo de la viuda Wadman por parte del tío Toby.

Antes de responder afirmativa o negativamente a la propuesta de matrimonio, la señora Wadman quiere cerciorarse de que la herida de la ingle que al tío Toby le infirieron en el asedio de Namur no ha afectado a su virilidad; pero el respeto a las convenciones sociales represivas que prescriben que las mujeres adopten una terminología eufemística y ambigua para hablar de asuntos escabrosos y, por otra parte, la manía del tío de interpretar cualquier hecho y discurso en términos de estrategia bélica, le impiden a éste darse cuenta del sentido de las veladas preguntas de la señora y responder de un modo directo y apropiado.

–¿Y más o menos dónde, querido señor, le dijo Mrs Wadman un poco categóricamente, recibió usted esa herida cruel? –En el momento de hacer esta pregunta, Mrs Wadman dirigió la vista disimuladamente hacia la cintura de los calzones de felpa roja de mi tío Toby, esperando, naturalmente, que él le daría la respuesta más breve y directa señalando con el dedo índice el lugar exacto. Pero las cosas sucedieron de otra forma: mi tío Toby había recibido su herida delante de la puerta de St Nicolas, en uno de los traveses de la trinchera y frente al ángulo saliente del medio-baluarte de St Roch; y en cualquier momento podía clavar un alfiler en el preciso y justo lugar en que se hallaba él cuando la piedra le golpeó: esta idea vino al instante a golpearle a su vez en el sensorio, y junto a ella se le apareció, también allí, la imagen del enorme mapa de la ciudad, la ciudadela y los alrededores de Namur que había comprado y (con la ayuda del cabo) pegado con engrudo a un tablero durante su larga convalecencia...

(vol. IX, cap. XXVI)

El único que consigue aclarar al tío Toby el sentido de las insistentes preguntas de la señora Wadman es el cabo Trim, que recurre a la única metáfora que puede serle familiar y perfectamente inteligible, es decir la de índole bélica:

> –¡Dios bendiga a usía!, exclamó el cabo; –¿qué tendrá que ver la compasión de una mujer con la herida de un hombre en la rodilla? Si a usía se la hubieran hecho diez mil astillas de un disparo durante la refriega de Landen, tenga por seguro que a Mrs Wadman le habría producido tan pocos quebraderos de cabeza como a Bridget; porque, añadió el cabo bajando la voz y articulando las palabras con gran claridad al exponer su razonamiento, "la rodilla se encuentra a bastante distancia del cuerpo principal, mientras que la ingle, como usía sabe, está al lado de la *cortina de la plaza*».
>
> (vol. IX, cap. XXXI)

En la reticencia y, sobre todo, sobre en la remisión a lo narrativo se articula la anécdota general de la concepción de protagonista y, por ende, la representación de las relaciones sexuales entre el señor y la señora Shandy, que como un irónico *fil rouge* recorre todo la novela. Con ello se abre el relato, en términos que inicialmente resultan oscurísimos:

> *Perdona querido*, dijo mi madre, «*¿no te has olvidado de darle cuerda al reloj?*» –¡Por D!, gritó mi padre lanzando una exclamación pero cuidándose al mismo tiempo de moderar la voz. –*¿Hubo alguna vez, desde la creación del mundo, mujer que interrumpiera a un hombre con una pregunta tan idiota?* –Perdone, pero, qué estaba diciendo su padre?
> –Nada.
>
> (vol. I, cap. I)

El contexto y el significado de la pregunta de la madre se deduce al cabo de algunas páginas, cuando da algunos datos sobre el carácter del señor Shandy:

> Yo fui engendrado de noche, entre el primer domingo y el primer lunes del mes de marzo del año de nuestro señor de mil setecientos dieciocho. Tengo la certeza de que así fue. Pero que haya llegado a ser tan preciso en el cálculo de algo que sucedió antes de que yo naciera se debe a otra pequeña anécdota sólo conocida en el seno de nuestra familia pero sacada ahora a la luz pública para una mejor aclaración de este punto.
> Deben ustedes saber que mi padre, (...) era, en todo lo que hacía (fuera asunto de negocios, fuera cuestión de divertirse), uno de los

112

hombres más regulares que hayan existido jamás. Como ejemplo de esta extremada exactitud suya, de la que en verdad era esclavo, tenemos lo siguiente: –desde hacía muchos años (había hecho de ello una regla), –la noche del primer domingo de cada mes, a lo largo de todo el año– y con tanta seguridad como que la noche del domingo siempre llegaba, –daba cuerda con sus propias manos a un enorme reloj de pared que teníamos en lo alto de las escaleras posteriores. –Y teniendo entre cincuenta y sesenta años en la época a que me he estado refiriendo, –había asimismo ido trasladando a las mismas fechas, de manera gradual, algunas otras pequeñas obligaciones domésticas a fin de, como le decía a menudo a mi tío Toby, quitárselas de encima todas a la vez y no tener que andar jorobado y pendiente de ellas durante el resto del mes. (...)

Acaeció que, al cabo del tiempo, mi pobre madre era incapaz de oír cómo se le daba cuerda al mencionado reloj –sin que ciertos pensamientos acerca de algunas cosas se le vinieran inopinada e inevitablemente a la cabeza– y *vice versa*.

(vol. I, cap. IV)

De la sistematicidad metódica y ritual a que sometía su vida el señor Shandy, cabe deducir que la vida sexual de la señora Shandy no era especialmente exultante; aunque naturalmente tampoco ella podía expresar directamente peticiones o preguntas explícitas en materia sexual. Su frustración sólo podrá expresarse legítimamente de manera tortuosa. La novela ofrece un ejemplo de ello cuando los dos cónyuges están discutiendo del futuro conyugal del tío Toby y de la señora Wadman:

–A menos que Mrs Wadman tuviera un hijo, –dijo mi madre.
–Antes tendría que convencer a mi hermano Toby para que se lo hiciera.
–Desde luego Mr Shandy, dijo mi madre.
–Aunque si llega a convencerle –dijo mi padre–, ¡que el Señor se apiade de ellos! ¡De los dos!
–Amén, dijo mi madre *piano*.
–Amén, dijo mi padre *fortissime*.
–Amén, dijo nuevamente mi madre con un suspiro –pero además lo hizo dotando de tal cadencia de autocompasión a la segunda sílaba de la palabra que hasta la última fibra del cuerpo de mi padre se estremeció de turbación–; al instante sacó su calendario; pero antes de que hubiera logrado desatar la cinta que lo anudaba, los miembros de la congregación de Yorick, que en aquel momento salían de la iglesia, le dieron la mitad de las respuestas que buscaba en él –y al decirle mi madre que aquel día era, efectivamente, fiesta de guardar–, ya no le cupo la menor duda acerca de la otra mitad. –Así que volvió a meterse el calendario en el bolsillo.

Si el primer Lord de la Tesorería hubiera regresado a casa cavilando sobre *recursos y expedientes*, no habría ofrecido un aspecto de mayor perplejidad.

(vol. IX, cap. XI)

En cambio, los ilustrados consideran con aversión esos ajustes farisaicos de una sociedad que prescribe severas normas morales y que, al mismo tiempo, encuentra maneras para adoptar formas elusivas de las mismas que llegan a convertirse, a su vez, en otra moral. Para que no se suscite el escándalo y para no caer en la condena social, es necesario y suficiente respetar las formas establecidas de comportamiento.

En *Zadig*, Voltaire describe el dolor ejemplar de una viuda joven y bella, que ha jurado a los dioses que no se moverá de la tumba del marido muerto mientras el arroyuelo que corre por allí mismo no deje su cauce. Todos interpretan el juramento como un virtuoso propósito de fidelidad; pero una amiga que la va a visitar pocos días después, le cuenta a Zadig:

«¿Si supieras qué estaba haciendo cuando fui a visitarla?» «Dímelo, pues, hermosa Azora.» «Hacía desviar el arroyuelo.»

(*La nariz*)

También la novela de Diderot, *Las alhajas indiscretas*, es una requisitoria contra las convenciones sociales; en ella, mediante la magia de un anillo que el sultán luce en su dedo, los órganos sexuales femeninos (o sea, las joyas) cobran voz, y relatan la conducta y los deseos de las propietarias. A propósito de las desastrosas consecuencias de esta magia se pronuncia con consternación una dama noble:

¿No bastaba con que nuestra conducta dependiera de nuestras joyas; tendrá también que depender nuestra reputación de sus discursos?

(cap. XI)

La frase es una síntesis clara de la escisión que impera en la moral de esta sociedad, en la que la conducta está absolutamente separada de la opinión que de ella se hacen los demás, opinión que el formalismo bien pensante tiene que crear y modificar. En cambio, las joyas expresan la inmediatez imperiosa del instinto[23].

---

[23] Para desenmascarar la doblez social, Voltaire, en la *Princesa de Babilonia*, confía a la ruda y sagrada sinceridad del oráculo la tarea de señalar un comportamiento que respete la verdad de los hechos, ignorando las componendas saturadas de pretextos sugeridas por la *pruderie* de la sociedad. Presa de angustia porque la princesa Aldea se ha hecho

En el *Diccionario de las ideas aceptadas* de Flaubert hay una explosiva secuencia de definiciones que especifican las buenas maneras de la burguesía cuando prescriben, como directriz del comportamiento de las mujeres, la falsa ignorancia, disfrazada de virtud.

> ERECCIÓN: Se emplea únicamente cuando se habla de monumentos.
> HOJA DE PARRA: Símbolo de la virilidad en escultura.
> SEMENTAL: Siempre vigoroso. Una señora no debe conocer la diferencia entre semental y caballo. Para las jóvenes: caballo más grande que los demás.
> TORO: Padre del ternero; el buey es el tío.

En el relato de Chejov, *Una obra de arte*, la inhibición se traslada a lo figurativo y se ejerce en relación con un objeto, ante el cual, los mismos personajes que lo consideran sumamente inconveniente e indigno de figurar entre los objetos ornamentales de sus casas reconocen su notabilísima calidad estética. Se trata de un candelabro de bronce que representa dos desnudos femeninos en actitudes obscenas, que un joven, hijo de una chamarilera, la Smirnova, regala al doctor que le ha salvado la vida. Tras ser pasado de mano en mano por los distintos personajes, que lo encomian sucesivamente, apreciando siempre su belleza y, secretamente para sí, también su incitante obscenidad, sin admitir en ningún caso que pudieran ponerlo en sus casas, acaba por ser revendido a la Smirnova, que lo vuelve a enviar como regalo al doctor, convencida de que es otro candelabro distinto, pareja del primero.

Antes aun de ese final circular, suscita la risa la serie de rapidísimos cambios de mano del candelabro, como si fuera un ascua, acompañados de una idéntica reacción de consternación de quienes lo reciben, como si la perspectiva de ponerlo encima de la mesa y mostrarlo a los huéspedes y familiares constituyera una confesión de los propios gustos sexuales. Pero también mueve a risa el imposible acercamiento del campo del arte a una sociedad conformista y puritana:

> —«¡Ca! No te atreverás a desairarme —exclamó el doctor agitando los brazos—. ¡La suciedad la pones tú! ¡Se trata de una obra de arte!... ¡Mira qué movimiento... qué expresión!... No quiero ni oír hablar de ello...; me ofenderías...
> —Si al menos estuviera barnizado, o si tuviera unas hojitas de parra...»

---

raptar por su enamorado, el rey, su padre, manda consultar al oráculo, quien declara: «Cuando no se les da un marido a las muchachas, se lo cogen ellas por su cuenta» (cap. IV).

Pero el doctor no le escuchaba, movía las manos, ahora más que antes, en señal de despedida, y, contento por haberse liberado del regalo, volvió a su casa.

Aquí el doctor utiliza paradójicamente una lisonjera apreciación artística para deshacerse del objeto, sin traer a la luz la observancia del moralismo convencional que resultaría contraproducente; por su parte, su interlocutor invoca la hoja de parra, tradicional solución de conveniencia o, si se prefiere, precio que también el arte, para el que en ocasiones se invocan exenciones especiales de la norma, debe pagar al convencionalismo dominante.

Bien lejos del rechazo individual de la *pruderie*, en la VII narración de la jornada VI del *Decamerón*, la dama Filippa reclama la capacidad de fundar un nuevo derecho, basado en el reconocimiento de la legítima aspiración a la felicidad sexual. Casada a la fuerza con un anciano, es sorprendida por éste con su joven amante en la cama y arrastrada, entonces, ante el podestá para ser condenada a muerte, como prescribe la ley de Prato. La autodefensa de la mujer se atiene a una rigurosa lógica que, sin negar el deber de las mujeres a satisfacer la sexualidad conyugal, reivindica los más amplios derechos del amor y de la libertad del deseo:

> os pregunto, señor podestá, si ha tomado de mí lo que ha necesitado y ha querido, ¿qué debía o debo hacer yo de lo que sobre? ¿Debo echárselo a los perros? ¿No es mucho mejor complacer con ello a un gentil hombre que así mismo me ama, que dejar que se pierda o se estropee?

La cuestión moral es hábilmente trocada en una estimación de cantidad, a la que suma la referencia a las razones habituales, características y sacrosantas en una sociedad mercantil, como son una sagaz defensa de la propiedad y su cuidadosa y productiva aplicación, la condena del malgasto inútil y la conservación de los bienes preciosos. La fuerza de la argumentación de la dama y el carácter persuasivo de sus razones consiguen transformar las leyes de la ciudad, lo que supone el establecimiento de un nuevo equilibrio para las relaciones de poder entre los sexos y, al mismo tiempo, un cambio del género al que se adscribe la narración, que pasa de lo trágico, en que se articulaba el exordio, a lo cómico en que concluye.

18. El impulso sexual, que en la dialéctica de la represión representa el núcleo auténtico de lo natural, puede también aparecer como ámbito de determinadas convenciones culturales. En contradicción, sólo

aparente, con la censura moral, converge en él un entusiasta reconocimiento colectivo, equivalente a una mitología de la vitalidad[24], que refuerza, por otro lado, la cohesión de los grupos. El modelo, así propuesto, asume características de obligación y, entonces, se hace ridícula la definición ortodoxa que lo considera deseo. Achille Campanile, en la novela *Se la luna mi porta fortuna* [*Si la luna me trae suerte*], trae los pensamientos de dos enamorados que, aparentemente, con toda la vehemencia de la pasión, se están dando un larguísimo beso:

> ÉL: ¡Qué rara es la vida! se suele pensar que estas cosas son divinas, pero después del primer momento uno se desinfla. En el fondo estos besos larguísimos no valen la fama que tienen; es verdad que se siente cierto escalofrío al unir los labios, pero enseguida se habitúa uno (...) En fin, no seré yo el primero que se separe. Ella se imagina que yo estoy en éxtasis y conviene cultivar la ilusión. No entiendo por qué a las mujeres les enloquecen estos besos interminables. Para ellas son hechos de importancia capital. Además se me está cayendo el sombrero. ¿Qué hora será ya? ¡También podía decidirse a separarse ya! ¡Dios mío uno no se puede quedar eternamente así! ¡Si, por lo menos, llegase un guarda, u otra pareja de enamorados, o algún paseante! (...)
> ELLA: ¡Qué distintas somos las mujeres de los hombres! Para nosotras el placer es algo reflejo. Gozamos con el goce que damos. Porque, bien pensado, si dijera que este larguísimo beso me embriaga, no sería sincera. Más bien al contrario, he de confesar que, pasado el primer momento, no siento nada. Pero no quiero ser yo la primera en separarme. Él se piensa que yo siento lo mismo que él y no le gustaría. Esperaré a que sea él quien se separe. ¡Ay, si por lo menos empezase a llover!
>
> (cap. XIV)

El mito de la pasión irresistible se vacía en una operación más pérfida aún que la negación directa, pues cada uno de los dos se la supone al otro y la niega para sí. Extraiga el lector la valoración pertinente.

Lawrence Sterne separa goce y sexo de manera aún más radical por el procedimiento de introducir una duda. Tras una de las raras discusiones entre los dos hermanos Shandy, el padre del protagonista, presa de remordimientos, se excusa tiernamente con el tío Toby y se reprocha su carácter impulsivo:

> –Además, ¿por qué tengo que meterme yo, mi querido Toby, exclamó mi padre, ni con tus diversiones ni con tus preferencias, cuando

[24] Véase, más adelante, pp. 220-21 y 227-230.

ni siquiera está en mi mano (lo único que justificaría un entrometimiento) el incrementarlas?
–Hermano Shandy, respondió mi tío Toby (...) –en eso estás muy equivocado–; porque tú incrementas mis diversiones, mis preferencias y mi satisfacción al engendrar hijos para la familia Shandy a tu edad. Pero al hacer eso, señor, intervino el doctor Slop, Mr Shandy más bien incrementará las suyas. –Ni pizca, dijo mi padre.
(...)
–Mi hermano, dijo mi tío Toby, lo hace por *principio.*
(vol. II, caps. XII-XIII)

El acto sexual queda, pues, consignado al plano gris de los deberes sociales y familiares y al imperativo de los comportamientos necesarios.

19. En *El enredón* de Plauto, se trivializa la representación tópica del mal de amores, tan rico en hipérboles, hasta su culminación en la amenaza de suicidio, y no sólo mediante la sospecha de inautenticidad, sino mediante la certeza de su inutilidad. Porque si, en general, el reconocimiento de la inutilidad del dolor puede servir como estrategia consolatoria, cuando la desventura se siente como algo remediable aparece como culpable y ridícula renuncia a una intervención constructiva sobre la realidad

CALIDORO: Es una carta triste, Enredón.
ENREDÓN: Tristísima.
CALIDORO: ¿Por qué no lloras?
ENREDÓN: Tengo los ojos de piedra pómez; no consigo convencerles de que viertan una sola lágrima.
CALIDORO: ¿Por qué?
ENREDÓN: Los de nuestra raza hemos tenido siempre los ojos secos.
CALIDORO: ¿Así que no quieres ayudarme?
ENREDÓN: ¿Qué puedo hacer por ti?
CALIDORO: ¡Ay!
ENREDÓN:¿Ay? De eso no te escatimaré nada, te daré todos los que quieras.
CALIDORO:Soy muy desgraciado: no consigo encontrar un préstamo en ninguna parte.
ENREDÓN: ¡Ay!
CALIDORO: En casa no hay ni un céntimo.
ENREDÓN: ¡Ay!
CALIDORO: Y él se me la llevará mañana.
ENREDÓN: ¡Ay!
CALIDORO: ¿Ese es el modo que tienes de ayudarme?
ENREDÓN: Te doy lo que tengo; de ese género tengo un montón en casa.

CALIDORO:Hoy es mi fin, ¿puedes prestarme hasta mañana aunque sólo sea un dracma?

ENREDÓN:Me mataría para conseguirlo aunque fuera dándome a mí mismo como prenda; ¿pero me quieres decir qué quieres hacer con ese dracma?

CALIDORO: Quiero comprarme una cuerda.

ENREDÓN: ¿Para qué?

CALIDORO:Para ahorcarme. Antes de que la sombra caiga, quiero hundirme en la sombra.

ENREDÓN:¿Y si te doy el dracma, quién me lo devolverá? ¿O es que quieres colgarte para darte el gustazo de chorizarme el dracma?

Del mismo modo, cuando en *La importancia de llamarse Ernesto* de Oscar Wilde, los dos primos John y Algernon se encuentran en análogas dificultades sentimentales, el primero le reprocha al otro cinismo y frialdad:

GRESFORD: No comprendo cómo, después de lo ocurrido, puedes estar ahí, tan satisfecho, comiendo tranquilamente pasteles. ¡Cuando te digo que eres un pedrusco!

ARCHIBALD: Hijo mío, los pastelitos de crema no pueden comerse con agitación, correría el riesgo de mancharme de crema los puños. Los pasteles se deben comer siempre con tranquilidad. Te aseguro que no hay otro modo de comerlos.

(a. II)

Además del obvio menoscabo que la efusión del *pathos* causa a la imagen estética, en tal respuesta se sobreentiende asimismo su inutilidad cierta en orden a la solución de los problemas.

20. En *Si yo fuese usted*, Wodehouse presenta la misma posición afectada contra una forma distinta de sentimentalismo:

Imagínate, cada vez que me ve, se obstina en deshacerse en lágrimas y besarme, todo ello a un mismo tiempo. Es un procedimiento condenadamente húmedo y secante, créeme. Puedo admitir que alguien prorrumpa en llanto sólo con verme. Puedo incluso comprender que alguna persona especialmente excéntrica desee besarme. Pero que se pretendan hacer ambas cosas a la vez, ¡ay!, eso no, eso es contradictorio.

(cap. II)

Al mismo orden de lo patético pertenece el mito de la infancia, que Dickens desacraliza en *Papeles póstumos del club Pickwick*. Durante una encendida campaña electoral, el responsable que se ocupa de la propaganda de un partido informa su candidato sobre las disposiciones tomadas para acrecentar su popularidad y le da algunos consejos sobre cómo comportarse:

> «No se ha descuidado nada, señor mío... absolutamente nada. A la puerta hay veinte hombres bien lavados a quienes estrechará la mano; seis niños cogidos en brazos a los que tiene que hacer una caricia en la cabeza y por cuya edad deberá interesarse. Los niños, señor mío, le recomiendo los niños; son de muchísimo efecto.» «Y quizá, señor mío –aventuró el hombrecito–, quizá (...), si ello le fuera posible, aunque no digo yo que sea imprescindible, si pudiera usted darle un beso a uno de ellos..., eso impresionaría mucho a la gente.»
>
> «¿No le impresionaría igual si el beso se lo diera uno de mis colaboradores?»
>
> «No, no, si se lo da usted personalmente, su popularidad se pondría por las nubes.»
>
> (cap. XIII)

La utilización electoralista de la imagen patética de la familia queda enfatizada con la evidente repulsión que al candidato le inspiran los niños y cuya carga ridícula se intensifica cuando trata de desviar el peligro hacia el *corpus vile* de uno de sus colaboradores.

Sobre el tópico de la llamada de la sangre, Samuel Butler construye en *Erewhon* una situación de frialdad en el reconocimiento, atenuando su posible carácter escandaloso mediante el procedimiento de situarlo en el reno animal.

> me parece estar viendo las lomas, las cabañas, la llanura, y el lecho del río, aquel torrencial sendero de desolación, con el estruendo lejano de la aguas. ¡Magnífico! ¡Magnífico! Así, solitario, solemne, con la tristeza gris de las nubes en lo alto y el silencio cercano, si no fuera por un corderillo perdido que bala en la falda de la montaña como si tuviera destrozado su pequeño corazón. Al poco, una oveja fea, vieja y macilenta, llega con un trotecillo cansado; ha abandonado el apetitoso pasto y llama con un balido ronco. Ora escruta esta o aquella zanja, ora se detiene a escuchar con el hocico al aire, para oír el lamento lejano y responderle. ¡Se han visto!; corren el uno al encuentro del otro. Pero ¡Ay! Se han equivocado los dos; aquella madre no es la madre del corderillo, ni siquiera son parientes, no se inspiran simpatía y se separan con frialdad.
>
> (cap. I)

Para reforzar el efecto, al patetismo del amor maternal se suma la celebración del idilio geórgico, de suerte que la desilusión final sea aún más acre.

120

En *El círculo de tiza caucasiano*, de Brecht se repite el mito del juicio de Salomón en torno a un niño. Las litigantes son la aristocrática y rica madre biológica y Grusa, la muchacha pobre que lo ha salvado de la matanza. Queda claro que la defensa de la madre se basa en la retórica de los sentimientos canónicos («las torturas del espíritu de una madre, los temores, las noches de insomnio», «la tragedia humana de una madre»), pero cuando un abogado menos astuto y más expeditivo hace referencia al aspecto patrimonial del proceso, el juez, Azdak, no duda en reconocer el motivo verdadero y, en él, con una risotada paradójica, la raíz auténtica del *pathos*:

> El tribunal está conmovido por la referencia a las propiedades y la considera una prueba de sentimiento humano[25].
>
> (VI)

En el mismo drama, a Grusa y al niño los hospeda en su casa el hermano de Grusa, si bien a regañadientes; «hombre débil», dice la acotación, un demonio para su esposa, «mujer muy piadosa». El egoísmo intolerante, que adopta el hombre, se acoge a la forma más odiosa de la solicitud:

> ¿No hará demasiado frío en este cuartito?... Con un frío tan intenso no deberías quedarte aquí con el niño. Aniko tendría remordimientos.
>
> (IV)

El valor de la amistad no queda menos expuesto a la desmitificación cómica. En la novela de Pirandello, *Amicissimi*, la amistad es afirmada clamorosamente por un desconocido que se presenta a Gigi Mear saludándolo con alharacas y sometiéndolo a una evocación de experiencias comunes, durante la cual muestra que efectivamente conoce detalles íntimos de su vida. Durante todo el proceso a Mear se le hace pre-

---

[25] El mismo desplazamiento semántico entre sentimiento e interés se da en el *Campiello*, la ópera de Ermanno Wolf-Ferrari inspirada en la comedia de Goldoni del mismo título. Nos parece digno de especial atención el hecho de que en la ópera el desplazamiento se produce únicamente con los medios del lenguaje musical. El caballero ocioso y arruinado proyecta resolver sus problemas casándose con Gasparina, sobrina del rico Fabrizio, su vecino −proyecto que tiene tanto de oportunismo como de autoconvencimiento−. Cuando Fabrizio hace referencia a la gravedad de su situación, el caballero le contesta con una pregunta, que ya estaba en Goldoni, «Qué dote dais a Gasparina» (a. V, esc. III), pero envolviéndola en una melodía rica y apasionada que inequívocamente remite al código de expresión del enamoramiento.

sente su absoluta incapacidad para recordar el nombre del interlocutor; finalmente, no pudiendo más, le pregunta quién es. Pero el otro, para castigarlo por su olvido, se niega a decírselo. Esta burla final refrenda la renuncia a establecer si son ciertas o no aquellas relaciones afectivas. Certeza que en cambio llega a darse, si bien crudelísima y amarga, en el acto único de *Amicizia* de Eduardo de Filipo, en donde la amistad queda expuesta a la paradójica verificación de la locura, a la que se atribuye la tarea de destruir el castillo de engaños e hipocresías que rige la vida social. Alberto Califano se toma el trabajo de ir a visitar, en medio de un calor asfixiante en plena canícula, a una amigo que está agonizando y que delira. Éste no lo reconoce, lo rechaza; expresa, en cambio, el deseo de ver a otras personas, cuyas diferentes identidades asume Califano una tras otra. La última es la del notario. Entonces, Califano, haciendo las veces de éste, recibe una comunicación que va más allá del plano personal y familiar para presentarse como clave de lectura que hace comprensible el mundo, al precio de una herida personal que el tono burocrático intensifica ferozmente:

> Entréguele estas cartas a la mujer de Alberto Califano... He sido su amante durante muchos años. Precisamente por estas cartas puede saberse que el primer hijo del matrimonio es mío.

El valor universal de esta revelación queda evidenciado por su capacidad de modificar y producir realidad. Cuando Califano regresa a su casa está «completamente ido» y se recluye en la protección onírica de los personajes que se ha visto obligado a representar; una ficción mejor y más inocua que los papeles de marido feliz y amigo querido que hasta aquel momento había representado desde la cordura.

21. Consideremos por último aquella crítica a los prejuicios que no tiene por objeto los contenidos de los mismos, sino que se dirige a la pereza intelectual con que inducen expectativas presuntamente ciertas, incapaces de confrontarse con las variedades que se producen en la experiencia real.

Uno de estos lugares comunes atribuye a la parte femenina de una relación adúltera responsabilidades más bien económicas que morales. La definición de «amante» se superpone a la de «mantenida», como muestra especialmente bien, en *La Traviata* de Verdi, la inconveniencia de Germont que se presenta a Violeta como el padre «del incauto que corre a la ruina / embrujado por usted». Pero los documentos que Violeta somete a la consideración de Germont demuestran que la situación es precisamente la contraria.

El tristísimo humor de *La corista* de Chejov procede, en cambio, del agravamiento y cronificación del equívoco en la persona que representa las virtudes institucionales. Ante Pascia, la protagonista, se presenta la mujer de Kolpakov, el eventual acompañante de la primera. La acusa de haber inducido a su marido a cometer un desfalco en el banco y la conmina a que le devuelva las joyas que los hombres acostumbran a regalar a «las que son como usted». Pascia obedece, pero «las dos cosillas» que efectivamente le había regalado Kolpakov le parecen una limosna a la señora, que, enfatizando el *pathos*, hace un despliegue de virtud ultrajada y una, no menos canónica, llamada a la inocencia de los hijos. La violencia de la sedicente víctima, en realidad, saca provecho de Pascia y fuerza su derecho:

«¡Está bien, le daré las cosas! –se apresuró Pascia, enjugándose los ojos–. Como usted quiera. Sólo que éstas no son de Nikolai Petrovic... Me las han dado otros visitantes. Tenga usted...».

Ante la puesta en escena de los valores, tampoco para el marido infiel, que ha asistido vergonzosamente escondido a toda la escena, sin intervenir, cuentan ni los hechos mismos ni la justicia:

«¡Objetos. Baratijas, más que objetos! –profirió Kolpakov y dejó caer la cabeza– ¡Dios mío! Ha llorado delante de ti, se ha humillado...»[26].

La oposición entre universo familiar y universo erótico se convierte en paradoja maliciosa en otro cuento de Chejov, *Era usted*, en el que un oficial conocido por su donjuanismo relata a unas muchachas el encuentro con una misteriosa mujer:

Noté como dos manos de mujer, suaves como la más leve de las plumas, se posaban en mis hombros.
«Te quiero... Eres lo que más quiero en la vida», dijo una melodiosa voz de mujer.

---

[26] También en el *Diccionario de las ideas aceptadas* de Flaubert ese mismo estereotipo se asocia a la profesión teatral: «ACTRICES. Perdición de los hijos de familia. Son espantosamente lujuriosas, se entregan a orgías, despilfarran millones, acaban en el hospicio». En *Gas hilarante* de Wodehouse un aristócrata inglés tiene preocupada a su familia porque se ha trasladado a Hollywood y ha anunciado su voluntad de casarse: «"Eggy se ha prometido o está a punto de prometerse con una muchacha de allí. Y usted sabe, como yo, que clase de mujeres son las de Hollywood"» (cap. I). El instantáneo y desarmante cambio de registro pone al desnudo la inanidad del prejuicio.

Un aliento ardiente me rozó la mejilla... Olvidé la tormenta, los espíritus, todas las cosas de este mundo, rodeé con mi brazo una cintura... ¡y qué cintura! Cinturas así sólo pueden haber sido dispuestas por la naturaleza mediante un orden especial, una vez cada diez años... ¡Sutil, como si estuviera hecha al torno, ardiente, fugaz como la respiración de un niño! No me contuve, la ceñí entre mis brazos... Nuestras bocas se fundieron en un intenso, prolongado beso y... os lo juro, por todas las mujeres del mundo, no olvidaré aquel beso mientras viva.

Cuando revela que la mujer era en realidad su legítima esposa, las chicas se enfadan («Había empezado usted de un modo tan sugerente y... de un plumazo ha convertido el relato... en una burla, y nada más») y el oficial, antes de satisfacer su credulidad con una versión nueva («no era mi esposa, sino la de mi asistente»), no deja de hacer un quiebro sutil sobre la contradicción entre imaginario pulsional y código ético-social, coincidente este último, más allá de cualquier otra consideración, con su interés «corporativo»:

Si ahora razonáis así, ¿qué opinaréis cuando tengáis marido?

Es cierto que la trampa ha estado bien urdida. La atmósfera, los indicios llevaban a lo más alejado posible de lo habitual familiar, subrayando, por el contrario, el carácter excepcional del encuentro. En todo ello se esconde un inesperado mensaje optimista: que no es imposible regenerar en lo habitual familiar la atención y la dedicación afectiva que se esperan de los grandes acontecimientos, e incluso la cuerda más delicada del eros, la fascinación de lo otro.

Igualmente optimista, en tanto que desbaratamiento de un prejuicio negativo, es la idea que cabe deducir de *La andriana* de Terencio. En esta comedia se desmitifica una estructura convencional, que ha tenido un papel muy extenso en la historia de lo cómico, la rivalidad entre suegra y nuera, que se presenta como un modo superficial y equivocado de interpretar la realidad.

El matrimonio entre Pánfilo y Filomena está a punto de romperse porque la mujer, que ha sido violada por un desconocido y espera un niño, abandona avergonzada el domicilio conyugal. El final feliz tendrá lugar cuando se descubra que el violador era el propio marido, pero, mientras tanto, el silencio, desesperadamente exigido por Filomena (que ni siquiera aparece en escena) y respetado por Pánfilo, hace sospechar que el motivo de la crisis esté en la presunta incompatibilidad con Sóstrata, la madre de Pánfilo.

Será Sóstrata, con su actitud, quien deshaga la conjura de silencio. Aun sospechando que el odio que le profesa Filomena es fingido y que los motivos de su alejamiento son otros, la suegra borra toda posibilidad de pretexto, retirándose ella al campo, con una sonriente y apenas melancólica asunción de la jerarquía de los derechos de las distintas generaciones. Tanta generosidad y tanto buen sentido se contraponen, no sólo implícitamente, a la tosquedad del prejuicio que predica generalidades abstractas:

> no es fácil disculparse: están convencidos de que la suegras son todas malas. ¡Pero yo no, por Dios! Yo siempre la he tratado como si fuera una hija mía.
>
> (vv. 277-79)

Pero lo cómico está, sobre todo, en el hecho de que quienes defienden el prejuicio lo presentan como visión racional y lo expresan desde lo alto de la superioridad masculina, achacando a la irracionalidad femenina los datos del estereotipo, no de la realidad:

> ¡Ves a los niños, qué cóleras tremendas guardan entre sí por nonadas! ¿Y sabes por qué? Porque la inteligencia que les guía no es muy sólida. También las mujeres son como los niños, tienen poco juicio.
>
> (vv. 310-12)

Menos dramáticamente, la rectificación del prejuicio antifemenino se repite cuando, definitivamente disculpada Sóstrata, tanto el padre como la madre consideran que la culpa de la crisis la tiene la cortesana Bacchides, amante de Pánfilo: la cual, delicado prototipo de *putain respectueuse*, no sólo les convence de su inocencia, sino que mediante el reconocimiento de un anillo que había pasado de Filomena a Pánfilo, durante el estupro, y que éste había le había regalado luego a ella, contribuye de modo decisivo al desenlace.

IV

Lo cómico transgresor

1. Ya hemos dicho que la concepción canónica de lo cómico transgresor es la de la Comedia Nueva, representada sobre todo –para los modernos– por la *vis comica* de Plauto. Pero Aristófanes, al final de *Las avispas*, presenta también una formidable anticipación de la misma, que nos obliga a reconsiderar algunas coordenadas históricas. De hecho, la rebelión del hijo impedido por la represión del padre está ya presupuesta en el trastrocamiento genial por el que dicho papel pasa a ser desempeñado por el viejo juez desalentado. Cuando periclita para él el mito del poder público, entendido también como compensación de las frustraciones domésticas, Filocleón se despoja de las ropas de la vejez, que ninguna gratificación puede reportarle ya, y se pasa al otro lado del frente generacional, dando vía libre a los deseos sexuales (de un banquete se lleva a una flautista) y a los deseos agresivos, en los que se sucede la actitud maligna que le caracterizaba como juez y que ahora se explaya en un vandalismo «juvenil».

Cuenta con la complicidad de una antigua estructura antropológica, que encontraremos también en otras obras, ligada al desenlace cómico: el sueño de una milagrosa recuperación de la juventud. Aquí tal rejuvenecimiento queda limitado a lo psíquico y a las actitudes, contrastando cómicamente con una insuperable realidad física. Así se expresa Filocleón ante la flautista:

> Si eres buena conmigo, cuando mi hijo se haya muerto, yo te rescataré y serás mi concubina, ratoncita mía. Ahora no puedo disponer de mis bienes, por que soy joven y me atan muy corto. Me tiene controlado mi hijo, un tipo cascarrabias y roñoso hasta dar asco. Tiene miedo de que me arruine. Por otra parte, hay que entenderle: soy padre único.
>
> (vv. 1351-59)

El trueque de papeles entre padre e hijo no se da con impunidad con respecto a las estructuras lógicas. Del mismo modo que un padre podría tener más hijos y, por ello, es legítimo atribuirle, como excusa, una especial e inquieta solicitud en el caso de que sólo tuviera uno; un hijo puede tener un solo padre, y, por ende, el sarcasmo de lo obvio tiene como contenido emotivo el hecho de que el hijo carcelero no tiene ninguna excusa. Se desea su muerte con una franqueza exorcizada por una surrealista transmutación de la ley de la naturaleza que pide que la muerte de los padres anteceda a la de los hijos[1].

2. En Plauto, el movimiento emancipatorio resultante de la alianza entre las necesidades del joven y la inteligencia creativa del esclavo, que lo ayuda por la urgencia patética o amenazante de sus peticiones y también por el gusto estético de la transgresión, crea el espacio para una risa triunfal.

Pero es una risa que no tiene nada que ver con lo ingenuo, porque la satisfacción narcisista se nutre de la superioridad intelectual que es el arma de la victoria y que se asocia, a menudo, a una conciencia metalingüística, poniendo en evidencia la analogía entre el poeta autor de la ficción cómica y el sirvo autor de la ficción en el seno de la comedia, analogía que garantiza la identificación del espectador. Así, en *Las Báquides*, el esclavo, después de haber llevado a cabo su elaboradísimo plan, compara su empresa con el gran paradigma cultural de la antigüedad clásica, la guerra de Troya:

> Los dos hermanos Atridas tienen fama de haber realizado la mayor de las hazañas, porque con armas, con caballos, con un ejército de eximios guerreros, con un millar de naves y al cabo de diez años lograron subyugar la patria de Príamo, Pérgamo, fortificada por divina mano. Mas todo ello sólo fue una niñería, en comparación con el asalto que

[1] Una parecida alteración de lo generacional hay en *Ellos y yo*, de Jerome, donde, sin embargo, la simpatía transgresora se orienta hacia el desquite de los más jóvenes. Una niña redime la condición de subalterna de su condición, si tal pudiera decirse, imaginando un mundo en el que los niños tienen el papel de educadores, y, así, poniendo en obra sapiencias alternativas, sacadas de los cuentos de hadas, de sus relaciones con los animales, etcétera, no dejan de saborear el gusto del poder e incluso de la prevaricación, incluida la de imponer el *double bind*: «"Si contestan, Verónica, querrá decir que, para su desgracia, tienen una índole impertinente, que debe ser erradicada a toda costa (...), y si no dicen nada, ello mismo será la demostración de que tienen una tendencia a la insociabilidad que debe ser inmediatamente castigada antes de que se convierta en un vicio". "Y todo lo que les hagamos, nosotros diremos que es por su bien"», gorjeó Verónica» (cap. VII).

voy a lanzar yo contra mi amo, sin escuadra, sin ejército ni tan gran número de soldados. He cogido, he conquistado al asalto el oro a su padre para mi joven amo enamorado. Ahora antes de que venga por aquí el viejo, me apetece entonar un canto fúnebre, mientras espero a que salga. ¡Oh Troya! ¡Oh patria! ¡Oh Pérgamo! ¡Oh Príamo! Has perecido, viejo. Para tu desdicha y desgracia vas a ser despojado de cuatrocientos filipos de oro.

(vv. 925-34)

No es el único caso en que se equipara una artimaña engañosa a una acción militar, atribuyendo burlescamente a la transgresión los valores más altos del universo transgredido: pero sobre esta simple dimensión eufórica se inserta la variación preciosa del lamento sobre la suerte de los vencidos, herencia épico-trágica, trocada ahora en carcajada agresiva: ver en la suma substraída al *pater familias* lo equivalente a la tragedia familiar y social de Príamo es como restregarle por la cara, y ampliada, la avaricia de Euclión para quien tal equivalencia era realidad[2].

Presentan un gran interés en las comedias de Plauto –y constituyen partes integrantes de la estrategia cómica– las técnicas para exorcizar la transgresión, técnicas que podemos distinguir según modifiquen el papel de la transgresión misma o el de la represión que se le opone.

En el primer caso, la transgresión puede reducirse sacando a la luz su carácter transitorio, metalingüísticamente coincidente con la ocasión ritual de permuta de las jerarquías. Precisamente en esto se ha comparado la función del teatro cómico latino con la fiesta de las Saturnales.

Esto, que es un carácter del género, adquiere una nueva determinación en el cuerpo vivo de cada una de las situaciones cómicas. Citemos como muestra la más clara y violenta: la *Mostellaria*. Mientras Teopropides viaja a Egipto, su hijo, Filolaquetes, lleva una vida de despilfarro, incitado por el esclavo Tranión; a la vuelta del amo, con objeto de que no entre en la casa y descubra lo que pasa en ella, Tranión improvisa sobre la marcha que la casa está poseída por los fantasmas, al efecto le vienen pintiparados los gritos de los borrachos que llegan del interior. Cuando se presenta un usurero a cobrar los pagos de las deudas, Tranión se apresura a hacerlos más ricos, inventando que Filolaquetes ha comprado la casa del vecino. Teopropides naturalmente quiere verla y Tranión le complace tras prevenir al vecino de que el viejo quiere ver las obras hechas en su casa para hacer algo parecido en la suya; mientras, le explicará a Teopropides las «rarezas» del vecino (las inevitables

---

[2] Véase, anteriormente, pp. 46.

flaquezas de un diálogo de sordos) con su extraordinario afecto por su casa y su repugnancia a dejarla; tras lo que Teopropides llegará a valorar muy positivamente la humanidad de su esclavo.

Una vez descubierto el cúmulo de mentiras, el padre podrá ser resarcido del daño, aunque no del ridículo; la posición de Tranión se presenta como desesperada, hasta el punto de permitirle la maldad obstinada de quien no tiene nada que perder:

> Bien hecho, ¡por Hércules!, me alegro de haberlo hecho. Cuando se peinan canas, hay que ser un poco más avisado.
>
> (vv. 1147-8)

El viejo se convence de que debe perdonar sólo cuando el propio Trianón le hace ver el carácter aleatorio del perdón:

> ¿Por qué fiarlo tan largo? ¡Sabes que mañana haré otra igual! Entonces te podrás cobrar las dos, ésta y la que venga.
>
> (vv. 1177-8)

El régimen que concede la exención de la *illusion comique*, en esta concesión, por tanto, trampea: la situación de mañana y de siempre, que describe un universo basado en las relaciones de dominio, se extiende retroactivamente hasta hacer trivial el carácter subversivo del teatro.

También la transgresión puede modificar su propio carácter, acabando por coincidir con un beneficio para el régimen patriarcal. En el *Epidicus*, el protagonista engaña dos veces a su amo, primero, le hace comprar una amante de su hijo y trata de hacerle creer que es su hija natural; después engaña, con una artimaña aún más complicada, a una dama, de la que el voluble joven se enamora en el curso de la farsa. Pero esta segunda mujer es, verdaderamente, la hija natural del amo, quien pasará de la previsible furia a una reencontrada y cierta felicidad familiar. Conociendo la verdad anticipadamente, Epídico la utiliza para una soberbia escenificación, provocando al amo ante la presencia de un amigo:

> EPÍDICO: Así está bien. Vamos, ahora ya interrógame, pregúntame lo que quieras.
> PERÍFANES: En primer lugar, ¿cómo te atreviste a decirme que era mi hija la lirista que compraste anteayer?
> EPÍDICO: Me dio la gana: por eso me atreví.
> PERÍFANES: ¿Cómo? ¿Que te dio la gana?
> EPÍDICO: Sí, y, si no, ¿qué te apuestas a que es tu hija?

PERÍFANES: ¡Aunque su madre dice que no la conoce?

EPÍDICO: Te apuesto un didracma contra un talento a que es hija de su madre.

PERÍFANES: Estás intentando engañarme. Pero, ¿quién es esa muchacha?

EPÍDICO: La amiga de tu hijo, para que lo sepas todo.

PERÍFANES: ¿Y no te di treinta minas para comprar a mi hija?

EPÍDICO: Sí, lo reconozco y reconozco que con ese dinero compré a la amiga de tu hijo, la lirista, en vez de a tu hija: para eso te saqué las treinta minas.

PERÍFANES: ¿Y no es cierto que me engañaste con esa lirista alquilada?

EPÍDICO: Sí, por Hércules, te engañé, pero creo que hice bien en engañarte.

PERÍFANES: Y, por último, ¿qué fue del dinero que te di?

EPÍDICO: Verás: se lo di a uno que no es ni malo ni bueno: a tu hijo Estratípocles.

PERÍFANES: ¿Y cómo te atreviste a dárselo?

EPÍDICO: Porque me dio la gana.

PERÍFANES: ¡Demonios!, ¿qué desfachatez es ésa?

EPÍDICO: Pero, ¿aún me gritas como a un esclavo?

PERÍFANES (*con ironía*): ¡Ah! Me alegro de saber que eres libre.

EPÍDICO: Méritos he hecho para serlo.

PERÍFANES: ¿Que has hecho méritos?

EPÍDICO: Entra en casa a echar un vistazo; te aseguro que tú mismo comprobarás que es así.

PERÍFANES: ¿Qué es lo que pasa?

EPÍDICO: La propia realidad te va a contestar. Anda, entra de una vez.

APÉCIDES (*a Perífanes*): Ve, que algún motivo hay.

PERÍFANES: Tú no le quites el ojo de encima, Apécides. (*Entra en casa..*)

APÉCIDES: ¿Qué es lo que pasa, Epídico?

EPÍDICO: Es la mayor de las injusticias, por Hércules, que yo esté aquí atado, cuando gracias a mí hoy ha sido encontrada la hija del amo.

APÉCIDES: ¿Dices tú que has encontrado a su hija?

EPÍDICO: Sí, la encontré y está en su casa. Pero, ¡qué doloroso es hacer el bien y, a cambio, no cosechar más que sinsabores!

APÉCIDES: ¡Pero si hoy nos cansamos de buscarla por toda la ciudad!

EPÍDICO: Vosotros os cansasteis de buscarla y yo me cansé de encontrarla.

PERÍFANES (*saliendo de su casa y hablando con sus hijos que están dentro*): ¿Para qué me pedís por él con tanta insistencia? Me doy cuenta de que merece ser tratado según sus méritos. (*A Epídico.*) Tú dame las manos, que te las desate.

EPÍDICO: No me toques.

PERÍFANES: Extiende las manos.

EPÍDICO: No quiero.

PERÍFANES: No está bien lo que haces.

EPÍDICO: De ninguna manera, por Hércules, dejaré que me desates, si antes no me das una reparación.

PERÍFANES: Tu petición es muy justa y razonable: te daré unos borceguíes, una túnica y una capa.

EPÍDICO: ¿Y qué más?

PERÍFANES: La libertad.

EPÍDICO: ¿Y después? Un liberto necesita algo para manducar.

PERÍFANES: Se te dará; te proporcionaré comida.

EPÍDICO: De ninguna manera, por Hércules, me desatarás, si antes no me suplicas.

PERÍFANES: Te lo suplico, Epídico: perdóname, si, sin querer he cometido alguna falta contra ti. En recompensa, sé libre.

EPÍDICO: Te perdono, aunque de mala gana, pero las circunstancias me obligan. Anda desátame, si tanto lo deseas.

(VV. 696-731)

La transgresión más clamorosa, que no admite atenuante y se presenta como insubordinación autónoma, vivida con absoluto placer y espíritu de juego, sólo se da cuando no es más que una fachada de malas intenciones yuxtapuesta a acciones objetivamente buenas[3].

También se puede neutralizar la violación modificando la contraparte, desacreditando a los individuos concretos que representan la función del *pater familias*, lo que sugiere un mensaje como: «un padre así no es un verdadero padre: una paternidad correctamente ejercida no tiene nada que temer».

Hemos adelantado ya la hipótesis[4] de que la debilidad intelectual de las víctimas del engaño desarrolle esta función, en bastante menor medida, sin embargo, que la debilidad moral, como, por ejemplo, la de los padres que caen en la trampa de la atracción sexual y se convierten en rivales de sus propios hijos. El encontronazo de las dos partes en

---

[3] La situación contraria, en la que aparece un obsequio formal encubriendo una transgresión descomedida e insolente, es la de Sam, en *Papeles póstumos del club Pickwick*, que presenta del siguiente modo sus relaciones con el padre: «Si alguna vez le he pedido algo a mi padre, lo he hecho siempre con respeto y cortesía. Si no me lo ha dado, se lo he cogido, únicamente por miedo a las malas tentaciones en que pudiera hacerme su carencia. Le he ahorrado, así, un sinfín de problemas, señores». (cap. XXVII). Para que no queden dudas sobre el carácter ficticio de la «devoción filial», sigue inmediatamente otra intervención que sirve de ejemplo de narcisismo oculto bajo una capa de sedicente altruismo: «La intención es lo que cuenta, caballeros. La intención, como dijo el noble que abandonó a su mujer porque tenía el aspecto de ser desgraciada con él».

[4] Véase, más arriba, p. 24.

conflicto en la misma posición respecto del código moral tiene como consecuencia la «despenalización» de la transgresión juvenil. Obligada a elegir en esa disposición binaria en que se funda la estructura teatral, la conciencia ética del espectador condenará sólo el pecado peor, el que no tiene la eximente de la juventud y, por tanto, de la transitoriedad. Además, y sobre todo, si la libido juvenil y la senil son concurrentes, el triunfo de la primera se presenta como indispensable para la frustración de la segunda y ejerce, así, sobre ella la función objetivamente represora que pide el código ético. De tal suerte la situación desairada del viejo enamorado tiende a acumular la risa provocada por el pecado y la provocada por la voluptuosidad necia. Leamos, por ejemplo, el final de la *Asinaria* de Plauto, donde Deméneto, que incluso ha ayudado a su hijo Argiripo a que comprara la amante Filenia, pretende ser el primero en gozarla, lo que tiene contristado al joven; y, así, cuando aparece la áspera Artemona, que es esposa del primero y madre del segundo y que, en la obra, tiene, a un tiempo, la representatividad moral y el control de los recursos económicos, el único amor que se vedará será el senil, mientras que el amor juvenil, también condenable en teoría, tendrá vía libre.

> ARTEMONA (*a Filenia*): ¿Y cómo te has atrevido a recibir en tu casa a mi marido?
> FILENIA: ¡Por Pólux, si casi me hace morir de asco!
> ARTEMONA (*a Deméneto*): Levántate, enamorado y vete a casa.
> DEMÉNETO: ¡Soy hombre muerto!
> ARTEMONA: No, lo que eres, y no lo niegues, es el mayor de los granujas. ¡Y todavía está en el nido el cuclillo! Levántate, y vete a casa.
> DEMÉNETO: ¡Ay, la que me espera!
> ARTEMONA: Eres adivino. Levántate, enamorado y vete a casa.
> DEMÉNETO: Pues retírate un poco, hacia allí.
> ARTEMONA: Levántate, enamorado y vete a casa.
> DEMÉNETO: Te lo suplico, esposa mía...
> ARTEMONA: ¿Ahora te acuerdas de que soy tu esposa? Hace un momento cuando me llenabas de injurias, yo era tu tormento y no tu esposa.
> DEMÉNETO: Estoy completamente perdido.
> ARTEMONA: ¿Y qué? ¿Le huele el aliento a tu esposa?
> DEMÉNETO: Le huele a mirra.
> ARTEMONA: ¿Y ya me robaste el manto para dárselo a tu amiga?
> FILENIA: Sí, por Cástor, que me prometió robarte el manto.
> DEMÉNETO (*a Filenia*): ¿Quieres callarte?
> ARGIRIPO: Yo traté de disuadirlo, madre.
> ARTEMONA: ¡Qué joya de hijo! (*a Deméneto*) ¿Éste es el ejemplo que un padre debe dar a sus hijos? ¿No te da vergüenza?
> DEMÉNETO: Por Pólux, que, aunque no sea por otra cosa, me da vergüenza por ti, mujer.

ARTEMONA: ¡Mira que tener que arrancarlo su mujer del burdel a este cuclillo de pelo blanco!

(vv. 920-34)

Por último, más fácil es la adecuación entre espíritu transgresor y moralismo romano cuando el deseo sexual topa con el obstáculo no ya del padre sino del rufián, cuyo oficio está al mismo tiempo legalmente reconocido y es moralmente repugnante, y que, en mucha mayor medida que el padre más indigno, está llamado a desempeñar la función de chivo expiatorio.

Ese proceso está espléndidamente trazado en *El enredón*, donde el protagonista apuesta con el amo viejo que conseguirá quitarle la chica al rufián, y apuesta la misma cantidad necesaria en su consecución, veinte minas. Este juego de duplicación es también una duplicación de adversarios y dificultades, que parece inspirado en un delirio de poder del esclavo; pues el amo está directamente interesado en que fracase en su asalto al rufián. Esta alianza cambia cuando el rufián cree haber descubierto las artimañas de Enredón, quien sustituye por un hombre de su confianza al militar que debería tratar la compra de la muchacha. En realidad, las ha descubierto, pero demasiado tarde, aquel a quien coge, creyendo que es el sustituto, es el militar verdadero, mientras que el otro ha cumplido ya su misión. *Quos vult perdere Deus dementat*: en el entusiasmo de la que cree su victoria, el rufián le promete al viejo Simón otras veinte minas en el caso, que el considera imposible porque está ya conjurado, de que Enredón consiga quitarle la chica. Llamar a esto último una apuesta es impropio porque Simón no arriesga nada, y no duda ni un instante en aceptar. Comprobamos, así, que la derrota de la autoridad paterna tendrá lugar literalmente *a expensas del rufián*. Liberado del interés directo de la apuesta, Simón puede elegir sobre cuál de las dos partes del conflicto emitir el juicio moral que institucionalmente le corresponde, si sobre la pulsión amorosa del hijo, o sobre el sórdido oficio del rufián. A nadie asombrará que Simón opte por lo mismo que optaría el público, y rebate categóricamente al rufián que busca pretextos para no pagarle la apuesta:

> es justo quitarles a los bribones cualquier cantidad, arrebatarles cualquier botín.

(v. 1225)

En el lado opuesto milita la admiración intelectual que en un momento dado podemos oír en boca del *pater familias* con el tono de exaltación homérica que institucionalmente corresponden al autor de la empresa:

134

Le he dado un buen golpe, y mi esclavo también le ha dado otro buen golpe a su enemigo. Así que he decidido pagar a Enredón, pero no como suele pagárseles a los esclavos en otra comedias, no con puñetazos ni latigazos. Iré a casa cogeré las veinte minas que le había prometido en caso de que consiguiera lo que se había propuesto y se las daré sin hacerme rogar. ¡Qué hombre! ¡Qué hábil es! ¡Qué astuto! ¡Qué ingenioso! ¡Este Enredón ha superado al ardid de Troya, ha superado al mismo Ulises! Ahora me llego a casa cojo el dinero y le pago a Enredón.

(vv. 1238-45)

3. La redención de la transgresión con las armas de la complicidad intelectual es la constante de un grupo de narraciones de Giovanni Boccaccio, alguna de las cuales tienen un mismo punto de partida, característicamente plautino, en el carácter incontenible y prohibido del deseo sexual.

Gianni Lotteringhi (jornada VII, narración I), ha ido a encontrarse con su mujer, doña Tessa, que está veraneando en el campo. Esa misma noche oye que alguien llama a la puerta. Fingiéndose aterrorizada, la mujer le dice que debe ser un fantasma, al que hay que conjurar con una fórmula mágica. Ella sabe muy bien que es su amante, a quien no ha podido avisar a tiempo de la llegada de su marido y para quien, como consuelo, ha dejado en el huerto la cena que tenían que haber hecho juntos, capones, huevos y vino. Bajo la apariencia de una fórmula ritual, doña Tessa le da a su amante algunas informaciones útiles:

> Fantasma, fantasma que por la noche vas por ahí, con la cola tiesa viniste, con la cola tiesa te irás; ve al huerto, al pie del melocotonero hallarás unte y mejunje, y cien cagarrutas de la gallina mía; toma del frasco y vete por ahí, y no nos dañes ni a mi Gianni ni a mí.

El juego anfibológico de apariencias diversas, que con las mismas palabras comunica a los distintos destinatarios significados distintos, se adorna con la insinuación obscena, que es también ironía afectuosa y autoironía[5].

En la burla contada en la IV narración de la jornada III, llega incluso a confiar al juego lingüístico, al juego de la doble significación, el momento de mayor intensidad narrativa, a situar en él el momento

---

[5] En la jornada VII se cuentan las «burlas que por amor o para su propia salvación las mujeres han hecho a sus maridos, habiéndolo advertido ellos o no» y las narraciones que en ella se recogen siguen casi todas el esquema que esbozamos.

más divertido. Un florentino rico, que se ha hecho franciscano terciario con el nombre de hermano Puccio, descuida a su joven esposa, que termina por aceptar las ofertas sexuales de un monje, don Felice. Como los amantes no tienen otra posibilidad para sus encuentros que la casa de la mujer, donde, por otra parte, está siempre el hermano Puccio, el monje le convence de que para ganar el paraíso tiene que hacer una penitencia de 40 días, consistente en ayunar, mantenerse lejos de su mujer por las noches, encerrado solo en una habitación, con los brazos en cruz, sin moverse por ningún motivo y recitando un exorbitante número de oraciones. Una vez apresado el marido en sus propias manías, los dos amantes cuentan con poder llevar a término sus deseos; pero el hermano Puccio, que oye conversaciones y ruidos procedentes de la habitación en que se encuentran los amantes, pregunta por ellos a la mujer:

> La señora, que era muy bromista, y que puede que estuviera cabalgando la bestia de San Benito o de San Juan Gualberto, respondió:
> –¡Que caray, marido mío, me meneo lo que puedo!
> Entonces dijo fray Puccio:
> –¿Cómo que te meneas? ¿Qué significa ese meneo?
> La señora, como tenía buen humor y era ingeniosa y acaso tuviese motivo para reírse, riendo respondió:
> –¿Cómo, no sabéis lo que significa eso? Pues yo os lo he oído decir mil veces: «quien se echa sin cena, toda la noche se menea».
> Fray Puccio se creyó que el ayuno fuese la razón de que no podía dormir y que por ello se menease en la cama; por lo que dijo de buena fe:
> –Señora, ya te lo había dicho: no ayunes; pero como has querido hacerlo, no pienses en ello, piensa en descansar; das unas vueltas en la cama que haces que se menee todo.
> Entonces dijo la señora:
> –No os preocupéis, no; sé bien lo que me hago; haced bien lo vuestro, que yo haré bien lo mío si puedo.

También aquí, en su fingimiento malicioso, la mujer se sirve de las ambigüedades del lenguaje, utilizando ese doble sentido perfectamente construido en que se basa el juego complejo de aludir a la verdad sin descubrirse, poniendo en obra el excedente de gratificación agresiva que consiste en ofrecer al interlocutor una sola posibilidad de comprensión. La verdad, así expresada, es una muy refinada forma de engaño. De tal suerte, toda la historia se sintetiza en la conclusión de la mujer, cuando riéndose complacida le dice a su amante:

> Le has puesto una penitencia a fray Puccio con la que nosotros nos hemos ganado el cielo.

También la habilidad y la rapidez de ingenio salvan de una situación embarazosa a fray Cebolla (jornada VI, narración X), que pide limosna a los campesinos, mostrándoles reliquias falsas. Dos amigos burlones, que conocen el engaño del fraile, sustituyen por carbones la pluma que el hermano había prometido enseñar a los fieles, haciéndola pasar por la que perdió el arcángel Gabriel en Nazaret cuando se le apareció a la Virgen María. Tras abrir en la iglesia el relicario en que debería estar la pluma, cuando ve los carbones, fray Cebolla no se inmuta:

> me parece que ha sido realmente voluntad de Dios y que Él mismo ha puesto la cajita de los carbones en mis manos, recordándome ahora mismo que la fiesta de San Lorenzo es de aquí a dos días. Y por tanto, como Dios quiere que yo, al enseñaros los carbones con los que le asaron, reavive en vuestras almas la devoción que debéis tener por él, me hizo coger no la pluma que yo quería, sino los benditos carbones apagados con los humores de aquel santísimo cuerpo.

Las abundantes limosnas que recibe son muestra y pago de la habilidad con que fray Cebolla ha sabido salvar el apuro; y mientras él, tan satisfecho, puede ser emparejado en la burla con los dos amigos maliciosos, lo que se convierte en objeto de risa triunfal es la torpeza y credulidad de las mentes campesinas.

En la narración de Masetto de Lamporecchio (narración I de la jornada III), una inteligencia no especialmente brillante o creadora, pero sí sosegadamente razonable, más inclinada al pacto que a la imposición, hace posible la consecución del deseo prohibido. El protagonista se finge mudo, sordo y hasta un poco estúpido, para conseguir ser admitido como hortelano en un convento de monjas; y llega a convertirse para las monjas jóvenes en un objeto de deseo tan incontenible que alcanza cotas de verdadera impiedad.

> –¡Ay de mí! –dijo la otra– ¿Qué es lo que dices? ¿No sabes que le hemos prometido nuestra virginidad a Dios?
> –¡Oh! –dijo esa– ¡Cuantas cosas se le prometen constantemente y no se cumple ninguna! Si nosotras se la hemos prometido, que se busque otra u otras que se la cumplan!

Son palabras parecidas a las que, en boca de Tartufo, suscitan el escándalo de Molière. Pero Boccaccio no es un moralista; sitúa a los personajes en un mundo erizado de prohibiciones (un hombre guapo dentro de un convento de monjas jóvenes atrevidas y ardientes) y se divierte con la búsqueda y hallazgo de una solución que haga posible a todos ellos apagar sus instintos y a la moral salvar las apariencias. El descubrimiento de la solución transforma en solidaridad la reprobación moral que debería referirse a la anécdota. En un primer momento las monjas se sienten seguras por el hecho de que Masetto sea mudo y que, en consecuencia, no pueda contar los hechos, y, además, un poco estúpido, y, por ello, incapaz de valorar moralmente las acciones:

> y he oído decir muchas veces, a algunas de las señoras que han venido, que todas las demás dulzuras del mundo son una broma comparadas con la que se siente cuando la mujer se une al hombre. Por lo que más de una vez me he propuesto probar si es así con este mudo, ya que no puedo con otro; y él es el mejor del mundo para eso, pues, aunque quisiese, no podría ni sabría decirlo; ya ves que es un jovenzuelo tonto que le ha crecido el cuerpo más que el seso.

Encontrada la excusa, surge el inmediato acuerdo de todas las monjas de convertir la imposición de la pureza y de la abstinencia sexual, debidas en razón de su estado, en un bien organizado régimen de licencia, en el que no se puede dejar de admirar, siguiendo la mirada del autor, el respetuoso reconocimiento de los papeles, el buen sentido y la funcionalidad, que no son en absoluto estorbadas por la falsa premisa de que parten las monjas, y cuando Masetto descubre su engaño, el sistema no se modifica en lo más mínimo. Por lo que hace al riesgo de una aprovechamiento demasiado intensivo, también se resuelve con racionalidad y sin turbar la armonía que, en el régimen sexual ilícito, regula la vida, ejemplar a su modo, del convento: se establecen turnos no excesivamente intensos para el hortelano, al que se promueve al empleo de mayordomo, con lo que, como corresponde al cargo, mejora mucho en su retribución. Finalmente, la vejez de Masetto, quien, llegado a la edad del descanso, se ha retirado a su Lamporechio natal, se presenta, con ironía bienintencionada, como un sereno declinar, en términos perfectamente apropiados a la conclusión de la existencia de cualquier honrado trabajador.

> Así pues Masetto viejo, padre y rico, sin tener que criar a los hijos o gastar en ellos, habiendo sabido por su cautela aprovechar bien su juventud, se volvió al lugar de donde había salido con un hacha al hombro.

4. Uno de los cuentos de Schwejk trata con simpatía el caso de un estudiante del conservatorio que corteja a la hija de un rico comerciante y que es violentamente rechazado por éste con las palabras: «No es usted más que un pordiosero y no se casará con mi hija». De todas formas, la

relación sigue adelante, y el estudiante observa que, en la más violenta cólera de los padres, lo que se le veda es el matrimonio, no otra cosa:

> la vez anterior no se pronunció ni una sola palabra a propósito de lo que se hubiera podido hacer. De esto, pues, no se había hablado, y él era un hombre de palabra, así que no se preocuparan porque él no quería inquietarles, era un hombre de una pieza y mantenía su palabra, no era una veleta que gira según sople el viento, y cuando decía una cosa, era sagrada para él.

(parte III, cap. III)

El lector se siente solidario con Schwejk en su reivindicación de los derechos naturales del sexo («¿Qué puedo hacer?, si no puedo casarme con ella, ¿tengo que reventar?») y aún más en su complacencia en la artimaña que pone en práctica cuando toma al pie de la letra a su interlocutor. Tanto cuando supone que se puede llevar a cabo, o por lo menos no considerar prohibido, lo ilícito de mayor entidad negando con ello lo menor, como cuando mantiene firmemente una promesa que a la luz de los hechos confirma más bien una negación (la del matrimonio reparador). Esta perversa *mélange* de obsequio formal y agresión sustancial queda perfectamente reflejada por la alternancia de niveles estilísticos en la respuesta a la madre que le acusa de haber quebrantado el honor de su hija:

> Ciertamente, respondió, me he permitido hacerla una putita para mí, señora mía.

(parte III, cap. III)

5. La gigantesca presencia de Falstaff arma el *Enrique IV* de Shakespeare, en donde se contraponen pendularmente de un modo inusitado historia y trivialidad, corte y taberna, sangre y vino, orden y desorden; cada escena de palacio tiene un contrapunto arrabalero, hasta que esas dimensiones paralelas se encuentran en el infinito, en el campo de batalla donde el hombre encuentra la muerte.

Hasta ese momento, la taberna, que es el reino de Falstaff, es precisamente el revés del reino de Inglaterra, una afirmación de lo ilícito que tiene en el centro los disvalores tradicionales de la farra y del robo, como dice Falstaff al príncipe heredero, su compañero de excesos:

> No hay en ti ni honradez ni hombría, ni el menor sentido de solidaridad, ni eres de sangre real, si no tienes redaños de emboscarte por diez chelines.

(parte I, a. I, esc. II)

Lo burlesco de la pequeñez de la cifra sirve para hacernos entender que la mezcla de valores tradicionales, que asoman solemnemente en la frase, no está determinada a ningún tipo de concepción «romántica» de la marginalidad. Al contrario, junto a la violación del principio de la propiedad, brilla la negación de aquel honor que será la marca imperecedera de los bandidos románticos. Pero sobre el honor, mejor es ceder la palabra a la extraordinaria traducción de Boito y Verdi:

> Può l'onore riempirvi la pancia?
> No, Può l'onor rimettervi uno stinco? Non può.
> Né un piede? No. Né un dito? No. Né un capello? No.
> L'onor non è chirurgo. Che è dunque? Una parola.
> Che c'è questa parola? C'è dell'aria che vola.
> Bel costrutto! L'onore lo può sentir chi è morto?
> No. Vive sol coi vivi?... Nepure: perché a torto
> Lo gonfian le lusinghe, lo corrompe l'orgoglio,
> L'ammorban le calunnie; e per me non ne voglio!

(¿Puede el honor llenarnos la tripa? / No. ¿Puede el honor devolvernos una canilla? No puede. / ¿Y un pie? No. ¿Y un dedo? No. ¿Y un pelo? No. / El honor no es un cirujano. ¿Qué es entonces? Una palabra. / ¿Qué hay en esta palabra? Aire que vuela. / ¡Bonita frase! ¿Puede sentir el honor quien ha muerto? / No. Vive sólo con los vivos?... Ni hablar: porque injustamente / Lo hinchan las lisonjas, lo corrompe el orgullo, / Lo infectan las calumnias; ¡y no lo quiero para mí!)

(parte I, a. I)

En Falstaff, pues, es central la bellaquería, unas veces mostrada con desfachatez, otras veces negada también con desfachatez[6]; bellaquería en forma de mitomanía como cuando dos adversarios reales (que serán luego dos compañeros burlones) se convierten casi inmediatamente en once; o distanciada mediante la autoironía. La bellaquería alcanza el apogeo expresivo cuando su carácter desacralizador se encuentra con la autoridad carismática.

escuchadme, señores míos. ¿Tenía yo que matar al presunto heredero del trono? ¿debía, acaso, dirigir mi arma precisamente contra el príncipe legítimo?... Bueno, tú sabes bien que tengo la fuerza de un Hércules..., ¡pero cuidado con el instinto! El león no levantará su garra contra el príncipe legítimo. El instinto es una cosa muy grande; pues bien, yo he sido bellaco por instinto. Y, así, mientras viva, tendré la mejor opi-

---

[6] Véase, más arriba, pp. 105-106.

nión de mí y de ti: de mí pensaré que soy un corajudo león, y de ti que eres un príncipe legítimo.

(parte I, a. II, esc. IV)

La frase con que concluye nos alza de súbito hasta una de esas temeridades metafísicas que sirven para reconocer a Shakespeare: no son los valores los que justifican la bellaquería, sino que es la bellaquería la que crea los valores. Para el primero de los dos personajes, el salto es aún un salto contenido («de mí pensaré que soy un corajudo león»); decir que la autoestima es sólo el epifenómeno noble de un interior innoble es de hecho una verdad dura y amarga, consecuente en el fondo; ahora bien, decir que de esa misma carencia de nobleza depende un dato de realidad («que eres un príncipe legítimo»), objeto de veneración y de simbolización colectiva, es trastrocar en carcajada surrealista la fuerza del símbolo.

En cualquier caso, desde su escandalosa amistad con el príncipe, Falstaff espera en el *adinaton* de un mundo en el que los disvalores se conviertan en un sistema de gobierno.

> ¿pero, y ello es un ruego, querido loco mío, cuando seas rey, seguirá habiendo horcas en Inglaterra? ¿Seguirá injuriándose a la audacia con el herrumbroso mordisco de la madre ley, esa vieja bufona? ¡Cuídate de ahorcar a un solo ladrón cuando seas rey!
>
> (parte I, a. I, esc. II)

La expectativa de esta paradójica edad de oro ensancha el aliento fantástico que caracteriza la presencia de Falstaff y con ello la acción dramática, convirtiéndose, incluso, en su condición; hasta el punto de que, cuando el príncipe sube al trono, es decir, cuando asume la representación oficial de los valores, no tendrá otro remedio que ignorarlo; entonces, Falstaff se negará a admitirlo, pensará que es «una ficción, una muestra externa». Su actitud nos induce a retrotraernos, con la misma nostalgia que él, a aquella otra ficción, escrita con el carácter secreto de un código familiar, en la que el príncipe y él habían representado, unas veces uno y otras veces otro, el papel del rey y su severo moralismo, echándose en cara alternativamente su falta de fundamento. Para que Falstaff deje verdaderamente la escena y la vida, tendrá que darse un cambio de escena y que se interprete *La vida del rey Enrique V,* la epopeya nacional de Inglaterra, en donde la gloria y la sangre, y otras generosas brutalidades ocuparán por entero el espacio que habrá dejado de ser curvo.

6. Esos mismos valores morales son subvertidos, aunque más toscamente, por Ubu, fantasmón violento, personaje creado por Alfred

141

Jarry, que en *Ubu rey*, siendo rey de Polonia muestra una escandalosa cobardía en la guerra contra los rusos, adoptando una estrategia que no es más que la mera aplicación de su instinto de conservación: dispone su propia persona como centro de una fortaleza en torno a la cual se organiza todo el sistema defensivo:

> Y ahora, señores, preparémonos para la batalla. Nos quedaremos en la colina; no cometeremos el error de bajar al llano. Yo me pondré en el centro, como una ciudadela viviente y vosotros gravitaréis en mi derredor. Os recomiendo que metáis en los fusiles tantas balas como quepan, porque ocho tiros matan a ocho rusos y, así, habrá otros tantos que no podrán dar conmigo.
>
> (a. IV, cuadro III)

Tan descarada cobardía no llega a ser absolutamente despreciable, en parte, por su condición de exhibida, como el miedo de los niños y, en parte, porque es contradictoria y se manifiesta también con imprevisibles gestos de valor.

En otras ocasiones, con una conciencia más adulta, Ubu elabora justificaciones con la pretensión de enmascarar su vileza. Cuando un oso enorme, por ejemplo, ataca a sus compañeros y está a punto de despedazar a uno de ellos, huye corriendo monte arriba y se limita a rezar un padrenuestro, mientras los demás luchan con el animal; finalmente consiguen matarlo y, entonces, Ubu se atribuye el mérito en los siguientes términos:

> si seguís vivos, si aún podéis hollar la nieve de Lituania, se lo debéis al magnánimo valor del Maestro de las Finanzas, que se ha empleado a fondo, se ha quedado sin aliento, sin voz, de tanto rezar padrenuestros por vuestra salvación; que con tanto valor ha esgrimido la espada de la plegaria mientras vosotros os servíais, con habilidad pareja, de la espada temporal (...) Nos hemos llevado aún más lejos nuestro ardor, porque no hemos vacilado en subir a la peña más alta a fin de que nuestras oraciones tardaran menos en llegar al cielo.
>
> (a. IV, cuadro IV)

Ubu da buena prueba luego de su capacidad para racionalizar (canallesca y desprejuiciada forma de su astucia). Cuando el compañero a quien casi despedaza el oso le pide que vayan juntos a descuartizar al animal muerto para poderlo comer, le dice:

> ¡Ah no! A lo mejor no está muerto. Ve tú que estás ya medio comido y mordido por todas partes, éste es un trabajo para ti.
>
> (a. IV, cuadro IV)

142

No obstante, la identificación, absolutamente exigida por el personaje, se consolida mediante reconocimientos exteriores e independientes de su voluntad, circunstancias afortunadas que, como cualquier personaje plautino, Ubu siempre está dispuesto a atrapar al vuelo.

En *Ubu encadenado*, hay un mundo paradójico, el país de los hombres libres, donde todos desobedecen siempre todas las órdenes en nombre de una libertad que coincide con el triunfo del arbitrio individual. Ubu, que no conoce las reglas y que, por su cobardía característica, pretende congraciarse con los jefes, obedece escrupulosamente todas las órdenes y acaba por ser tenido por un original extremista lo que suscita la admiración del jefe:

> Vos conocéis mejor que yo la teoría de la libertad. Os tomáis, incluso, la libertad de hacer aquello que yo he ordenado. Sois el más grande de los hombres libres.
>
> (a. I, cuadro III)

7. La risa de Rabelais asalta alguna de las fortalezas del orden moral constituido, pero, sobre todo, ataca a la apariencia burlesca de una operación reformista que se encaminaría a la fundación de nuevos sistemas morales, más respetuosos aún que sus precedentes de las leyes universales y divinas.

Eso es lo que sucede a propósito de una práctica, condenada desde siempre y considerada dañina tanto en el plano moral como en el de la productividad económica, como es el endeudamiento, con la consiguiente necesidad de recurrir al préstamo usurario, gravísimo pecado contra la naturaleza, según la moral tomista, que estructura el infierno de Dante, y que, no obstante, Rabelais celebra en los siguientes términos:

> Si os las arregláis para deberle siempre algo a alguien, ese alguien estará siempre rezando a Dios para que os conceda una buena, larga y dichosa vida, pues tendrá miedo a perder lo que es suyo; hablará bien de vosotros, siempre y en todas partes, y os buscará nuevos acreedores, para que toméis préstamos de ellos y tapéis su agujero con tierra de otros. Cuando antaño, en la Galia, por institución de los druidas, los criados privados y los oficiales eran quemados vivos en los funerales y exequias de sus amos y señores, ¿no tenían, por ventura, un miedo constante a que esos amos y señores murieran? Pues estaban obligados a morir con ellos. ¿Acaso no rezaban continuamente a Mercurio, su gran dios, junto con Dis, el padre de las riquezas, para que les conservase mucho tiempo con buena salud? ¿Acaso no ponían todo su cuidado en tratarles y servirles bien?
>
> (libro III, cap. III)

El préstamo se convierte, así, en el fundamento de la solidaridad entre los hombres, instituyéndose como la alianza imposible de la generosidad y del interés personal. A condición, naturalmente, de que no se deje de censurar radicalmente el desfase temporal (la deuda que se contrae hoy será resarcida en un futuro no siempre definido) y la añadidura del desorbitado interés que genera.

Incluso la procreación acaba por representarse como un préstamo en blanco, que se transforma en inversión de la que se espera obtener un beneficio futuro (el mantenimiento de la propia estirpe), pero cuyos frutos no pueden ser disfrutados por el generoso acreedor-inversor sino es bajo la forma de ese pequeño anticipo que viene a ser la voluptuosidad.

De un modo más general, para Rabelais el hedonismo es norma y fundamento de la vida asociada. Para recompensar a fray Juan por su valor mostrado en la batalla, Gargantúa le regala un vasto territorio, dinero para construir en él una abadía y la autorización para fundar una orden monástica nueva, cuya regla contiene una sola norma: «Haz lo que quieras», y cuyo reglamento prevé que no haya separación de sexos ni voto de castidad y que todos se comporten según el criterio de su propio placer:

> Se levantaban de la cama cuando les placía y les venía en gana; bebían, comían, trabajaban, dormían cuando les apetecía, pues nadie les despertaba, ni les obligaba a beber o a comer o a hacer cosa alguna.
>
> (libro I, cap. LVII)

La aplicación de esta regla, muy lejos de provocar ningún mal ni corrupción alguna, como han augurado siempre los moralistas de todos los tiempos, sirve, como pretendía Gargantúa, para hacer realidad un auténtico paraíso terrenal, colmado de placeres materiales, y generador también, de los hábitos más gentiles y de la intelectualidad más refinada.

8. En *Las aves* de Aristófanes, el ateniense Pistetero se casa con la diosa Regina «que administra el rayo de Zeus y las otras cosas: el buen consejo, el buen gobierno, el buen juicio, la calumnia, los astilleros, el dinero» (vv. 1537-41), además del caótico conjunto de poderes que en él se reúne, el protagonista asume el dominio universal, arrebatándoselo al dios supremo. Es evidente que aquella sociedad, la misma que pocos años después condenó a muerte a Sócrates por el delito de no reconocer los dioses patrios, sólo podía aceptar una impiedad semejante en calidad de alternativa carnavalesca. En cualquier caso, un mensaje como el de Aristófanes resultaba mucho más inquietante que el de la inocua rebelión de los esclavos de Plauto.

El nombre de la esposa indica que la consecución del poder es un fin en sí, afirmación de totalidad narcisista sin más motivación, ni legitimación, y sin otros pretextos o interferencias relativos a los valores ético-políticos. De todas formas, en el punto de partida, se planteaban ciertas motivaciones ético-políticas encaminadas a dar lugar a lo que se presentaba como el enésimo proyecto de reforma de Aristófanes, pero que el texto se encarga, con implacable coherencia, de negarlas una y otra vez.

En *Las aves* se reitera la intolerancia respecto de la civilización ateniense, pero llevada a tal nivel de generalidad como para plantear la exigencia de una acción radicalmente alternativa. Pistetero se asocia con los pájaros y reivindica en su nombre un antiguo dominio, que los dioses les habrían usurpado; funda la aérea y utópica Nefelocoquigia partiendo de un código genético que contradice uno por uno todos los aspectos de la civilización humana (de la ateniense en especial). Tomando como punto de partida la libertad de las aves, o sea asumiendo en clave simbólica su ilimitada utilización del espacio, en la nueva ciudad no habrá ni prohibiciones ni castigos.

> Todo cuanto vosotros consideráis infame y prohibido por la ley, es bello para nosotras, las aves. Si entre vosotros es un delito pegar al padre, para nosotras es muy bonito salirle al encuentro y golpearle diciendo: «¿Quieres pelea? Levanta el espolón». Si uno de vosotros es un esclavo huido, marcado, entre nosotras no es más que un francolín jaspeado. Y si otro es un frigio, como Espintaro, entre nosotras será un ruiseñor de la especie de Filemón. Y, aún más, si es un esclavo cario, como Esecéstides, será también un ave, un alcaudón, y en los alcaudones encontrará una verdadera familia. Si el hijo de Pisias quiere abrir las puertas a los exiliados, que se convierta en una codorniz, como buen hijo de su padre: para nosotros no es ninguna vergüenza escabullirse entre la mies.
>
> (vv. 755-68)

Espintaro, Filemón, Esecéstides eran bárbaros que aspiraban a la ciudadanía ateniense, lo que suponía una ofensa a la identidad compacta y orgullosa de la ciudad autóctona y al pacto de integración entre sus ciudadanos; Meletes, hijo de Pisias, es a los ojos de Aristófanes, un bellaco por haber propugnado la conciliación social. Mediante tales ejemplos, Aristófanes ataca en forma de *Witz*, no a las normas transgredidas, sino a los transgresores, como si la tolerancia universal no pudiera ni siquiera ser mencionada si no fuera remachando tranquilizadoras intolerancias particulares.

También desde ese carácter natural de las aves se plantea la idea de un lugar idílico y «tranquilo» (*apragmon*, v. 44). Y se entiende lógicamente que, para las aves, la primera violencia emblemática que haya de eliminarse sea la práctica de la caza y el uso de servir de alimento para los hombres.

Pero Nefelocoquigia no será, desde su fundación misma, una ciudad tranquila. Esa misma fundación es un acto hostil para los dioses, que serán separados de la tierra, es decir del ámbito de sus gratificaciones alimentarias y sexuales. El activismo frenético de la fundación desemboca consecuentemente en la guerra que llevará a la victoria de Pistetero y a su conquista de Regina.

El más clamoroso de los cambios revolucionarios es precisamente la condena de la caza, envolviendo también de ambigüedad esa condena:

> Hasta en los mismos templos ponen lazos los cazadores, arman trampas, untan liga, colocan armadijos, cuelgan arañas y redes, esconden cepos. Así os cazan en masa, y os venden luego, y otros hombres os palpan, y os compran. Y, tal como a ellos les gusta, os ponen en una fuente, asados con queso rallado, aceite, benjuí, vinagre y, tras elaborar una salsa dulce y espesa, la untan bien caliente en vuestros cadáveres.
>
> (vv. 525-38)

Las dos series de nombres que componen la *facies* estilística del pasaje se plantean con un objetivo claramente conflictivo. La lista de los medios de caza sigue el *crescendo* de la indignación; la lista de los ingredientes que componen la receta culinaria desvela una impudorosa complacencia. De tal suerte, no será muy traumático nuestro estupor cuando la embajada de los dioses enviada a Pistetero se lo encuentre intentando cocinar pajaritos, siguiendo al pie de la letra aquella receta, lo que, como voluntad artística responde aquí mucho menos a la idea de proporcionar datos informativos, que a un explícito y rico simbolismo. Deseo que se multiplica mediante un efecto especular, pues entre los miembros de la embajada está Hércules, glotón por antonomasia, a quien los preparativos del banquete lo seducen de tal forma que decide capitular y convencer a los demás para que capitulen.

También conviene señalar que el placer canibalesco es sólo el ápice de una evolución o perversión del deseo alimentario, que en sus inicios iba al paso con el mito idílico. En efecto, el lugar «tranquilo» se simbolizaba con una comida de bodas, pero cuando tiene lugar el banquete fundacional de la ciudad, Pistetero interrumpe al sacerdote-ave que hace la lista de los dioses-aves invitados al banquete:

> ¿Pero qué haces? ¡Detén tu cantilena, desgraciado! ¿A qué clase de banquete crees que invitas a buitres y a zorzales marinos? ¿No te das

cuenta de que bastaría un milano, uno sólo, para que arramblara con todo? Vete, vete ya con tus estolas: el sacrificio lo celebro yo solo.

(vv. 889-894)

La brusca llamada de atención a propósito del carácter limitado de los recursos alimentarios marca el paso del mito utópico de Jauja a un régimen en el que el control de los alimentos es uno, seguramente el más importante, de los signos visibles del poder. A este respecto, la exclusión de las aves como comensales del banquete es algo menos agresiva, dada su relación con el proyecto de hacer pasar hambre a los dioses impidiendo que el humo de los sacrificios celebrados en la tierra llegue hasta ellos. Esta equiparación de amigos y enemigos nos proporciona la respuesta última sobre el mensaje de la comedia, singularizando su entraña en el privilegio de lo particular sobre la colectividad, sea ésta la que fuere.

Junto a las claves simbólicas de las aves, la libertad y la tranquilidad, se arruina su derecho a compartir los frutos del proyecto y de la victoria del hombre. Todo lo contrario, a dicha victoria contribuirá la reafirmación del viejo régimen ético, político e incluso religioso. Desde el punto de vista de lo ético, se niega formalmente el derecho a la rebelión edípica, sancionado en el manifiesto, cuando se expulsa de la ciudad de las aves a un hijo que odia a su padre (vv. 1337-71). Desde el punto de vista político, se vuelven a introducir los procesos que habían dejado de celebrarse no sin disgusto (las aves comidas al final han sido «declaradas culpables de rebelión contra el gobierno democrático», vv. 1583-85). Desde el punto de vista de la religión, las aves vuelven a ser dóciles ministros de un panteón sometido al nuevo señor (vv. 1606-25).

Ni el viejo ni el nuevo orden son, pues, otra cosa que apariencias en relación con la desmesurada extensión del egocentrismo individual, que, en su ignorancia de la alteridad, se aproxima a la imagen infantil primaria y corta de raíz la posibilidad misma del pacto social. Aristófanes, de todas formas, induce a la consideración de este aislamiento no como una forma de locura y miseria, sino más bien como realización de un sueño primordial.

9. Del mismo modo que *Las aves* respecto de las otras grandes comedias de Aristófanes, el *Don Juan* trastrueca las líneas de sentido de las otras grandes comedias de Molière, en las que los protagonistas eran objeto de condena social, expresada, en parte, en el juicio del autor y de los personajes portadores de ideología y, en parte también, en la risa por ellos provocada.

Con respecto a don Juan, a su exhaustiva carrera de seductor y libertino, que viola a conciencia la santidad del matrimonio, la condena

147

que se expresa desde el punto de vista del autor es clara, indudablemente, pero no global, pues tan claros como aquella son algunos elementos de valoración positiva. Cuando salva a don Carlos, don Juan pone de manifiesto los valores caballerescos tradicionales en su más alto grado, la valentía y la generosidad; cuando se descubre que don Carlos es hermano de doña Elvira, la mujer que ha abandonado nada más casarse con ella, don Juan mantiene en relación con él una dignidad irreprochable, y la encarnizada batalla verbal entre don Carlos y el otro hermano, don Alonso, que niega al enemigo toda deuda de gratitud, termina por configurar para el protagonista una callada imagen de superioridad. Por lo demás, siempre sorprende por su generosidad, incluso en la famosa escena con el pobre, en la que don Juan, tras haber ironizado sobre una providencia divina que abandona a sus fieles en la indigencia, comete el demoníaco pecado de tentar a su interlocutor, incitándole a blasfemar a cambio de dinero; sin embargo, tras la negativa de éste, le da de todas formas una limosna, «por amor a la humanidad».

El hecho de que don Juan polemice contra la medicina es otra señal de indudable identificación autorial, sobre todo cuando la digresión apenas está justificada. Y más importante aún es el tratamiento del vicio por excelencia, la hipocresía. Ciertamente no es creíble su desdén al matrimonio con doña Elvira, como argumentará luego también a sus hermanos, basándose en escrúpulos religiosos, en la medida en que, habiéndola raptado de un convento, su matrimonio no es sino «un adulterio disfrazado»; y cuando don Juan recita su arrepentimiento ante el padre suelta, nada más empezar, el comentario «faisant l'hypocrite»; aun cuando no tuviéramos ni idea de las jerarquías morales de Molière, las deduciríamos fácilmente de la exasperación que lleva al infame Sganarelle a expresarse con claridad. Pero no acaba de definirse claramente qué cartas son las que se juegan, porque la larga y vibrante diatriba contra la hipocresía, su denuncia como vicio de moda, la representatividad, por tanto, de la moral con respecto a este punto clave se ha confiado precisamente a don Juan. Con una última trampa lógica: si la hipocresía es la negación de aquello que se es verdaderamente, decir de sí mismo «soy hipócrita» reproduce el enunciado del cretense mentiroso; por otra parte, ¿cabría imaginar a un Tartufo que no se mintiese incluso a sí mismo?

Volviendo a la risa, se ridiculiza siempre tanto a don Juan como a sus víctimas. Muchas veces de forma tradicional; cuando don Juan, por ejemplo, entretiene a dos damas celosas haciéndolas creer, a cada una de ellas por separado, que está enamorado de ellas (a. II, esc. IV), lo que suscita la risa es la admiración por su habilidad, digna de un especialista, en el engaño; y lo mismo se puede decir del lance en que se quita de en medio a un acreedor abrumándolo con cortesías[7].

Pero la especificidad de don Juan estriba en reírse del Cielo, tomando al pie de la letra la actitud que sus escandalizados adversarios le achacan. Bastaría, para empezar, con la cita de la respuesta dada a las innumerables exhortaciones al arrepentimiento, respuesta que ataca tanto al sacramento de la penitencia como al principio teológico de que la duración de la vida sólo depende de Dios:

> ¡Sí, palabra de honor! me enmendaré; aún veinte o treinta años de esta vida y luego ya pensaré en mí.
>
> (a. IV, esc. VII)

Más tarde será Sganarelle, ejemplo de siervo necio, quien asuma la representación de la causa del Cielo, lo que implica, además de un signo de máxima violencia subversiva, el límite que asume, por la vía del compromiso, para tranquilizar los espíritus. Podrá decirse –y deberá decirse, en realidad– que, para don Juan, el hecho de que su criado tenga razón no es expresión de razón en absoluto, sino incapacidad del criado para dar con las objeciones adecuadas.

> cambiáis las cosas de tal modo que parece que tengáis razón, y lo cierto es que no la tenéis.
>
> (a. I, esc. II)

Cuando sea Sganarelle quien predique la ortodoxia, y, especialmente, las pruebas clásicas de la existencia de Dios (el mundo como efecto que postula una causa, el cuerpo humano como máquina teleológicamente constituida), estarán articuladas de un modo ridículamente blasfemo, sin igual en la historia de la literatura.

> SGANARELLE: Mi razonamiento consiste en que en ese hombre, al que vos os referíais, hay algo fantástico que ni todos los sabios del mundo juntos acertarían a explicar. ¿No es acaso portentoso que yo esté aquí y que algo en mi cabeza piense cien cosas distintas en un solo momento y haga cuanto quiera con mi cuerpo? Si quiero, aplaudo, levanto el brazo, alzo los ojos al cielo, bajo la cabeza, muevo los pies, me vuelvo a la derecha, a la izquierda, voy hacia adelante, me doy la vuelta... (*al girar en redondo, se cae al suelo*).

---

[7] La escena recuerda a una análoga de *Las nubes* de Aristófanes (vv. 1214-1304), salvando el dato de que el método que sigue Estrepsíades es, por el contrario, agresivo. Un sistema en que se mezclan ambos recursos es el que se sigue en *La bohème* de Puccini (a. I) cuando los artistas echan al casero.

DON JUAN: ¡Espléndido! Tu razonamiento se ha roto el cuello.

(a. III, esc. I)

Como el de Pangloss, en *Cándido*, el finalismo optimista «se rompe en pedazos» ante la presencia empírica, tangible del mal en el mundo, que se manifiesta en la ruptura del orden. Que ello suceda *in corpore vili* y con un daño mínimo, es lo que hace posible precisamente que el más trágico de los problemas pueda tener la vía de escape de lo cómico. Ya en otra ocasión Sganarelle había sido castigado por su ortodoxia. Cuando defendía la causa del rústico Pierrot a quien don Juan estaba quitando la novia («Dejad en paz a ese pobre hombre, no podéis pegarle en conciencia»), se lleva la bofetada destinada a Pierrot y el comentario: «He aquí la recompensa que encuentra tu caridad» (a. III, esc. II). Ciertamente don Juan tiene adversarios más aguerridos que Sganarelle, aunque no lo es mucho más Elvira ni tampoco su padre, a quien desarma, al final de su apasionada peroración, con un simple gesto de desvío despectivo, que mueve a reírse (del padre): «Señor, si estuvierais sentado, hablaríais más comodamente» (a. IV, esc. V). Don Juan, en cambio, no mueve a risa ni siquiera cuando irrumpe victorioso su adversario, la estatua del Comendador. Y es ante éste, ante quien don Juan descubre sus debilidades: en primer lugar, en una salida rápida y silenciosa de la iglesia; y después mediante intentos de racionalización:

quizá me ha confundido una vacilación de la luz; o quizá algún imprevisto vapor me ha ofuscado la vista.

(a. IV, esc. I)

Se trata, de todas formas de debilidades que, reconocidas por el propio don Juan con honestidad intelectual, no afectan en nada a su titánica entereza y la remiten a una sorpresa conturbadora:

Es algo que se me escapa, pero, sea lo que fuere, no es capaz de convencer a mi cerebro, ni de conmoverme el alma.

(a. V, esc. II)

10. En la línea que iría desde una impiedad castigada (como fuere) hasta una impiedad premiada, el momento de la transgresión extrema es aquel al que llega Boccaccio en la narración de micer Cepparello, con que empieza el *Decamerón*, llevando los límites de lo ético-religioso mucho más allá de lo que habitualmente se permite.

Colérico, perjuro, blasfemo, ateo, irreverente, sodomita, tramposo, ladrón, asesino, en definitiva, «era el peor hombre, que tal vez jamás naciese», el notario Cepparello de Prato, recibe, precisamente por su maldad, el encargo de un rico mercader de que vaya a la Borgoña a cobrar sus deudas, pues son los borgoñones «hombres llenos de engaños». Pero a los pocos días de su llegada, cuando aún no lo conoce nadie, cae gravemente enfermo en casa de dos usureros florentinos donde se hospeda. Desde la cama en que se encuentra reducido, les oye comentar con temor que, en el caso probable de su muerte, no podrá ser enterrado en sagrado, lo que, en su opinión, servirá de pretexto a los borgoñones para saquear sus casas y probablemente matarlos, dado el odio que les tienen a causa de su actividad usuraria. Generoso, por una vez, Cepparello les promete intervenir y hacer que las cosas transcurran de otro modo:

> Yo en mi vida he hecho tantas ofensas a Dios Nuestro Señor que, por hacerle una más a la hora de mi muerte, dará lo mismo.

Pide, entonces, que le confiese el fraile más piadoso y respetado de la ciudad. La confesión implica un cambio de imagen extraordinario. El malvado Cepparello se muestra ante el sacerdote como un santo, cuyo más grave pecado, confesado con suma vergüenza y entre sollozos es:

> sabed que, cuando yo era pequeñito, maldije una vez a mi mamá.

El fraile tiene que dar fe a las palabras de Cepparello, pronunciadas dentro de la más restrictiva de las vinculaciones que subyace en el pacto religioso y con la certeza de que los juramentos y las confesiones hechas en el momento de la muerte, y por ende poco antes de presentarse ante Dios, sólo pueden ser verdaderas. Pero Cepparello ignoraba un pacto semejante, como ignoraba todos los códigos que regulan la vida asociada, de los que, por su oficio, era custodio:

> como era notario, sentía una grandísima vergüenza cuando uno de sus instrumentos, aunque hiciese pocos, no resultase falso.

Esa decisión de morir en olor de santidad coloca a Cepparello en una ficción densa y autosuficiente como una representación dramática que lo identifica y lo mantiene en su papel; y, como todo buen actor, Cepparello quiere conquistar a su público; el éxito que alcanza es clamoroso.

Cuando, pocas horas después de su confesión, muere, es el mismo fraile que le administró la penitencia quien celebra el funeral solemne y quien pronuncia la oración fúnebre en la que da a conocer sus méritos y virtudes con tal fuerza persuasiva que los borgoñones empiezan a venerarlo y a encomendarse a él para obtener gracia y milagros:

> casi no había nadie que estuviera en alguna adversidad que hiciese votos a otro santo que no fuese él, y lo llamaron y lo llaman San Cappelletto; y dicen que Dios ha hecho muchos milagros por él y los hace todos los días a quien devotamente a él se encomienda.

Sobre la posibilidad de la real bienaventuranza de Cepparello, Boccaccio formula una doble hipótesis. En primer lugar, que cualquier pecador puede salvarse, y que siempre podía haberse arrepentido en el último momento y encontrarse, así, en el paraíso. Pero su sentido común, tan realista, le lleva a creer más bien en otra posibilidad:

> digo que él debe estar más bien condenado, en manos del diablo, que en el paraíso. Y si es así hay que reconocer que la benignidad de Dios hacia nosotros es grandísima, pues no mirando nuestro error sino la pureza de la fe, al hacer mediador nuestro a un enemigo suyo, creyéndole amigo, nos escucha como si hubiésemos acudido a alguien verdaderamente santo como mediador de su gracia.

Cepparello ha engañado al fraile pero no a Dios, respecto del cual piensa, cometiendo el pecado de no confiar en su gracia, que una culpa de más o de menos no va a cambiar las cosas. Pero en relación con Dios pone en funcionamiento, además, otra suerte de manipulación tan paradójica como eficaz, que consiste en tomarle la palabra. Su transformación en santo, gracias al aval divino que se manifiesta en los milagros, es ciertamente manifestación de la grandeza y de la superioridad de Dios, cuya generosidad, no obstante, queda vinculada (¡por obra de Cepparello!) a una obligación de corte aristocrático: la fidelidad a sí mismo del supremo noble, obligado, frente a los mercaderes *parvenus* y ávidos, a mantener vivas, en nombre de su función, las grandes virtudes de la nobleza antigua y a respetar, él, hidalgo por excelencia, los pactos de fe y lealtad fijados por él mismo.

V

Estupidez y locura

1. Las cuatro narraciones del *Decamerón* dedicadas a Calandrino, aun perteneciendo a jornadas distintas, constituyen en su conjunto una especie de saga de la estupidez.

Estupidez que se manifiesta fundamentalmente en los errores de reconocimiento de la diferencia que afecta a los distintos planos de la experiencia humana, desde la realidad objetiva hasta la representación de sí mismo, pasando por la dimensión emotiva, la mental o la onírica. El indiscriminado llevar a cada uno de los distintos planos las leyes que regulan específicamente a cada uno de los demás hace imposible una percepción exacta y, en consecuencia, impide el establecimiento de relaciones y modalidades de uso correctos respecto de cada uno de tales planos. La propensión a creer acríticamente en cualquier superstición y prejuicio, incluso en fabulaciones extemporáneas, constituye la base de la narración III de la jornada VIII, en la que Calandrino, oye a dos hombres que, para tomarle el pelo, hablan en voz alta de Jauja y afirman que, entre sus muchas maravillas está la de tener una piedra mágica, la llamada heliotropo. Calandrino lo cree todo a pies juntillas, la existencia de Jauja, la existencia de la piedra y la existencia de sus extraordinarias propiedades, sobre todo cuando oye que también se la puede encontrar en el Mugnone, el pedregoso lecho de un torrente que corre junto a Florencia. La rusticidad y la falta de entendimiento de Calandrino permiten a sus interlocutores atraerlo a una trampa lingüística, que es la que da lugar a la burla, sin siquiera mentirle: la virtud del heliotropo, le dicen con una verdad que queda escondida por el contesto de orden maravilloso, reside en el hecho de que:

> cualquiera que la lleve encima, mientras la tenga, nadie le verá donde no está.

153

Frase que Calandrino reproduce a sus amigos Bruno y Buffalmacco en unos términos que demuestran como la ha interpretado mucho más guiado por un deseo irresistible que por su literalidad:

> he sabido de un hombre digno de confianza que en el Mugnone se encuentra una piedra que, a quien la lleva encima, nadie más le ve.

Al error de interpretación, se le añade la falta de memoria («pero Buffalmacco preguntó como se llamaba la piedra. A Calandrino, que era duro de mollera, ya se le había ido el nombre de la cabeza»), que Calandrino, incapaz de la menor precisión y de la menor comprobación, minusvalora con petulante desprecio: «¿Para qué necesitamos el nombre si conocemos su propiedad?». Lo que él quiere es dar con la piedra mágica para, convertido en invisible por su virtud, robar dinero a los bancos y a los cambistas. En Calandrino la estupidez se empareja con defectos de orden moral, como si el limitado e inadecuado uso de la razón supusiera la imposibilidad de elaborar al mismo tiempo un sistema moral riguroso, o, en último término, atrajese sobre sí aquel castigo del que se libra quien redime el pecado con un uso magistral y soberano de la racionalidad.

Los tres amigos se llegan al Mugnone a buscar la piedra. Al cabo de unas horas, Bruno y Buffalmacco fingen haber perdido de vista a Calandrino, que está a dos pasos de ellos y queda así convencido de que ha encontrado a la auténtica heliotropo. Su incontenible avidez lo induce a la deslealtad, no les dice nada a sus amigos del hallazgo y se encamina en silencio a su casa; mientras, Bruno y Buffalmacco, que siguen con el engaño de no verlo, hacen ostentación de su enfado con él, por haberlos metido en aquella faena tan fatigosa como inútil.

> «Vámonos; pero juro por Dios que Calandrino no me hará ninguna más; y si le tuviese cerca como le he tenido toda la mañana, le daría de tal modo con este canto en los calcañares, que se acordaría de esta burla durante más de un mes.
>
> Decir las palabras, estirar el brazo y darle a Calandrino en el calcañar con el canto fue todo uno. Calandrino, al sentir el dolor, levantó el pie y comenzó a soplar, pero no obstante se calló, y siguió andando.
>
> Buffalmacco, cogiendo en la mano uno de esos guijarros que había recogido le dijo a Bruno:
>
> —Pues mira que buen guijarro; ¡ojalá le diese ahora en los riñones a Calandrino!
>
> Y lanzándolo, le dio con él en los riñones una buena pedrada; y para abreviar, de ese modo, ahora con una palabra y ahora con otra, le fueron apedreando por el Mugnone arriba hasta la puerta de San Gallo.

Los guardias de la puerta de la ciudad, que están en la burla advertidos por Bruno y Buffalmacco, no dan la menor señal de haber visto a Calandrino cargado de piedras y lo mismo hacen los pocos vecinos, de vuelta a casa a la hora de comer en medio del calor estival, con que se encuentra; Calandrino está convencido de haberse hecho invisible hasta que llega a casa, donde doña Tessa, su mujer, que no sabe nada y está muy enfadada por el retraso, lo recibe regañándole severamente; esto le atrae un duro castigo por parte de Calandrino, que piensa que la mirada de la mujer ha invalidado la virtud de la piedra mágica. En esa misma línea de credulidad y, por lo tanto, consolatoria para él, están las explicaciones que, junto a los muchos reproches, le dan sus amigos cuando llegan dando muestras de ignorarlo todo.

> lo retuvieron, diciendo que de aquello la señora no tenía ninguna culpa, sino él, que sabía que las mujeres le hacen perder el valor a las cosas y no le había dicho que evitase ponérsele delante ese día; y que esta cautela Dios se la había quitado o porque la suerte no debía ser suya o porque pretendía engañar a sus compañeros.

La incapacidad para distinguir la verdad de la ficción es para el necio consecuencia de una ilimitada capacidad para interpretar la realidad. El necio sustituye las señales que le llegan de ésta, de la realidad, y que son a un tiempo indicación de líneas de actuación y delimitación de los espacios de la acción humana, por el ilimitado e informe territorio de sus deseos y de una imagen de sí mismo desproporcionadamente positiva y gratificante. Por otra parte, la osadía acrítica de quien no tiene el menor freno para hinchar sus méritos y colocarse a sí mismo y a su propio mundo en una dimensión fantástica, en la que ni la autocrítica ni el sentido de la realidad tienen la menor vigencia, hacen de la posición del necio algo envidiable y constriñen a la indulgencia y a la complicidad la mirada adulta que lo juzga.

En otra narración (la V de la jornada IX), en la que juntamente con Nello, Bruno y Buffalmacco trabaja como pintor de brocha gorda en la villa que un rico florentino tiene en las colinas de Florencia, Calandrino conoce allí a la joven y bella amante del hijo del amo, Filippo, y se autoconvence de que se ha enamorado de él a primera vista, pues la mujer lo ha mirado con insistencia extrañada de su evidente rareza. La vanidad y el falso convencimiento que le mueven irremisiblemente no tropiezan ni con una estimación mínimamente correcta de sí mismo ni con la percepción de los hechos como tales, que evidencian con inconfundibles indicios que la mujer es una prostituta, y, así, Calandrino la convierte en la esposa de Filippo. Ello no le impide insistir en sus propósitos (como afirma con petulancia rufianesca: «Cosas de esas yo se las birlaría a Cristo, no ya a Filippo»); aumenta con ello, además, su presunción, pues la conquista amorosa, que da por hecha con toda facilidad, le convence de que incluso una mujer honrada y de una clase social mucho más elevada que la suya no puede resistírsele. De esa ilimitada fe en su capacidad de fascinación nace el encarecimiento de sí que sin rubor alguno hace Calandrino ante Bruno:

> ¿Quién habría sabido, salvo yo, enamorar tan rápido a una señora como ésta? (...) Y entiende bien que no soy viejo como crees; ella se ha dado cuenta perfectamente de esto; y si no, haré que se dé cuenta si le echo la zarpa encima, por el verdadero cuerpo de Cristo, que le haré tal juego que ella vendrá tras de mí bebiendo los vientos.

Los tres amigos, con la complicidad de Filippo y de la mujer, tienden una trampa a Calandrino. Cuando ha conseguido éste llevar a la muchacha a una caseta apartada, aparece doña Tessa, avisada por Nello, y se lanza contra su marido, lo araña y le arranca el pelo:

> Calandrino, al ver llegar a su esposa no se quedó ni muerto ni vivo, ni osó defenderse de ella en absoluto; sino que ya todo arañado y todo pelado y todo desgreñado, recogiendo su capuz y levantándose comenzó a rogarle humildemente a su esposa que no gritase sino quería que le cortasen todo en pedazos, porque ésa que estaba con él era la esposa del dueño de la casa.

Las petulantes certezas de Calandrino se convierten en temor a ser castigado físicamente y, sobre todo, en miedo de clase por haber ofendido a un superior, alguien con un poder que su limitada inteligencia no llega a entender bien y que por ello resulta más temible.

Además de por su credulidad, la estupidez de Calandrino se pone de manifiesto en la utilización errónea que hace de los procedimientos lógicos. En otra narración (la III de la jornada IX), con la complicidad de un médico, Nello, Bruno y Buffalmacco le hacen creer que está preñado. Calandrino justifica ese diagnóstico con un argumento de apariencia lógica que a él le parece indiscutible:

> –¡Ay de mí! Tessa, esto me lo has echo tú, que no quieres estar más que encima; ¡ya te lo decía yo!

El razonamiento de Calandrino se basa en la analogía formal con la posición más habitual de las relaciones sexuales, aquella en que el hombre se coloca encima y la mujer debajo, como si fuera la postura y no las características sexuales de los cuerpos lo que determinara la gravidez (queda preñado quien está debajo, sea el que fuere su sexo). Calandrino, pues, es incapaz de relacionar correctamente los efectos con las causas porque no discrimina los factores necesarios de los accidentales y accesorios. También aquí contribuye a la ridiculización un defecto moral, la vileza que asume el aspecto de la angustia ante el dolor físico. La perspectiva del sufrimiento del parto lo ciega, llevándole a pagar un precio altísimo (la herencia que ha recibido de una tía) para conjurarlo.

> Tengo aquí unos doscientos reales con los que quería comprar un terreno; si hace falta todo, cogedlo todo, con tal de que yo no tenga que parir, pues no sabría cómo hacerlo; porque he oído a las mujeres armar tal escándalo cuando van a parir, aunque tengan eso tan bueno y grande por donde hacerlo, que creo que si yo tuviese ese dolor, me moriría antes de parir.

2. En la novela de Sterne, el padre de Tristram Shandy sostiene algunas ideas singulares, que en un principio concibe en su gusto por la paradoja, y que luego propugna con creciente convicción, hasta el punto de que convierte en una afirmación de la propia identidad su imposición a todos los demás. Una de ellas tendría una singular importancia, la idea en cuestión estaba relacionada con la elección e imposición de los nombres de pila, de los cuales él pensaba que dependían muchas más cosas de las que las mentes superficiales eran capaces de imaginarse.

> Su opinión, en lo que se refería a este asunto, era que había una extraña suerte de mágica inclinación que los nombres buenos o malos, como él los llamaba, imprimían de manera irresistible a nuestros caracteres y conducta.
>
> (vol. I, cap. XIX)

Enternece, en un hombre maduro y culto, esa persistencia de la fe infantil en que los nombres posean sustancia y estén dotados de una virtud mágica. Pero, además, a esta ingenuidad primitiva se suma un uso terminante de la retórica, que el señor Shandy maneja como un arma terrorista, a la que recurre para escribir un libro que dé cuenta de los poderes destructivos que sobre el desarrollo de una personalidad humana tiene le nombre de Tristram. Mueve a risa la desproporción entre el esfuerzo mental que requiere la redacción de la obra y el irrisorio argumento de la misma.

Precisamente ése será el nombre que se imponga a su hijo, que debe recibir el bautismo a toda prisa, en el convencimiento de que se va a morir. En plena noche, Susana, la doncella, irrumpe en la alcoba de su amo para preguntarle qué nombre se debe dar al recién nacido y recibe la orden de que se le llame Trismegisto; nombre que naturalmente se le olvida por el camino. El cura resolverá que sea Tristram el solecismo («Tristram...gisto») que enuncia la muchacha. La desesperación del padre, cuando, habiendo sobrevivido el niño, se entera de que ha sido bautizado precisamente con el nombre que tanto aborrece, hace más evidente la endeblez de la causa de tal dolor y refuerza la impresión de estemos ante un necio, pues por tan fútil motivo reacciona como los héroes trágicos heridos por la violencia del Destino.

> –En una palabra: contemplarle en su vejez, mal preparado para las adversidades, padeciendo un indecible dolor diez veces al día; –diez veces al día llamando al hijo de sus plegarias ¡TRISTRAM!
>
> (vol. I, cap. XIX)

De todas formas, el narrador deja caer una duda inquietante sobre la naturaleza de las convicciones paternas:

> Si era éste el caso de la singularidad de las opiniones e ideas de mi padre; –o si su juicio, a la postre, se convirtió en víctima de su ingenio; –o hasta qué punto podía en muchas de sus ideas, aunque raras, tener toda la razón del mundo;–eso es algo que el lector irá decidiendo a medida que las vaya conociendo.
>
> (vol. I, cap. XIX)

3. En el acolchado universo de Wodehouse el personaje ridículo es, preferiblemente, el *gaffeur*, inadaptado social, no por razones narcisistas o de otro tipo que impliquen el rechazo del pacto de convivencia, sino por una sistemáticamente equivocada comprensión de lo que la situación requiere para que ese pacto pueda darse.

Defecto capital será pues una falta de tacto como la que, en *Castillo de Blandings*, exhibe el portero Mac que

> poseía excelentes cualidades, pero carecía de tacto. Pertenecía a esa clase de personas que habrían intentado bromear con Napoleón hilvanando cuatro agudezas sobre los deportes invernales en Moscú.
>
> (cap. II)

Se trata aquí de un personaje marginal, pero cuando, como en *Amor y gallinas*, el atolondrado tiene el papel de protagonista, salta el mecanismo acercamiento y comprensión capilar que nos obliga a considerar con simpatía sus motivaciones.

Ukridge que decide dedicarse con exclusividad, él y todo su *entourage*, a un ruinoso negocio de cría de gallinas es la persona capaz de elevar la *gaffe* a la categoría de sistema no sin, por ello, incurrir en situaciones grotescas. Su desproporcionada confianza en sí mismo y su generoso sentido de la amistad lo inducen a intervenir en ayuda del personaje narrador, quien ha pagado a un barquero para que haga naufragar al padre de su amada y así poder asumir él, entonces, el papel del salvador[1], pero todo ha sido miserablemente descubierto. Al viejo aristócrata, además, le resulta sumamente desagradable Ukridge, lo que no le frena en absoluto a éste, que se acerca a él, en un momento tan inoportuno como el del baño. En la visita, torpeza e incorrección contrastan con la finura de la argumentación que esgrime, basada en considerar como absoluto el punto de vista del salvado, admitiendo idealmente la suposición de que el acto deba identificarse con su percepción:

> Pero mire las cosas desde un punto de vista filosófico, viejo zorro, insistió Ukridge, chapoteando por detrás de él, el hecho de que el salvamento estuviera organizado de antemano no debería importarle. Quiero decir que, justo en el momento, usted no lo sabía; de modo que, relativamente, no había tal organización, y, de hecho, usted fue verdaderamente salvado de la tumba marina.
>
> (cap. XIX)

En otro momento, este arrogarse un papel de razonador por parte de Ukridge pone de manifiesto vicios específicamente intelectivos y muestra el carácter veleidoso de su atrevida utilización de los instrumentos racionales, como cuando defiende que puede establecer la ley de que para que se abran los huevos lo que debe permanecer constante es la proporcionalidad de temperatura y número de días:

> El incubador no ha hecho todo lo que tenía que haber hecho y Ukridge está ya encima de él, pero no me parece a mí que los métodos de Ukridge sean los adecuados. No sé si recuerdo exactamente las cifras, pero él razona así: dice que hay que mantener la temperatura a treinta y nueve grados. Me parece que dijo treinta y nueve. Los huevos se abrirán al cabo de una semana. Y dice que, por la misma razón, se puede mantener una temperatura de veinticinco y que, entonces, tardarán unos quince días en salir los pollitos. Por algún lado debe haber un error en estos métodos, porque los pollitos no salen nunca. Ukridge, de todas formas, dice que su teoría es matemáticamente exacta y la aplica rigurosamente[2].
>
> (cap. XII)

[1] A pesar de los inconvenientes citados en la página 66, nota 12.

[2] Con una necedad más obvia aún, hay un lance semejante en el relato de Mark Twain, *Apuntes dispersos sobre un viaje de placer.* «Algo hay que no funciona en este asun-

Cuando los acreedores le apremian, Ukridge no deja de echar mano a un nuevo recurso de orden intelectual:

> Sabes, los que han vendido los pollos quieren que pague el primer lote de gallinas. Teniendo en cuenta que se han muerto todas de pepita y que, de todas formas, pensaba devolverlas en cuanto me hubieran empollado unos pocos pollitos, encuentro su comportamiento algo insolente. Quiero decir que los negocios son los negocios. Eso es lo que toda esa gente no quiere comprender. No puedo pagar unas sumas enormes de dinero por unos animales casi antes de haberlos recibido.
>
> (cap. XV)

Irresistible es aquí la frase sentenciosa anglosajona, quizá la más conocida («los negocios son los negocios»), sin advertir que, en la medida en que dicha frase no alude sólo al interés egoísta sino a la adecuada adhesión a las reglas establecidas, más da la razón a sus adversarios que a él; para que le dé la razón a él, se hace necesario el ajuste, enternecedoramente torpe, que lleva a cabo con la última frase. Lo calificamos en tales términos, porque su debilidad lógica parece, más bien, fruto de un arranque de honestidad y, por tanto, desde el punto de vista ético, una recuperación del sentido de la realidad que Ukridge tiende constantemente a soslayar. «No puedo pagar unas sumas enormes de dinero por unos animales antes de haberlos recibido» sería un razonamiento correcto, además de conveniente. Sólo tiene el defecto de basarse en datos falsos, y Ukridge lo corrige de pasada, como si la ligereza casual del «casi» pudiera esconder el atropello de los derechos que ese añadido implica.

4. Aun cuando el soldado Schwejk haya sido «declarado oficialmente idiota por una comisión extraordinaria» (y debe hacernos sospechar que sea él mismo quien nos lo recuerda), los ataques más claros y unívocos a la estupidez tienen otros blancos en la novela de Hasek. El coronel Kraus, por ejemplo, que «padecía la manía de la explicación y se dedicaba a ella con el entusiasmo de un inventor que hable de su propia obra». Y la caracterización de manía está plenamente justificada

---

to de la caja de las medicinas. Uno de mis hombres se encontraba algo mal... Nada grave. Miro en el libro; ponía: "Dése una cucharadita del número 15". Voy a la caja de las medicinas y compruebo que se ha acabado el número 15. Entonces se me ocurre hacer una mezcla que se corresponda con la receta, y, así, le meto en el cuerpo media cucharadita del número 7 y media del número 8, y ¡que me muera aquí mismo, si no ha sido esto lo que le ha mandado al otro mundo en cosa de un cuarto de hora!»

pues se aferra a la elementalidad tautológica, sin ocuparse de lo que verdaderamente se necesitaría explicar.

> Un libro, señores, no es otra cosa que una serie de folios de papel de distinto formato, impresos, reunidos, cosidos y encolados. Sin duda. ¿Saben ustedes qué es la cola? La cola es un adhesivo.
>
> (parte I, cap. XV)

No menos blanco de ese mismo tipo de ataque es el mariscal, quien entra en sospechas cuando Schwejk se confunde de carretera y se está alejando del lugar al que declara dirigirse, afirma entonces que ya se había dado cuenta él, el mariscal, de que era un espía ruso. Su teoría es que:

> la criminología se basa en la astucia y en la buena educación (...) Hay que tratar a los delincuentes y a los sospechosos con delicadeza, pero, al mismo tiempo, también, hay que apabullarlos a preguntas.
>
> (parte II, cap. II)

Por lo demás el interrogatorio no alcanza a mucho más que hacerle admitir a Schwejk que ha charlado con algunos soldados y que les ha preguntado «de qué regimiento eran y adónde iban» (respecto de informaciones más comprometedoras, a las que se refiere el mariscal, Schwejk declara con sublime candor que no tenía necesidad de ellas, porque «hacía mucho tiempo que las sabía de memoria»). Y cuando el inquisidor se dispone a recoger sus redes, la víctima se le escapa, respondiendo negativamente (y como de costumbre con la verdad) a la pregunta: «¿Sabe ruso?». Véase el comentario del mariscal:

> ¿Qué oigo? ¡Que no sabe ruso! ¡Bribonazo de siete suelas! Ha admitido todo, pero lo único que no ha querido confesar es la cosa más importante.

La astucia de Schwejk es tan inexistente como la del mariscal, que no advierte que de un enunciado negativo no se pueden obtener informaciones ulteriores, mientras que para definir esta negación como mentira o aunque sólo sea para ponerla en relación con las «admisiones» precedentes haría falta tener ya la certeza que se pretende: una petición de principio, o círculo vicioso, como el que Schwejk admite haber descrito equivocándose de carretera.

No hay duda de que Schwejk manifiesta esa misma incapacidad para entender las situaciones; aunque precisamente el carácter sistemático de esta carencia suya, que se corresponde con su papel de protago-

161

nista, acaba por orientar de un modo diverso la identificación emotiva, convirtiendo la estupidez de Schwejk en el instrumento que pone de manifiesto los vicios, la vanidad, las inconsistencias del mundo en que se mueve[3]. Cuando se le comunica «Mañana por la mañana pasará a la jurisdicción penal», pregunta escrupulosamente «¿A qué hora, señoría? Por Dios, no quisiera despertarme demasiado tarde.» La aquiescencia legalista, casi alegre, resulta incongruente con el carácter amenazador de la imposición, al interlocutor le parece demasiado dispuesta y plena como para no ser burlona y hacerse subversiva. El hecho de que no sea tal la intención de Schwejk contribuye aún más a que sea ésta la perspectiva ideológica del autor: utiliza la inocencia infantil del protagonista como una palanqueta que descerrajara las dudas fundamentales del lenguaje adulto y autoritario.

5. Bouvard y Pécuchet se disponen a estudiar la vida del duque de Angulema, para establecer un ejemplo metodológico de estudio; un estudio que, encaminado a estudiar un asunto singular, tiene como perspectiva ofrecer «una exposición que será como un compendio de los hechos, reflejo de la entera verdad», y ello en contraposición a la historiografía sectaria que ha escandalizado a los dos amigos. La vida del duque, a los ojos de los dos amigos, tiene el aspecto de un conjunto de detalles sin sentido. Encontrar un sentido en ella, organizar los detalles en un conjunto interrelacionado, es lo que se proponen los historiógrafos, en la medida en que el fundamento moderno de su ciencia consiste precisamente en superar la concepción aristotélica de la historia, es decir la historia como informe de hechos desligados. La que se proponen afrontar los dos amigos es, pues, una tarea elevada de la razón:

> Hay que destacar la importancia que tuvieron los puentes [en la vida del duque]. Primero se expone inútilmente en el puente del Inn, levanta el puente Saint-Esprit y el puente de Lauriol; en Lyon los dos puentes le son funestos, y su fortuna expira ante el puente de Sèvres.
>
> (cap. IV)

Se ridiculiza la clave de lectura que no explica nada, limitándose a hacer la lista de una selección de hechos que tienen en común el significante, no el significado. De tal suerte, la operación se manifiesta, al contrario de lo pretendido, como aquella otra, infantil por excelencia

---

[3] La dificultad para entender las cosas, interpretada como resistencia ética, es un modelo que habíamos encontrado ya en Aristófanes y Molière, véase antes, p. 39.

(emparentada con los universos de lo onírico y de lo emotivo), que consiste en tratar las palabras como si fueran cosas, estableciendo entre ellas relaciones mágicas antes que racionales. La prosopopeya intelectual carga con un ridículo mayor esta solución contradictoria, pero no sin suscitar, con ello, preguntas que inquietan bastante más allá del escarnecimiento del necio: ¿cuántas hipótesis y elaboraciones científicas se asientan sobre un terreno no mucho más firme que este juego infantil? O, aún más radicalmente: ¿existe un modo racional y legítimo de interpretar la vida humana superando el nivel del conglomerado caótico?

6. Al insigne personaje que es don Quijote se le confía el papel de la contraposición frontal a la razón, mediante la elaboración de un sistema de pensamiento y de un universo alternativos, en el que tienen valor exclusivo las leyes arcaicas y nobilísimas de la caballería, aprendidas en la lectura voraz y obsesionada de las novelas de caballerías; tales leyes han recompuesto en la mente de don Quijote un mundo en el que la realidad se define y se explica con criterios distintos a los usuales y compartidos; mientras que los comportamientos y las relaciones interpersonales se estructuran según otras leyes distintas.

El código caballeresco es para don Quijote la única fuente de legitimidad, y el esfuerzo por adecuar a ese código los rasgos disonantes de su experiencia define la más penosa de sus batallas.

Baste señalar algún ejemplo: cuando don Quijote toma a su escudero, éste resulta ser inseparable de su asno, que formará con Rocinante una pareja poco menos famosa que la de sus amos, pero bastante poco ortodoxa respecto del código:

en lo del asno reparó un poco don Quijote, imaginando si se le acordaba si algún caballero andante había traído escudero caballero asnalmente; pero nunca le vino alguno a la memoria; mas, con todo esto, determinó que le llevase, con presupuesto de acomodarle de más honrada caballería en habiendo ocasión para ello, quitándole el caballo al primer descortés caballero que topase.

(parte I, cap. VII)

La relación con Sancho, sustentada con una extraña autenticidad afectiva, no deja de suscitarle sospechas de anomalía:

y está advertido de aquí en adelante en una cosa, para que te abstengas y reportes en el hablar demasiado conmigo; que en cuantos libros de caballería he leído, que son infinitos, jamás he hallado que ningún escudero hablase tanto con su señor como tú con el tuyo. Y en verdad que lo tengo a gran falta tuya y mía: tuya, en que me estimas en poco;

mía, en que no me dejo estimar en más. Sí, que Gandalín, escudero de Amadís de Gaula, conde fue de la ínsula Firme, y se lee dél que siempre hablaba a su señor con la gorra en la mano, inclinada la cabeza y doblado el cuerpo, *more turquesco*. Pues ¿qué diremos de Gasabal, escudero de don Galaor, que fue tan callado que, para declararnos la excelencia de su maravilloso silencio, sola una vez se nombra su nombre en toda aquella tan grande como verdadera historia?

(parte I, cap. XX)

La excesiva familiaridad no atenta tanto a la diferencia social como pone de manifiesto su carácter novedoso, la carencia de antecedentes, en un esquema tradicional, vivido como el lugar geométrico de la práctica correcta y del que proceden ejemplos de los que son una deliciosa antítesis la perpetua e irreprimible locuacidad de Sancho.

Lo mismo vale para el asunto recurrente del salario de Sancho. Tampoco esto está previsto en la tradición, que se limita a prometer a los escuderos recompensas extraordinarias «cuando menos se lo esperan». Don Quijote toma en consideración la posibilidad de pagar a Sancho sólo porque en los infelices tiempos presentes la suerte de la caballería es así de incierta; pero luego vuelve muchas veces a sentir escrúpulos por ello hasta proclamar:

Pero dime prevaricador de las ordenanzas escuderiles de la andante caballería: ¿dónde has visto tú, o leído, que ningún escudero de caballero andante se haya puesto con su señor en tanto más cuanto me habéis de dar cada mes porque os sirva? Éntrate, éntrate, malandrín, follón y vestiglo, que todo lo pareces, éntrate, digo, por el *mare magnum* de sus historias; y si hallares que algún escudero haya dicho, ni pensado, lo que aquí has dicho, quiero que me le claves en la frente, por añadidura, me hagas cuatro mamonas selladas en mi rostro.

(parte II, cap. XXVIII)

Es característica de la locura de don Quijote su capacidad, análoga por otra parte a la del pensamiento racional, para desarrollar justificaciones plausibles a las objeciones que se suscitan a sus procedimientos o a los fallos del sistema.

Cuando las aspas de los molinos, que en su percepción él ha cambiado en gigantes, lo arrojan dolorosamente a tierra al primer soplo del viento y su escudero Sancho Panza, que se ha llegado para ayudarlo, trata de convencerlo de que adopte un punto de vista más realista sobre las cosas externas,

—Calla, amigo Sancho —respondió Don Quijote—; que las cosas de la guerra, más que otras están sujetas a continua mudanza; cuanto más, que yo pienso, y es así verdad, que aquel sabio Frestón que me robó el aposento y los libros ha vuelto estos gigantes en molinos por quitarme la gloria de su vencimiento: tal es la enemistad que me tiene: mas al cabo, al cabo, han de poder poco sus malas artes contra la bondad de mi espada.

(parte I, cap. VIII)

Don Quijote muestra esa misma prontitud para asimilar la objeción y utilizarla para mantener el proceso de la creación fantástica en el episodio del yelmo de Mambrino. Cuando don Quijote y Sancho se encuentran con un hombre que lleva en la cabeza una bacía de barbero para protegerse de la lluvia, don Quijote ve en el barbero a Mambrino y en la bacía su yelmo de oro. Sancho naturalmente ve las cosas como son; pero para no herir la sensibilidad de su amo, reprime a medias la risa y la explica así:

–¿De qué te ríes, Sancho? –dijo don Quijote.
–Ríome –respondió él– de considerar la gran cabeza que tenía el pagano dueño de este almete, que no semeja sino una bacía de barbero pintiparada.
–¿Sabes que imagino Sancho? Que esta famosa pieza de este encantado yelmo, por algún extraño accidente debió de venir a manos de quien no supo conocer ni estimar su valor, y, sin saber lo que hacía, viéndola de oro purísimo, debió de fundir la otra mitad para aprovecharse del precio, y de la otra mitad hizo ésta, que parece bacía de barbero, como tú dices.

(parte I, cap. XXI)

Análoga es también la explicación que da don Quijote al hecho de no haber matado al Caballero de los Espejos, cuando reconoce en él las facciones de su vecino, el bachiller Sansón Carrasco, que, en efecto, se había disfrazado de caballero andante para tratar de traerlo a casa:

–Pues ¿qué diremos, señor –respondió Sancho–, a esto de parecerse tanto aquel caballero, sea el que se fuere, al bachiller Carrasco, y su escudero a Tomé Cecial, mi compadre? Y si ello es encantamiento, como vuestra merced ha dicho, ¿no había en el mundo otros dos a quien se pareciera?
–Todo es artificio y traza –respondió don Quijote– de los malignos magos que me persiguen; los cuales, anteviendo que yo había de quedar vencedor en la contienda, se previnieron de que el caballero vencido mostrase el rostro de mi amigo el bachiller, porque la amistad que le tengo se pusiese entre los filos de mi espada y el rigor de mi brazo, y templase la justa ira de mi corazón, y desta manera quedase con vida el con embelecos y falsías procuraba quitarme la mía.

(parte II, cap. XVI)

En otra ocasión don Quijote ve personas en los títeres de maese Pedro y los hace pedazos. Cuando las lamentaciones del titiritero lo traen penosamente a la realidad, enmarca su error en esa dimensión sistemática, pero esta vez expresada en términos de angustia, que parecen casi clínicamente descriptivos de la manía persecutoria que padece:

> estos encantadores que me persiguen no hacen sino ponerme las figuras como ellas son delante de los ojos, y luego me las mudan y truecan en las que ellos quieren. Real y verdaderamente os digo, señores que me oís, que a mí me pareció todo lo que aquí ha pasado que pasaba al pie de la letra...
>
> (parte II, cap. XXVI)

Lleno de ternura se presenta finalmente el caso en que la monomanía del personaje se articula para justificar y, al mismo tiempo reprimir, sus pulsiones sexuales. Atraído por la hija de su huésped, en la venta en que entra para pasar la noche, don Quijote la transforma inmediatamente en un personaje novelesco de caballerías.

> se imaginó haber llegado a un famoso castillo (...), y que la hija del ventero lo era del señor del castillo, la cual, vencida de su gentileza, se había enamorado dél y prometido que aquella noche, a furto de sus padres, vendría a yacer con él una buena pieza.
>
> (parte I, cap. XVI)

Pero el deseo se opone a la obligación de no romper la fidelidad jurada a su dama, Dulcinea del Toboso. En nombre de esa fidelidad rechaza con hermosas y conmovidas palabras a la criada de la venta, que en la oscuridad había ido en busca de un arriero que era su amante. Éste, confundiendo las intenciones de don Quijote, lo muele a palos y puñetazos. Cuando a la mañana siguiente don Quijote le cuenta a Sancho lo sucedido, en varonil y pudorosa confidencia, su narración es una mezcla de pesar por el deseo reprimido, sentimiento de culpa por la casi quebrantada fidelidad a Dulcinea y la habitual explicación persecutoria del doloroso final de la historieta:

> ... y así, has de saber que esta noche me ha sucedido una de las más extrañas aventuras que yo no sabré encarecer; y por contártela en breve, sabrás que poco ha que a mí vino la hija del señor deste castillo, que es la más apuesta y fermosa doncella que en gran parte de la tierra se puede hallar. ¿Qué te podría decir del adorno de su persona? ¿Qué de su gallardo entendimiento? ¿Qué de otras cosas ocultas, que, por guardar la fe que debo a mi señora Dulcinea del Toboso, dejaré pasar intactas y

en silencio? Sólo te quiero decir que, envidioso el cielo de tanto bien como la ventura me había puesto en las manos, o quizá, y esto es lo más cierto, que, como tengo dicho, es encantado este castillo, al tiempo que yo estaba con ella en dulcísimos y amorosísimos coloquios, sin que yo la viese ni supiese por dónde venía, vino una mano pegada a algún brazo de algún descomunal gigante y asentóme una puñada en las quijadas, tal, que las tengo todas bañadas en sangre (...). Por donde conjeturo que el tesoro de la fermosura desta doncella le debe de guardar algún encantado moro, y no debe de ser para mí.

(parte I, cap. XVII)

Otras veces, la explicación de los encantadores enemigos es utilizada por otros personajes de la novela para imponerle a él, sobre la suya, alguna otra ficción. En primer lugar, su sobrina, que justifica así la desaparición del aposento de los libros de don Quijote tras la quema que de buena parte de ellos hacen el cura y el barbero. Cuando, más tarde, un grupo de nobles, apiadados de la condición de don Quijote, con objeto de llevarlo a su casa, le convencen de que forme parte del cortejo de la falsa reina Micomicona, que ellos simulan escoltar hasta su reino, Sancho está a punto de descubrir el engaño cuando le comenta a don Quijote el comportamiento, en su opinión inconveniente, de la presunta reina:

sino que yo tengo por cierto y averiguado que esta señora que se dice ser reina del gran reino Micomicón no lo es más que mi madre; porque a ser lo que ella dice, no se anduviera hocicando con alguno de los que están en la rueda, a vuelta de cabeza y a cada traspuesta.

(parte I, cap. XLVI)

Puesta, así, en apuros, la dama que hace el papel de Micomicona responde:

No os despechéis, señor Caballero de la Triste Figura, de las sandeces que vuestro buen escudero ha dicho; porque quizá no las debe de decir sin ocasión, ni de su buen entendimiento y cristiana conciencia se puede sospechar que levante testimonio a nadie; y así, se ha de creer, sin poner duda en ello, que, como en este castillo, según vos, señor caballero, decís, todas las cosas van y suceden por modo de encantamiento, podría ser, digo, que Sancho hubiese visto por esta diabólica vía lo que él dice que vio, tan en ofensa de mi honestidad.

(parte I, cap. XLVI)

Afirmada la superioridad de las facultades racionales, parece que se pudiera instrumentalizar con toda facilidad la argumentación de don Quijote. Y, de hecho, Sancho lo hace con todo descaro. Delante de don Quijote, finge ver las facciones y la figura de Dulcinea del Toboso en una campesina, para que, así, su amo no llegue a enterarse de que no ha cumplido su orden de llegarse hasta la dama, como le había sido ordenado (don Quijote concluye de ello que una vez más ha sido víctima de los magos encantadores). Y ante la duquesa que protege a don Quijote, Sancho llega incluso a jactarse de ello:

> verdaderamente y sin escrúpulo, a mí se me ha asentado que es un mentecato. Pues como yo tengo esto en el magín, me atrevo a hacerle creer lo que no lleva pies ni cabeza.
>
> (parte II, cap. XXXIII)

Pero la duquesa le da la vuelta al argumento de los engaños avanzando la hipótesis de que, creyendo engañar a don Quijote, haya sido el propio Sancho el engañado por el mago y que, en realidad, éste le haya mostrado a la verdadera Dulcinea bajo la forma vulgar de una campesina. La respuesta de Sancho a esto es inquietante:

> –Bien puede ser todo eso –dijo Sancho Panza–; y agora quiero creer lo que mi amo cuenta de lo que vio en la cueva de Montesinos, donde dice que vio a la señora Dulcinea del Toboso en el mesmo traje y hábito que yo dije que la había visto cuando la encanté por solo mi gusto; y todo debió de ser al revés, como vuesa merced, señora mía, dice porque de mi ruin ingenio no se puede ni debe presumir que fabricase en un instante tan agudo embuste, ni creo yo que mi amo que es tan loco, que con tan flaca y magra persuasión como la mía creyese una cosa tan fuera de todo término. Pero, señora, no por esto será bien que vuestra bondad me tenga por malévolo, pues no está obligado un porro como yo a taladrar los pensamientos y malicias de los pésimos encantadores: yo fingí aquello por escaparme de las riñas de mi señor don Quijote, y no con intención de ofenderle; y si ha salido al revés, Dios está en el cielo, que juzga los corazones.
>
> (parte II, cap. XXXIII)

El poder de la duquesa mueve a Sancho a una respuesta complaciente; pero en la medida en que el engaño de segundo grado de la duquesa reproduce la fe de don Quijote en el mundo onírico, a esa fe se acoge también Sancho, con una implicación marcada por la doble racionalización (no habría sido capaz de inventar, no hubiera sido tan necio de creerme), y en esta implicación suya se lleva consigo irremediablemente al lector.

7. En efecto, la conquista de Sancho por parte de don Quijote es la clave de la novela y tiene consecuencias determinantes en la orientación de la identificación emotiva. La primera es que lo ridículo toca también a Sancho e incluso es más agresivo con él, en la medida en que Sancho carece de la nobleza de sangre, moral y espiritual de don Quijote, y, así, ese compartir el universo y el sistema axiológico de su amo conviviendo con su vulgaridad produce bruscos efectos de incongruencia. Aun más significativo es el hecho de que, de este modo, la locura de don Quijote, al salir de su aislamiento egotista, pone en cuestión su propio sistema, fundado en gran parte en la exclusión. A ese respecto, Sancho es un óptimo papel de tornasol, gracias a su rudo buen sentido de campesino –que de manera no casual tiene ocasión de expresarse en el único paréntesis de su experiencia independiente de don Quijote, la gobernación de la ínsula, y especialmente en el ejercicio de su función de juez.

En cualquier caso, se puede afirmar que la ceguera de Sancho tiene una matriz previsible y familiar, la fascinación por las seductoras promesas que le ha hecho su amo. Pese a tal ceguera, no deja de ser chocante el carácter absoluto de la fe en la eficacia y en el irremisible cumplimiento de la promesa. Así, apenas don Quijote termina (sorprendentemente con éxito) su enfrentamiento con el escudero vizcaíno.

> Viendo, pues, ya acabada la pendencia, y que su amo volvía a subir sobre Rocinante, llegó a tenerle el estribo, y antes que subiese se hincó de rodillas delante dél, y asiéndole de la mano, se la besó y le dijo:
> –Sea vuestra merced servido, señor don Quijote mío, de darme el gobierno de la ínsula que en esta rigurosa pendencia se ha ganado; que, por grande que sea, yo me siento con fuerzas de saberla gobernar tal y tan bien como otro que haya gobernado ínsulas en el mundo. (...)
> –Advertid, hermano Sancho, que esta aventura y las a ésta semejantes no son aventura de ínsulas, sino de encrucijadas, en las cuales no se gana otra cosa que sacar rota la cabeza o una oreja de menos.
> (parte I, cap. X)

Los papeles se han invertido. Quien reivindica ahora, con amarga sonrisa, los aspectos realistas de su profesión es don Quijote. Aquellos aspectos precisamente que se hacen presentes más frecuentemente bajo la forma de noble asunción y aceptación de las incomodidades.

Pero ya había sido hilarante, en el pasaje de la entrada en escena de Sancho, cuando don Quijote le adelanta precisamente la posibilidad de que llegue a ser rey:

> –De esa manera –respondió Sancho Panza–, si yo fuese rey por algún milagro de los que vuestra merced dice, por lo menos, Juana Gutiérrez, mi oíslo, vendría a ser reina, y mis hijos infantes.

–Pues ¿quién lo duda? –respondió don Quijote.

–Yo lo dudo –replicó Sancho Panza–; porque tengo para mí que, aunque lloviese Dios reinos sobre la tierra, ninguno asentaría bien sobre la cabeza de Mari Gutiérrez. Sepa, señor, que no vale dos maravedís para reina; condesa le caerá mejor, y aun dios y ayuda.

(parte I, cap. VII)

Basta que se aparte en un punto de su narcisismo, cuando implica a su mujer, para que se despierte en Sancho la conciencia realista de lo inadecuado del supuesto. Pero el apartamiento es tan pequeño que ambos elementos acaban por conciliarse y de ello se deriva una progresiva reducción al absurdo, más absurda aún, si ello es posible, en la medida en que revela y contradice la naturaleza ilimitada del sueño[4].

En otras ocasiones la identificación de Sancho es sin reservas:

la polvareda que había visto la levantaban dos grandes manadas de ovejas y carneros que, por aquel mismo camino, de dos diferentes partes venían, las cuales, con el polvo, no se echaron de ver hasta que llegaron cerca. Y con tanto ahínco afirmaba don Quijote que eran ejércitos, que Sancho lo vino a creer y a decirle:

–Señor, pues, ¿qué hemos de hacer nosotros?

–¿Qué? dijo don Quijote, Favorecer y ayudar a los menesterosos y desvalidos. Y has de saber, Sancho, que este que viene por nuestra frente le conduce y guía el grande emperador Alifanfarón, señor de la grande isla Trapobana; este otro que a mis espaldas marcha, es el de su enemigo, el rey de los garamantas, Pentapolín del Arremangado Brazo, porque siempre entra en las batallas con el brazo derecho desnudo.

–Pues ¿por qué se quieren tan mal estos dos señores? –preguntó Sancho.

–Quiérense mal –respondió don Quijote– porque este Alifanfarón es un furibundo pagano, y está enamorado de la hija de Pentapolín, que es una muy fermosa y además agraciada señora, y es cristiana, y su padre no se la quiere entregar al rey pagano si no deja primero la ley de su falso profeta Mahoma y se vuelve a la suya.

–¡Para mis barbas! –dijo Sancho–, si no hace muy bien Pentapolín, y que le tengo de ayudar en cuanto pudiere!

(parte I, cap. XVIII)

---

[4] Opuesto, y semejante, movimiento puede encontrarse en *El burgués gentilhombre* de Molière, cuando Jourdain, a quien ha contradicho su mujer en su enloquecida ambición de casar a su hija con un noble, corta tajantemente la discusión: «Se acabó, mi hija será marquesa, pese a quien pese, o duquesa si se me pone a mí en las narices» (a. III, esc. XII). Aquí la progresión gradual de las ambiciones no tiene otro fundamento que la progresión de la irritación, y lo cómico se origina en la pretensión de objetivar este dato subjetivo y arbitrario.

En fin, por señalar una prueba por reducción al absurdo, la dependencia de Sancho a la inconmovible fascinación de su amo sobrevive a sus rebeliones y desconfianzas, incluso cuando más abrupta es la oposición entre los niveles onírico y real.

> que después acá, todo ha sido palos y más palos, puñadas y más puñadas, llevando yo de ventaja el manteamiento y haberme sucedido por personas encantadas, de quien no puedo vengarme.
>
> (parte I, cap. XVIII)

Precisamente el núcleo temático de la locura, la paranoia exteriorizada en la imagen de los encantadores se ha transmitido a Sancho como un dato real, hasta el punto de poder utilizarla contra la dimensión eufórica de la locura misma.

8. En un movimiento opuesto al que extiende fuera de don Quijote la locura, se extiende dentro de él la racionalidad desautorizando en la misma medida la que domina en el mundo. De hecho la trabada densidad de su personalidad determina que el conjunto de los comportamientos de don Quijote absorba el carácter convincente que algunos tales comportamientos tienen. Hay una racionalización (defensiva) en los interlocutores que no le escatiman su reconocimiento, aunque parcial. El cura, por ejemplo:

> fuera de las simplicidades que este buen hidalgo dice tocantes a su locura, si le tratan de otras cosas, discurre con bonísimas razones y muestra tener un entendimiento claro y apacible en todo; de manera que, como no le toquen en sus caballerías no habrá nadie que le juzgue sino por de muy buen entendimiento.
>
> (parte I, cap. XXX)

Pero el irreprochable discurso sobre la recíproca reclamación de mayor dignidad de las armas y de las letras[5] (parte I, caps. XXXVIII-

---

[5] Esta misma antinomia vuelve a presentarse cuando don Quijote explica al ama y a la sobrina una teoría sobre los linajes y su evolución, tan igualmente razonable y enloquecida como puedan serlo otros discursos suyos. Éste, no obstante, le hace exclamar admirada a la sobrina: «¡que también mi señor es poeta! Todo lo sabe, todo lo alcanza». El mismo don Quijote se deja llevar por una enternecedora fantasía de normalidad: «Yo te prometo, sobrina (...), que si estos pensamientos caballerescos no me llevasen tras sí todos los sentidos, que no habría cosa que yo no hiciese, ni curiosidad que no saliese de mis manos, especialmente jaulas y palillos de dientes» (parte II, cap. VI).

XXXIX) no es verdaderamente «ajeno» a la locura, si, como es cierto, tras haber atribuido al oficio de las armas la necesidad de la inteligencia, don Quijote centra la *syncrisis* en los sacrificios que caracterizan a una y otra profesión, proyectando su elección personal en una dimensión colectiva.

Por lo demás, toda la credibilidad del discurso de don Quijote se apoya en un fundamento inicial del que, mediante un oxymoron, diremos que es sólidamente mitomaníaco. Pues se trata de una defensa de la realidad del mito afirmada mediante el rechazo de las apariencias.

> Verdaderamente, si bien se considera, señores míos, grandes e inauditas cosas ven los que profesan la orden de la andante caballería. Si no, ¿cuál de los vivientes habrá en el mundo que ahora por la puerta deste castillo entrara, y de la suerte que estamos nos viere, que juzgue y crea que nosotros somos quien somos? ¿Quién podrá decir que esta señora que está a mi lado es la gran reina que todos sabemos y que soy yo aquel caballero de la Triste Figura que anda por ahí en boca de la fama?[6]

> (parte I, cap. XXXVII)

Una vez más, la normalidad dominante reconoce en don Quijote «una mezcla de verdades y mentiras». Tal es, referida por el narrador, la opinión del canónigo, que opone al hidalgo los libros de historia a los libros de caballerías y, en respuesta, recibe una apasionada afirmación del carácter histórico de la tradición caballeresca.

> Y si es mentira, también lo debe ser que no hubo Héctor, ni Aquiles, ni la guerra de Troya, ni los doce Pares de Francia, ni el rey Artús de Inglaterra, que anda hasta ahora convertido en cuervo y le esperan en su reino por momentos.

> (parte I, cap. XLIX)

Volvemos aquí al origen y a la formación de la locura de don Quijote, su biblioteca, que, por lo demás, han deshecho entre el cura y el

---

[6] Lo mismo sucede en el episodio de los rebaños, en el que ante el escepticismo de Sancho, Quijote contesta con un argumento exquisitamente racional que atribuye el nivel de realidad a un examen más minucioso de las percepciones sensoriales, las cuales, según una antigua tradición intelectual, aparecen degradadas en el nivel de las apariencia: «el miedo que tienes –dijo don Quijote– te hace, Sancho, que ni veas ni oyas a derechas; porque uno de los efectos del miedo es turbar los sentidos y hacer que las cosas no parezcan lo que son» (parte I, cap. XVIII).

barbero, absolviéndola en parte y, también en parte, condenándola con idéntica obtusa y arbitraria violencia. La «mezcla de verdades y mentiras» es, en cambio, una convicción perfectamente homogénea en el universal valor de verdad de la literatura, el único que puede hacer de Héctor y Aquiles tan reales como los caballeros españoles, cuya existencia no tiene más remedio que reconocer el cura, aun a regañadientes; o, si se prefiere, con la bellísima definición de realismo de Elsa Morante, en su ensayo *Sul romanzo*[7], el valor que puede hacer de la Laura de Petrarca o de los fantasmas interiores de Poe tan reales e históricos como la guerra de Argelia que definía aquel año de 1959.

Un universo afín y que interfiere parcialmente con el de la literatura, el universo del teatro, constituye, en nuestra opinión, la más oportuna clave simbólica de la novela de Cervantes. En ese gran juego que se establece entre lo verdadero y lo falso y entre la asunción y el rechazo de la razón como instrumento para interpretar la realidad, se trae al teatro en dos ocasiones con soluciones muy distintas. Cuando don Quijote encuentra a los cómicos de la legua de «las cortes de la muerte» no tiene la menor dificultad para reconocerlos como actores y no se deja engañar por su caracterización, que, en cambio, espanta a Sancho.

Y, sin embargo, cuando asiste al espectáculo de los títeres de maese Pedro, que recitan la aventura de don Gaiferos y de su esposa, don Quijote toma por reales, como ya hemos visto, las historietas representadas en el retablo:

–No consentiré yo que en mis días y en mi presencia se la haga supedería a tan famoso caballero y a tan atrevido enamorado como don Gaiferos. ¡Detenaos, mal nacida canalla; no le sigáis ni persigáis, si no, conmigo sois en batalla!
Y diciendo y haciendo, desenvainó la espada, y de un brinco se puso junto al retablo y con acelerada y nunca avista furia comenzó a llover cuchilladas sobre la titerera morisma...

(parte II, cap. XXVI)

Como muestra otro ejemplo célebre, el de *Hamlet* de Shakespeare, el teatro tiene un fundamento específico que le permite establecer relaciones insólitas con la locura y su lógica. En efecto, el teatro representa la condición en que, a un mismo tiempo, se liberan y se ponen en jaque las categorías racionales; es el lugar del equívoco, que duplica y potencia la estructura del mundo y la razón que lo rige; e induciendo la

[7] *Pro o contro la bomba atomica*, en *Opere*, vol. II, Milán, Mondadori, 1990, p. 1511.

duda sobre su realidad convierte en delicuescentes las leyes de esa misma realidad; es un espejo inquietante, del que uno se aparta con la tranquilidad de pertenecer a la dimensión sólida de lo real, pero, al mismo tiempo, tras haber asistido al vertiginoso desdoblarse que sufre lo real, uno se retira con la sospecha de que puedan hacer su aparición nuevos agujeros, nuevos desdoblamientos.

VI

El pensamiento en berlina[1]

1. En relación con la operación sobre el lenguaje que tiene por objeto hacerlo más opaco hay muchas posibilidades formales que hacen posible un uso cómico del recurso, explotando los aspectos rítmicos, las analogías fónicas, la equivocidad de los significantes... Cuando estas operaciones (que se parecen a las del juego infantil de manejar las palabras como piezas de un puzzle, sin ingenuidad alguna en este caso) no tienen otro fin que ellas mismas, llegan a deteriorar la certeza de que el lenguaje sea el limpio transmisor de ideas que la razón quisiera. Por el contrario, escapa éste, entonces, a su función comunicativa y se encierra en la autorreferencialidad.

El tejido lingüístico de las comedias de Ionesco y de Jarry se construye, en buena parte, a partir de la asunción ilógica y afuncional de los significantes. Ahora bien, en el momento en que se subvierte el fundamento de la inteligencia, lo que se pone en evidencia son sus posibilidades de manipulación, más que su inconsistencia.

---

[1] Berlina en italiano es un término mucho más polisémico que en castellano. Los significados con referencia a carruaje coinciden con los del castellano, en la medida en que pueden coincidir en dos idiomas distintos. En italiano, además, «berlina», como palabra diferente de la que se refiere a carruaje, significa «castigo antiguo» (con el mismo valor que nuestra «picota») y lugar en que se ejecutaba; también significa escarnio e irrisión; el mismo nombre, por otra parte, se da a un juego en el que uno de los jugadores tiene que adivinar cuál de los demás jugadores ha expresado las opiniones sobre él, que se le transmiten sin decirle quien las ha expresado. «Poner en la berlina», por último, tanto en italiano como en castellano, quiere decir «poner en ridículo». Basado en las primeras equivalencias y en la de la expresión hecha, traduzco literalmente. Tenga, pues, en cuenta el lector que aquí «berlina» significa, además de coche y ridículo, algo así como «charada» con una matización maliciosa. (N. del T.)

En *Ubu rey* de Jarry, tras ser derrotado por los rusos, Ubu abandona Polonia con todos sus secuaces y cruza el mar del Norte:

> PADRE UBU: Mar salvaje e inhóspito que baña a ese país que se llama Germania porque todos sus habitantes son primos hermanos.
> MADRE UBU: Eso sí que es erudición. Parece un país bellísimo.
> PADRE UBU: ¡Ah señores, por muy bello que sea, nunca se acercará a Polonia! Si no existiera Polonia, no seríamos polacos.
>
> (a. V, cuadro III)

La «erudición» de Ubu se manifiesta, al mismo tiempo, en la falsa etimología, derivada del acercamiento de dos significantes que no tienen mayor relación entre sí, y en la deducción tautológica.

También a una idea de erudición, invocada como capacidad para discernir el sentido de los signos, por un lado, y reída como maliciosa posibilidad de adulteración, por otro, se refiere un pasaje de *La lección* de Ionesco. En un rapto erótico-intelectual, durante una lección de filología, el Profesor acuchilla a la Alumna; el Ama, que lo cuida como a un niño, le riñe con maternal dureza:

> AMA: Ya lo había dicho yo hace un momento. La aritmética lleva a la filología y la filología lleva al delito...
> PROFESOR: Usted había dicho a lo «peor».
> AMA: Es lo mismo.
> PROFESOR: Yo la había entendido mal. Había pensado que «peor» era una ciudad y que lo que usted quería decir era que la filología llevaba a la ciudad de Peor.
> AMA: Cochino embustero. Sucia víbora. Un erudito como usted no se confunde con el sentido de las palabras. No se crea que me la da.

En la separación hecha entre significados y significantes puede colarse el engaño ideológico, que altera las ideas disfrazándolas con las mismas palabras, o bien presentándolas, exactamente idénticas, pero cambiando su forma exterior.

Algo parecido sucede en la *O larga*, un cuentecillo de el *Manuale di Conversazione* de Achille Campanile, donde hay un aviso en el que se dice «si tiene preguntas que hacernos, diríjase a mí que estoy aquí para satisfacerlo» («se avete quesiti da porci, rivolgetevi a me che sono qui per soddisfarvi» y que se interpreta como si «porci» [ponernos, hacernos; palabra compuesta del infinitivo «porre» (poner) y el enclítico «ci» (nos)] fuese el plural de «porco» (puerco) [con lo que la frase se leería «si tiene preguntas puercas (de puercos)...]. El que malentiende la frase, que se pone, entonces, a susurrar obscenidades al oído de la señora encargada de responder a las preguntas, es inmediatamente expulsado pero se excusa culpando a las trampas fonéticas del lenguaje: «¿Cómo puedo saber yo, con sólo leer, si una vocal es breve o larga?»[2].

2. La conversación es uno de los factores básicos de trabazón de la vida social. Plantea comparaciones, pone en contacto ideas, individuos, lenguajes, y, a partir de sus amalgamas o consistencias singulares, crea relaciones intelectuales y emotivas, instituye jerarquías, organiza los conceptos y los razonamientos en sistemas y, al definir cómo se articulan, permite el intercambio de los mismos.

En tanto que instrumento de relación entre la dimensión individual y la social, la conversación da paso institucional al teatro, y es instrumento privilegiado de la narrativa, que confiere un realce estructural y primario a aquellos pasajes y circunstancias en que se impone o domina. Es también ocasión de que se planteen como riesgos de intelección —y como vasta reserva de posibilidades cómicas— los automatismos del lenguaje, las obviedades, las reticencias, los eufemismos, todo aquello que reduce al lenguaje a su función fática.

En este sentido, la palabra, sin más, se plantea como tranquilizadora frente al miedo o al vacío, aunque también frente a la autenticidad, el compromiso o el dolor.

En *Gas hilarante*, de Wodehouse, el miedo al dolor se literaturiza y se simplifica, contraponiendo la conversación vacía a la actuación del dentista, tan temible como —incurriendo exclusivamente en lo irracional— susceptible de ser dejada para mañana.

> Me sentía especialmente locuaz... siempre me pasa cuando estoy encerrado en un cuarto con un destrozadentaduras. Me parece, por otra parte, que usted le pasa lo mismo; ¿a que a usted también le da la impresión de que si consigue entablar conversación, el otro acabará por interesarse tanto en el asunto que acabará por distraerse y olvidar el trabajo que se trae entre manos, para engolfarse en una buena charla?
>
> (cap. VI)

En el teatro de Ionesco son muy frecuentes las situaciones en las que se ataca a los convencionalismos de las buenas maneras mediante la

---

[2] En otro relato del *Manuale di conversazione*, «*La mestozia*», el error sistemático de una mecanógrafa es causa del éxito de una obra literaria, al darle una nueva amplísima perspectiva de sentido. La caída de una araña (en vez de la caída de un reino [«ragno» por «regno»]) transforma un trivial relato histórico en una fascinante operación de extrañamiento de corte surrealista.

ridiculización de los automatismos del lenguaje. En la comedia *El porvenir está en los huevos*, la familia Robert se reúne con la familia Jacques, que ha perdido al abuelo.

MADRE ROBERT: Anda, ve a darles el pésame (...)
ROBERTA: Sí papá, sí mamá (*se acerca a los Jacques, y dice gritando*). ¡Mi más sincero pésame!
TODOS LOS JACQUES (*salvo el abuelo, a coro*): Muchas gracias.
ROBERT PADRE Y ROBERT MADRE (*a Roberte*): ¡Nuestro más sincero pésame!
ROBERTE: Muchas gracias. Sois muy amables.
LOS 3 ROBERT (*dirigiéndose ahora a Jacques padre*): ¡Nuestro más sincero pésame!
JACQUES PADRE: ¡Muchísimas gracias, queridísimos amigos. Os lo acepto con muchísimo gusto.
LOS 3 ROBERT Y JACQUES PADRE (*dirigiéndose a Jacques madre y a coro*): ¡Nuestro más sincero pésame, nuestro pésame, pésame, pésame!
JACQUES MADRE: Gracias, gracias, muy contenta, gracias.
LOS 3 ROBERT, JACQUES PADRE Y MADRE (*a Jacques abuela*): ¡Nuestro pésame! ¡Nuestro pésame! ¡Nuestro pésame! ¡Nuestro más sincero pésame!
JACQUES ABUELA: ¡Muchísimas gracias! ¡Gracias! ¡Gracias! ¡Faltaría más! ¡Muy agradecida! ¡Encantada! ¡Gracias!
LOS 3 ROBERT Y LOS 3 JACQUES (*a Jacqueline*): ¡Nuestro más sincero pésame! ¡Nuestro pésame! ¡Pésame!
JACQUELINE: ¡Gracias! ¡Gracias! ¡Gracias! ¡Gracias! ¡Igualmente!

Se hace hincapié aquí en el absurdo de la comunicación que, como un mecanismo enloquecido, pesca a ciegas en los formularios de la buena educación distanciándose de cualquier referencia, perdiendo incluso la capacidad de singularizar al interlocutor, de suerte que el pésame se da a quien no ha perdido ningún pariente. Con ello se enfatiza la situación de carencia de lo emocional, de absoluto desinterés por el dolor ajeno, de ausencia de solidaridad humana.

En cambio en el *Povero Piero* [*Pobre Pedro*] de Achille Campanile la preocupación que plantea la reacción emotiva del otro provoca un uso eufemístico del lenguaje que se desdobla, incrementándose desde sí mismo, en un proceso inagotable. Al pariente del muerto no se le telegrafiará la noticia de la muerte ya acaecida, sino la del estado inmediatamente anterior («Piero gravísimo, venid cuanto antes»), pues por lo general se tiene la idea de que gradualidad puede suponer una atenuación del trauma. Pero el carácter codificado y generalmente asumido de esta práctica implica que «gravísimo» se entienda como equivalente a «difunto», de ahí que la intención eufemística deba volver a ponerse en práctica a partir de ese nivel para suavizar la alarma y, así, hasta el infinito. La lógica perversa de Campanile desarrolla tal proceso con delectación. Baste recordar aquí los intentos de aliviar la angustia que pueda llegar a producir el conocimiento de la identidad del muerto sustituyéndola por la de un perfecto desconocido («Filippo gravísimo»), o, con una operación de corte surrealista, cambiando en el mensaje el papel del muerto por el de los destinatarios: «Vosotros gravísimos. Pedro viene inmediatamente». Mensaje que suscita el siguiente comentario:

> Pero, de verdad, tú crees que una persona se alarma menos de saberse gravísima ella misma que de saberlo de un tercero, por muy querido que sea éste? ¿Dónde tienes la cabeza? La salud es lo primero. «Yo» está antes que todos los demás. ¡Y enterarse, además, por telegrama!
>
> (cap. X)

La solución que se adopta consiste en confiar al lenguaje el contenido semánticamente especular de la realidad.

> «Piero óptimamente, no os mováis». Si quieren entender, entenderán.

En ciertas ocasiones, en aquellas en que la identidad individual sólo se puede representar en formas exteriores, se confía a los mecanismos fáticos de la conversación la posibilidad de que los interlocutores estén o se sientan integrados en el grupo social o, en el mejor de los casos, afirmen su protagonismo[3]. Grande será, pues, la frustración que se le produce a quien se le priva de expresarse con una intervención de efecto. Así, en un pasaje de *La gramínea* de Queneau:

> De los perros malos se pasa a los sólo están locos, y luego de éstos a los cuadrúpedos en general. Pic espera pacientemente a que, poco a poco, se llegue a los gasterópodos para poder colocar su anécdota del judío, el obispo y los caracoles. Pero ¡ay! la espera se frustra una vez más; la llegada de la coliflor a la parmesana suscita el abandono del reino animal por el reino vegetal.
>
> (cap. V)

El giro accidental y heterogéneo no sólo le quita la palabra al comensal Pic, sino que, más aún, le priva de la existencia.

---

[3] Véase en *El diccionario de los prejuicios* la definición de BALLESTA, «buena ocasión para contar la historia de Guillermo Tell».

179

3. Otro refugio canónico de la conversación es el recurso a los proverbios y a las frases hechas que recogen el acervo de sabiduría popular. Pero de la acumulación de proverbios se sigue no tanto un incremento de la capacidad cognoscitiva y de inteligencia práctica, cuanto un empacho informativo que acaba por no ser otra cosa que mera insensatez. A todo lo largo de la novela de Cervantes, don Quijote es acosado por el irresistible aflorar proverbios por parte de Sancho, epifenómeno del buen sentido tradicional con el que choca la locura creativa; y, así, la crítica de don Quijote a la naturaleza caótica, casual, irrelevante, en una palabra, irracional, de su utilización se enmarca perfectamente en el trastocamiento de sus respectivas posiciones de salud y locura que ya hemos analizado anteriormente. Esta situación se reproduce especularmente cuando el mismo reproche se lo dirige Sancho a su mujer, que ha ejercido con respecto de él y sus sueños de grandeza la misma función desmitificadora que él ejerce con respecto de su amo:

«Cascajo se llamó mi padre; y a mí, por ser vuestra mujer, me llaman Teresa Panza, que a buena razón me habían de llamar Teresa Cascajo. Pero allá van reyes do quieren leyes, y con este nombre me contento, sin que me le pongan un *don* encima, que pese tanto, que no le pueda llevar, y no quiero dar que decir a los que me vieren andar vestida a lo condesil o a lo de gobernadora, que luego dirán: "¡Mirad qué entonada va la pazpuerca! Ayer no se hartaba de estirar de un copo de estopa, y iba a misa cubierta la cabeza con la falda de la saya, en lugar de manto, y ya hoy van con verdugado, con broches y con entono como si no la conociésemos." Si Dios me guarda mis siete, o mis cinco sentidos, o los que tengo, no pienso dar ocasión de verme en tal aprieto. Vos, hermano, idos a ser gobierno o ínsulo, y entonaos a vuestro gusto; que mi hija ni yo por el siglo de mi madre que no nos hemos de mudar un paso de nuestra aldea: la mujer honrada, la pierna quebrada, y en casa; y la doncella honesta, el hacer algo es su fiesta (...)
—Ahora digo —replicó Sancho— que tienes algún familiar en ese cuerpo. ¡Válate Dios, la mujer, y qué de cosas has ensartado unas en otras, sin tener pies ni cabeza! ¿Qué tiene que ver el Cascajo, los broches, los refranes y el entono con lo que yo digo?»

(parte II, cap. V)

En *Papeles póstumos del club Pickwick,* de Dickens, durante un pleito entre Mr. Pickwick, que alienta el matrimonio de un amigo suyo con la muchacha que lo ama, y el hermano de la chica que, por interés, se la había prometido a otro hombre que quería casarse con ella, interviene la vieja tía de la joven:

Mr. Pickwick encontró un poderoso aliado en la anciana señora, que, visiblemente conmovida por su alegación en favor de su sobrina, se atrevió a acercarse a Mr. Benjamin Allen y confortarlo con algunas reflexiones tranquilizadoras que, más o menos, consistían en que, después de todo, aún podía haber sido peor; que más valía dejarse de chácharas y ponerse manos a la obra; que no hay mal que por bien no venga; que es inútil llorar por la leche derramada; que más vale ser cabeza de ratón que cola de león, que si no se puede escupir el sapo más vale tragárselo, y unos cuantos consejos más, tan tranquilizadores y originales como éstos. A lo que Mr. Benjamin contestó que no quería faltarle al respeto a la tía de la chica ni a ninguna otra persona, pero que si a ellos les daba igual y le dejaban que pensara lo que quisiera, él quería darse el gusto de odiar a la muchacha hasta la muerte e incluso después.

(cap. XLVIII)

El carácter satírico del punto de vista del autor abarca tanto a la futilidad del enfrentamiento como a la estrecha testarudez del rencor. Este último cede ante la fuerza mayor de los hechos, si bien después de haber desenmascarado la ineficacia de los instrumentos de persuasión.

En la novela *Flores azules* de Queneau, la asunción de la estructura formal del proverbio crea falsos proverbios que, sometidos al buen sentido de la *vox communis*, expresan rarezas de índole surrealista; y carecen de sentido aun cuando se les considere uno por uno, mientras que en los casos anteriores era su conjunto lo que determinaba el carácter de insensatez.

El duque de Auge corre el riesgo de ser linchado cuando se corre la voz por París de que sus caballos hablan.

la noticia de que en la taberna de las Tres Estrellas había un caballo que hablaba se había extendido ya por las calles de los alrededores; y los buenos vecinos de París aprovechaban la ocasión para chismorrear a diestro y siniestro y comentar el acontecimiento en los siguientes términos: «Bestia articulada, alma condenada»; «Pájaro que habla verba volant»; «El último pez en hablar siempre tiene la razón»; «A ostra que habla no se le mira la boca»; «Si la cebra te trata de tú, está cerca belcebú». Y otros proverbios con la misma punta salidos de lo más hondo, tan insensato como clórico, de la sabiduría capitalina.

(cap. II)

Aquí, la ridiculización de los proverbios, además de servir para la desestructuración del nexo entre significante y significado, sirve también para la polémica aristocrática de Queneau contra la fe ciega en la vitalidad de las formas expresivas populares.

4. También Queneau ofrece el ejemplo de otro riesgo que puede malear y superar las normas de la buena conversación; se trata de la di-

ficultad para articular las estructuras tradicionales del discurso de forma que proporcionen información y lleven a buen término un relato. En *Zazie dans le métro* (*Zazie en el metro*), en una situación que en sí misma supone un trastocamiento de los papeles sociales (un policía, Trouscaillon, quiere revelar sus datos personales y confesar toda su vida a un hombre de dudoso comportamiento, Fiodor Balanovic), el relato de Trouscaillon, que parece tener su causa en una personal y apremiante urgencia de dar cuenta de sí mediante la palabra, arranca penosamente y continúa del mismo modo trabado por pretericiones y reticencias:

> «Vamos, adelante –dijo Fiodor Balanovic– o hablo yo.»
> «No, no –dijo Trouscaillon–. Hablemos aún un momento de mí.»
> Tras rascarse el cuero cabelludo con una uña ganchuda como una garra, pronunció unas palabras a las que no dejó de conferir cierto tono de imparcialidad y hasta de nobleza. Tales palabras, son las que siguen:
> «Nada le diré de mi infancia ni de mi juventud. En cuanto a mi educación, no hablemos de ella, carezco de tal, y en cuanto a mi instrucción tampoco hablaré en absoluto de ella pues apenas tengo una poca (...) Le hablaré ahora de mi servicio militar, sobre el que no insistiré. Soltero desde mi más tierna infancia, la vida me ha hecho el que soy.»
>
> (cap. XVI)

La puesta en movimiento de amplias estructuras retóricas introductorias del relato conduce a la frustración que supone la incapacidad de decir, salvo una sola información que sí llega a transmitirse, si bien en una inesperada irrupción del absurdo («Soltero desde mi más tierna infancia»).

En un pasaje de *Castillo de Blandings*, de Wodehouse la modalidad de la conversación se somete a una incongruente resemantización:

> Aún le daba vueltas a este molesto asunto, cuando le interrumpió alguien que abría la puerta y apareció el aristocrático botones. Pilbeam lo miró molesto.
> «¿Cuantas veces te he dicho que no debes entrar en el despacho sin llamar antes a la puerta?», le preguntó en un tono irritado.
> El chico puso gesto de concentración mental.
> «Siete veces...», contestó tras un momento de reflexión.
>
> (cap. IV)

La pregunta que habría que caracterizar como retórica, en la medida en que es una pregunta que no pide respuesta porque no es exactamente una pregunta sino sólo una enfatización comunicativa de la irritación y del reproche, recibe, sorprendentemente, una respuesta exacta, minuciosa que desarma a quien la hace. El hecho de que aquí se ataquen virtualidades generales del lenguaje, su ausencia de una univocidad clara y distinta, y no una torpeza en su uso, queda demostrado por el hecho de que no sería posible decir si el recadero es un necio que no ha entendido la pregunta o un avisado que se libra de la reconvención contestando literalmente a quien se la formula, de un modo que a posteriori resulta incauto.

En *El inspector* de Gogol hay una situación semejante de impasse cuando el pequeño embaucador, al que han tomado por la autoridad que da título a la comedia, secunda el equívoco asumiendo una condescendencia capitalina con respecto a los provincianos, pero renuncia a esta actitud cuando se dirige a la mujer del alcalde, a la que galantea:

> CHESTAJOV: Cuando se está acostumbrado a vivir, ¿*comprenez-vous?* en el gran mundo, encontrarse de golpe en la calle: pensiones baratas, gente ignorante... Lo confieso: si no fuera por ocasiones como ésta (*mira a Anna Adrèjevna con gesto galanteador*) que me compensan absolutamente...
> ANNA ANDREJEVNA: Debe haber sido de lo más desagradable. Le comprendo.
> CHESTAJOV: Ahora, en este momento, ya no.
> ANNA ANDREJEVNA: ¡Me confunde usted! Es un gran honor, para mí. Pero me temo que no soy digna de ello.
> CHESTAJOV: ¿Qué me dice, señora mía? ¿Por qué no iba usted a ser digna?
> ANNA ANDREJEVNA: Yo vivo en el campo...
> CHESTAJOV: ¿Y bien? También el campo tiene sus colinas, sus arroyuelos...
>
> (a. III, esc. VI)

Al asumir el talante de poner en marcha la galantería, aliviando aquella condescendencia con la impudicia de las fórmulas del galán, tarea tan imposible en el plano de la lógica como socialmente necesaria, el personaje se hunde en un *nonsense* tautológico.

5. Por lo que respecta a los contenidos, la conversación puede dar lugar a la asunción indiscriminada de lugares comunes, a la manifestación de acuerdos entusiásticos a propósito de trivialidades, a las reconsideraciones de planteamientos de los que no se había dado cuenta; puede adoptar, en definitiva, de manera desviada e ineficaz aunque obstinadamente, todo el sistema de persuasión que se convierte así en

un proceso de hipertrofia mastodóntica en el que las palabras se acumulan sobre la nada. Esto es lo que pasa casi siempre en las comedias de Ionesco. En *La muchacha casadera*, por ejemplo, dos personajes hablan, sin otra caracterización —ni siquiera la del nombre— que las inconsistentes palabras que intercambian:

> SEÑOR: ¡Se ha andado mucho camino desde los tiempos en que nuestros padres vivían en las cavernas, se despedazaban entre sí y se alimentaban de pieles de oveja!... ¡Se ha andado mucho camino!
> SEÑORA: ¡Ya lo creo, sí!... Y la calefacción central, mi querido señor, ¿qué me dice de la calefacción central?, ¿había acaso calefacción central en las cavernas?
> SEÑOR: Bueno, le diré, señora mía, cuando yo era un niño pequeño...
> SEÑORA: ¡Qué monos, ay, qué tiempos!
> SEÑOR: ...Yo vivía en el campo; me acuerdo que todavía nos calentábamos al sol, tanto en verano como en invierno; nos alumbrábamos con petróleo —la verdad es que en aquella época estaba más barato—, ¡y muchas veces incluso con velas!...
> SEÑORA: Eso sigue pasando todavía hoy en día, cuando cortan la luz.
> SEÑOR: La máquina, también la máquina, es imperfecta. Y habiendo sido inventada por el hombre tiene todos sus defectos. (...)
> SEÑOR: Me va a decir usted que hay progreso bueno y progreso malo, como hay judíos buenos y judíos malos, alemanes buenos y alemanes malos, películas buenas y películas malas.
> SEÑORA: ¡No, yo no digo eso!
> SEÑOR: ¿Y por qué no? Puede decirlo usted perfectamente. Está en su derecho.
> SEÑORA: ¡Faltaría más!...
> SEÑOR: Yo respeto todas las opiniones. ¡Yo tengo ideas modernas! ¡No en vano ha habido una Revolución Francesa, las cruzadas, Guillermo II, los papas, el Renacimiento, el Rey Sol y tántos y tántos sacrificios inútiles!... Se ha pagado bastante caro el derecho a decir lo que a uno se le pase por la cabeza, sin que lo metan en la cárcel a la primera de cambio.
> SEÑORA: ¡Naturalmente!... ¡En nuestra casa somos los amos!... ¡Sólo faltaría que vinieran a molestarnos en nuestra propia morada...!
> SEÑOR: ¿Y Juana de arco? ¿Ha pensado usted alguna vez qué diría ella si viera todo esto?
> SEÑORA: ¡Más de una vez, me lo he preguntado!

El vacuidad de las frases se corresponde con una vacuidad de la existencia en la que las situaciones, una vez quebrantadas las circunstancias que las armaban, resultan irreconocibles. Sucede así en la conclusión del drama, en la que la muchacha casadera es representada con el aspecto de un vigoroso y vociferante señor de 93 años.

6. En el brevísimo relato de Chejov, *El libro de reclamaciones*, se representa la comunicación humana como un conjunto de fragmentos incongruentemente enlazados entre sí. En una pequeña estación de ferrocarril, el libro de reclamaciones aúna su ilustrada función con las posibilidades disgresivas que la disponibilidad de la hoja en blanco ofrece a la fantasía de los usuarios o, mejor, a su malignidad chismosa. Baste, para interpretar el conjunto de un modo excesivamente racionalista el discernimiento de la propiedad o impropiedad de la «reclamación» de un viajero que dice así:

> Mientras esperaba la salida del tren, he examinado la fisonomía del jefe de estación y he quedado sumamente insatisfecho. Procedo, según la norma, a consignarlo aquí. Un veraneante que no se desalienta.

Baste también señalar la contraprueba mentalingüística: la severa advertencia oficial que encabeza el libro «Se ruega no escribir en este libro de reclamaciones cosas extrañas a su función. Por el jefe de estación: Ivanov VII» queda implacablemente glosada: «Serás el séptimo, pero no dejas de ser un idiota».

7. También la insignificancia puede hacerse aparente, en la misma medida en que se hace aparente el sentido en el triunfo cotidiano de lo trivial; en esta inversión de tendencia está la belleza delicada del cuento de Chejov *Polinka*, en el que el dependiente de una sombrerería atiende a la chica de la que está enamorado (que se está alejando de él porque tiene otro amor). El diálogo es tenso y ansioso y se entreteje extrañamente con frases circunstanciales y con la propaganda publicitaria:

> El color que más de moda está es el heliotropo, o el color *Kanak*, o sea, morado y amarillo. Tenemos un gran surtido. Y no sé hasta dónde va a llegar toda esta historia: ¡no lo entiendo, en absoluto! Ahora usted está enamorada, pero ¿en qué parará todo esto?

Finalmente la única voz que subsiste es la de lo efímero:

> Y al ver que las lágrimas seguían corriendo, continuó gritando, con voz cada vez más fuerte:
> —¡Españoles, rococós, *soutachés, cambrés*!... ¡Medias de hilo de Escocia, de algodón, de seda!
> de seda...».

Y ello porque lo auténtico se ha ceñido a la elementariedad del lenguaje no verbal, al que no puede llegar ninguna mistificación.

8. Muy a menudo, los textos de Beckett no sólo constituyen una desestructuración de los nexos lógicos que sostienen el andamiaje de la conversación, sino una reflexión sobre la naturaleza y los mecanismos que la regulan. Una conversación no puede ser definida como tal en cuanto exhibe los acuerdos convenionales de que procede, porque, en tal caso, pierde su propiedad de establecer ocasionalmente relaciones variables entre las personas que la tienen entablada; pierde, en definitiva, la posibilidad de ser una estructura dinámica.

Cuando prevalece el carácter de artificiosidad de la conversación, coincide básicamente con el diálogo dramático. El drama, en realidad, se construye mediante un diálogo que sólo aparentemente reproduce la libre comunicación entre personas, pues somete esa conversación a una selección que responde funcionalmente a la estrategia de la obra, delegando en los personajes la voz pero no la responsabilidad organizativa. En la historia del teatro europeo, por otra parte, esta materialidad preestablecida de la enunciación se corresponde con enunciados que hacen real la libertad humana, entendiendo ésta no como desarrollo incontrolado de la palabra, sino como búsqueda creativa de la identidad. De hecho, desde el más antiguo teatro griego, el centro del drama lo ha constituido la representación del proceso de deliberación basado en la unidad coherente del yo, de donde procede una red, igualmente coherente, de relaciones interpersonales.

El acuerdo previo de los interlocutores, que se asignan papeles como si fueran actores y luego los representan conscientemente, aparece en algunos momentos de *Esperando a Godot* como discurso autoconsciente por parte del autor y como alusión divertida a los mecanismos estructuradores del código teatral; constituye además, al mismo tiempo, una forma de ataque devastador a la concepción de la persona que satura la abstracción institucional del teatro clásico. Esa minuciosa analogía entre la conversación teatral y aquella otra, la «real», que se da en todas las relaciones sociales, pone en evidencia cuanto de disimulo hay en ella.

POZZO: Me gustaría volver a sentarme, pero no sé bien cómo hacerlo.
ESTRAGÓN: ¿Quiere usted que le ayude?
POZZO: Quizá, si probase usted a pedírmelo...
ESTRAGÓN: ¿Pedirle qué?
POZZO: Si me pidiera usted que me sentara otra vez.
ESTRAGÓN: ¿Eso serviría?
POZZO: Yo creo que sí.
ESTRAGÓN: Pues a ello. Por qué no vuelve a sentarse, señor, se lo ruego.
POZZO: No, no, no es posible. (*Pausa. En voz baja.*) Insista un poco.

ESTRAGÓN: Vamos, vamos, no se quede así, en pie; cogerá usted frío.

POZZO: ¿Usted cree?

ESTRAGÓN: No me cabe la menor duda.

POZZO: Tiene usted toda la razón. (*Vuelve a sentarse.*) Gracias, amigo.

(a. I)

El riesgo, en los textos de Beckett, construidos a partir de la penosa rememoración del valor del diálogo, en tiempos fluido y vital; el riesgo que se cierne sobre sus modalidades expresivas que reaparecen una y otra vez, a jirones y sin sentido, desde un remoto desastre cultural que las ha trastornado, y que, aunque balbuceantes, se esfuerzan en transmitir pensamientos y emociones; o sobre el devanarse de las frases hechas, que valerosamente tratan de remendar las relaciones humanas y volver a situar los acontecimientos en la historia y los destellos de pensamiento en el sistema que, en un tiempo, los contenía y los organizaba, el riesgo extremo —decíamos— es el del silencio, un silencio en el que, antes o después, se precipitan todos los personajes como en una inevitable derrota:

POZZO: Las lágrimas del mundo son inmutables. Basta que uno se ponga a llorar, para que otro, en cualquier otra parte, deje de hacerlo. Y lo mismo con la risa. (*Pausa.*) Por lo tanto, no hablemos demasiado mal de nuestra época; no es más desgraciada que las anteriores. (*Pausa*) Pero tampoco hablemos demasiado (*Pausa*). No hablemos en absoluto. (*Pausa.*) Es verdad, no obstante, que la población ha aumentado.

(a. I)

Pero el ansia de recuperar identidad mediante la palabra no remite y vuelve a ponerse en obra a partir del silencio, con testarudez, su fracasada labor de reconstrucción.

9. Una ruptura especial de la función lingüística que permite reírse de su presunción significativa y comunicativa es la que se produce en el imperfecto traslado de una lengua a otra. Además de generar innumerables ensayos, congresos y artículos, la oscuridad de la traducción ha generado cierta comicidad, modesta y previsible.

Mark Twain le dedica el relato titulado *La célebre rana saltarina del condado de Calaveras*, introducido por un *incipit* polémico contra un artículo de la *Revue des Deux Mondes*, que niega que el autor tenga *vis comica*, aduciendo como prueba la traducción francesa del cuento mismo. El pretexto narrativo se abandona en seguida para dejar al descu-

bierto la operación de falseamiento, que se comprobaría con la retra-
ducción al inglés:

Confieso que jamás en mi vida he incurrido en tan odiosa mezcla
de errores gramaticales y de *delirium tremens*. ¿Qué ha podido hacer un
pobre extranjero como yo para ser insultado y falseado de esta manera?
Cuando yo digo: «Bueno, no veo qué tenga mejor que las otras ranitas,
esta ranita», es correcto, es justo, por parte de ese francés, hacer creer
que yo haya dicho: «*eh bien*, no veo yo que esta ranita no tenga nada
mejor que ranita alguna».

La sátira sobre el aprendizaje lingüístico guarda una estrecha relación con este motivo. Cuando los manuales pretenden extender el conocimiento del léxico y dar ejemplos gramaticales, tienden a construir
discursos que pecan contra «la lógica y el buen sentido», dice Campanile, en el *Manual de conversación*, que arranca abruptamente con dicha
sátira.

Seguramente los autores de los ejercicios de traducción imaginan
un mundo de tontos. Éste es otro diálogo de la gramática inglesa:
—Mamá, ¿compraste el mantel?
—No, pero compré la maquinilla de afeitar para tu hermano.
Una familia de locos, evidentemente. Loca la madre, que probablemente piensa que se pueden emparejar el servicio de mesa con el afeita-
do; y loca la hija, pues, por lo que dice el texto, no puede deducirse que
se haya sentido mínimamente sorprendida por las necias palabras de la
vieja insensata.

Habrá que recordar, sobre todo, la interpretación entre chusca y
bondadosa que Campanile hace del asunto en términos de valor y que
constituye el mejor comentario no sólo del fragmento, sino también
del orden en que aquí lo hemos colocado:

Lo que, sin embargo, no representa un daño en ningún sentido. Al
contrario, podría contribuir a dar a las relaciones entre las personas un
carácter mucho más despreocupado más imaginativo que daría a la vida
un tono sumamente agradable.

El predominio de las preocupaciones lingüísticas con respecto de
las urgencias reales es muy frecuente en las novelas de Queneau,
como en el siguiente pasaje de *Flores azules*. Cidrolin, que está durmiendo en el puente de su barcaza-vivienda, es abordado por una
campista canadiense que quiere saber el camino del camping que hay
por allí cerca.

«Perdone que le haya interrumpido su siesta, pero me han dicho que los franceses son tan atentos, tan serviciales...»
«Eso se dice por ahí...»
«Así, que me tengo tomada la libertad...»
«Me he tomado.»
«¿Me he tomado? Pero... el auxiliar de los verbos transitivos...?»
«¿No me diga que se lo ha creído? ¿También se ha creído lo de la servicialidad y la consideración de mis compatriotas? ¿Debo creerla crédula, señorita?»

(cap. III)

La ridiculización queda reforzada por el hecho de que, siendo incapaz de explicar las reglas gramaticales sobre las formas auxiliares, Cidrolin las reduce despectivamente a lugar común, haciéndolo uno con los lugares comunes que dominan las opiniones de la gente; para concluir la frase con una figura etimológica, una broma semejante a los gags de Totó, que se resuelve en un divertido juicio de valor.

En otro pasaje de *La gramínea* se subvierte también un elemento regular, básico, en el sistema lingüístico, el de la congruencia semántica entre verbo y sujeto. La señora Cloche, convencida, porque ha espiado una discusión entre dos hombres, de que en un pueblo de la *banlieu* parisina se va a cometer un asesinato, curiosa y aficionada a sentir terror, quiere presenciarlo y, para ello, se interna de noche en un bosque tenebroso:

tras ella, la carretera se metía por los campos, tan hosca, tan solitaria, que se aterrorizó. Imaginó lo que podía sucederle: que la violara un vagabundo, que la amenazara un ladrón, que la mordiera un perro, que la embistiera un toro, que la violaran dos vagabundos, que la amenazaran tres ladrones, que la mordieran cuatro perros, que la embistieran cinco toros; que la mordieran siete vagabundos, que la embistieran ocho ladrones, que la amenazaran nueve perros, que la violaran diez toros.

(cap. II)

El efecto cómico se estructura mediante la aceleración del ritmo y mediante esa espiral en la que se van repitiendo las acciones, amplificadas de vez en vez y con consecuencias progresivamente más dramáticas. Ese traslado de las acciones de sus agentes racionales a otros azarosamente incongruentes sitúa en una dimensión surrealista las fobias alucinatorias de la señora Cloche. La confusión mental generada por el terror encuentra su correspondencia en la confusión lingüística.

Un cambio semejante se da cuando se recurre al código equivocado para descifrar palabras o actitudes. La consecuencia de ello es que tales palabras o tales actitudes, en sí absolutamente cristalinas, acaban por ser misteriosas y amenazadoras. Gadda ofrece un ejemplo de esto en *Nuestra señora de los filósofos*, en el que la gestualidad del director de orquesta, orientada a la coordinación de tiempo y sonido de los distintos instrumentos, se hace incomprensible y sospechosa, además de ridícula, si se la interpreta en base a la gestualidad cotidiana:

> Con los brazos fláccidos, con una sonrisa tímida, con la mímica del fullero que se da cuenta de que tiene encima sí la mirada implacable de la sospecha, imploraba de todos la contención más prudente. Se ocupaba ahora del metal y de los contrabajos: con una retracción del hombro izquierdo y con un encogimiento de la mano para abrirla inmediatamente, parecía estar diciendo «¡Vámonos!»; luego con la derecha refrenaba los temidos desvíos de los fagotes y las empinadas de los violines, de los clarinetes y del oboe.

Cuando se comprende que aquellos gestos sirven para dirigir una orquesta persiste la extrañeza, sin embargo, al atribuir a sus miembros una voluntad rebelde. El código se transforma, pero sigue siendo inadecuado, sugiriendo la metáfora del circo.

10. Un modo fácil y especial de vaciamiento del lenguaje es el que consiste en el error a la hora de distinguir entre lenguaje propio y lenguaje figurado. Se deja de percibir el carácter artificioso de las figuras, o bien entendiéndolas al pie de la letra, o, aún más, yuxtaponiéndolas a los datos de la realidad, de tal modo que se trivializan los criterios para reconocer ésta. Ejemplos de ambos procesos pueden ser dos pasajes de *Papeles póstumos del club Pickwick* de Dickens.

> En cierta ocasión fue lanzado violentamente fuera del calesín y se golpeó la cabeza con una piedra miliar. Se quedó tirado, aturdido, con la cara tan destrozada por la grava amontonada en el camino que por usar una frase de las suyas, especialmente eficaz– si su madre hubiera vuelto a este mundo no lo hubiera reconocido. Bien pensado, estoy seguro de que no lo habría reconocido, pues ella murió cuando mi tío tenía dos años y siete meses y, aun sin el inconveniente de la grava, la pobre mujer hubiera tenido dificultades para reconocerlo con aquellas botazas en los pies, por no hablar de aquella cara coloradota.
>
> (cap. XLIX)

> Verdaderamente es extraordinario (...) que Nathaniel Pipkin tuviera la temeridad de orientar su mirada en aquella dirección. Pero el amor

es ciego y Nathaniel era bisojo. Quizá la reunión de ambas circunstancias le impidió valorar la situación a la luz adecuada.

(cap. XVII)

A esta última cita podríamos añadir dos fulminantes definiciones del flaubertiano *Diccionario de las ideas aceptadas*:

DESENCADENAR: Se desencadenan los perros y las pasiones perversas.

EXTIRPAR: Este verbo sólo se utiliza para las herejías y los callos.

11. Mediante los procedimientos y las categorías de la lógica clásica se estructuran los procesos mentales de la razón; ahora bien, tales procedimientos y categorías se convierten en ocasión de ridículo cuando, aun manteniendo apariencia de rigor, llevan a consecuencias que la propia razón, teórica o práctica ve como infundadas o imposibles. El fracaso de una argumentación particular induce, con respecto a las modalidades generales de la razón, a una sospecha asimismo general.

Empecemos con el instrumento lógico más codificado, el silogismo. En *El rinoceronte*, Ionesco lo toma como blanco:

FILÓSOFO (*al viejo señor*): He aquí, pues, un silogismo perfecto. El gato tiene cuatro patas. Isidoro y Fricot tienen cada uno cuatro patas. Luego Isidoro y Fricot son dos gatos.
EL VIEJO SEÑOR (*al filósofo*): También mi perro tiene cuatro patas.
FILÓSOFO (*al viejo señor*): Entonces es un gato.

(a. I)

El anciano señor señala la resistencia de la realidad al razonamiento abstracto; el efecto de ello es la ridiculización de la seráfica impasibilidad con que reacciona el razonamiento abstracto al englobar la realidad irreductible («Entonces es un gato»). De hecho, no se puede identificar en su totalidad seres que sólo tienen en común una parte de sus propiedades (como pueda ser tener cuatro patas); este procedimiento de generalización caracteriza el comportamiento de la instancia opuesta a la racional, es decir, la instancia emotiva, a la que Matte Blanco denomina, precisamente por oposición a la lógica clásica, lógica simétrica o bilógica.

Hay un pasaje relativamente análogo a éste, pero escrito por un autor que tenía un absoluto dominio de la lógica, Lewis Carroll, que se basa no en la disolución, sino en una imprevisible recuperación de validez del paralogismo. En *Alicia en el país de las maravillas*, la paloma toma a Alicia por una serpiente porque tiene el cuello largo, y, por ello, la considera su enemiga, pues las serpientes son devoradoras de huevos de paloma:

> ¡Igual me sales ahora con que nunca en tu vida te has comido un huevo!
>
> —Claro que *he* comido huevos —dijo la niña, que nunca faltaba a la verdad—, pero es que las niñas comen tantos huevos como las serpientes, ¿no lo sabía usted?
>
> —No creo una palabra de lo que dices —dijo la Paloma—, pero aunque así fuera, eso las convertiría en una especie de serpientes. ¡Está bien claro!
>
> (cap. V)

También aquí se pone en juego la carencia de validez que pueda tener transformar una propiedad accidental (comer huevos) en una identidad substancial; pero se sugiere implícitamente que, desde el punto de vista de la paloma, la inferencia es válida. Para ella, aquella propiedad representa la totalidad de las relaciones que su especie mantiene con las dos clases, la de las serpientes y la de las niñas, y, por tanto, sobre la base de aquella propiedad, la totalidad de una siniestra y canibalesca sustancia.

Otras veces, la invalidez del razonamiento se hace explícita en el texto. En *Corazón de perro* de Bulgakov, un grupo de vecinos se enfrenta con el aristocrático profesor Filìpp Filìppovich; le reprochan el excesivo espacio de que dispone. Aborda, así, un problema neurálgico de la Rusia posrevolucionaria:

> «En Moscú nadie tiene comedor.»
>
> «Ni siquiera Isadora Duncan», gritó la mujer con voz aguda. Filìpp Filìppovich, que había enrojecido, esperaba lo que pudiera seguir sin decir palabra. «Y el ambulatorio, siguió diciendo Schwonder, el ambulatorio puede muy bien ser el mismo cuarto que el despacho.»
>
> «Y... —dijo Filìpp Filìppovich con una voz extraña— ¿dónde tomaré mis alimentos?»
>
> «En el cuarto de la cama», respondieron a coro los cuatro. El enrojecimiento de Filìpp Filìppovich empezó a velarse en gris.
>
> «Tomar mis alimentos en el dormitorio —empezó con una voz levemente ahogada—, leer en el ambulatorio, vestirme en la sala de espera, operar en el cuarto del servicio y pasar la visita en el comedor. Lo más probable es que Iasadora Duncan haga lo mismo. Lo más probable es que coma en el despacho y disseccione a los conejos en el cuarto de baño. Es muy probable. ¡Pero yo no soy Isadora Duncan!... —gruñó de repente, pasando del rubor al amarillo— yo comeré en el comedor y operaré en la sala de operaciones; ídselo a contar a la misma Asamblea General.»
>
> (cap. II)

El sarcasmo del profesor denuncia un paralogismo implícito en sus interlocutores. Viéndose obligados a reconocer excepciones al principio de igualdad, las aceptan en los ápices del rango social identificado con la notoriedad. Las personas que ocupan dicha posición serían todas iguales, o, por lo menos, serían iguales sus exigencias. Frente a esto, el profesor reivindica la simplicidad combativa del principio de identidad («No soy Isadora Duncan») y la igualmente combativa tautología, que restituye a las habitaciones la funcionalidad ligada a su denominación. También reivindica su pertenencia a una casta intelectual, a la que ofende la comparación con la bailarina y más aún la humillación homologadora del régimen, que es el tema de la novela en general.

Se comprende que el lector se vea movido a identificarse con el sentimiento de agresión que llega a tener Filipp Filìppovich, pero no porque sus interlocutores hayan realmente pecado contra la razón: la extensión analógica a casos de una coincidencia sólo aproximada vuelve a redimensionar el lenguaje en un uso correcto, como se haría evidente si alguien le refutara diciendo, por ejemplo, que las necesidades de ejercitarse cotidianamente en la danza requieren un espacio no menor que las actividades quirúrgicas. Se trata, por el contrario, de las trampas imprevistas que puede tender el lenguaje, y que una intención tendenciosa puede explotar[4].

Otras veces, por el contrario, lo que produce consecuencias cómicas, porque inaceptables, es precisamente la analogía.

En la narración VI de la jornada VI del *Decamerón*, en una discusión que mantienen unos amigos sobre cuál es la familia florentina de nobleza más antigua, Michele Scalza, hombre de gran ingenio, sostiene que sin duda alguna es la familia de los Baronci, y argumenta su afirmación así:

> Debíais saber que a los Baronci los hizo Dios Nuestro Señor cuando estaba empezando a aprender a pintar, mientras que los demás hombres fueron hechos después de que Dios Nuestro Señor supiera pintar.

---

[4] Casi idéntica a ésta es una situación de *Castillo de Blandings*, de Wodehouse, en que un hombre y una mujer se hacen la confidencia mutua de los celos de sus respectivas parejas: «Millicent, que, por otra parte, es perfecta en todos los aspectos, es una chica que podría interpretar equivocadamente los acontecimientos de esta noche, si por casualidad llegaran a sus oídos. ¡Tendrías que ver sus orejas, Sue! ¡Son como conchas de alabastro!» «Sé lo que quieres decir, Hugo. Ronnie es exactamente igual.» Hugo dio un respingo. «¿Ronnie también?» «Sí, también él.» «¿ Quieres hacerme creer que las orejas de Ronnie parecen dos conchas de alabastro?» (cap. IV). El dato común de los celos se amplía indebidamente, se transfiere, a la descripción idealizada de un detalle corporal, que resulta ridículo si se lo abstrae de un contexto marcado como femenino. También aquí se singulariza la tendencia emotiva, la exclusividad y unicidad que se atribuye al ser amado.

Y para que veáis que tengo razón en esto, pensad en los Baronci y en los demás hombres; mientras veis a todos los demás con los rostros bien formados y debidamente proporcionados, podréis ver a los Baronci a uno con el rostro muy largo y estrecho, a otro que lo tiene más ancho de toda conveniencia, y a otro con la nariz muy larga y a otro que la tiene corta, y unos con la barbilla hacia afuera y respingona y con quijadas que parecen de burro; y alguno tiene un ojo más grande que el otro, e incluso otro tiene uno más bajo que el otro, como suelen ser los rostros que hacen los niños al principio de aprender a dibujar.

No se puede discutir el argumento general, que se fundamentaría en la consideración de que las habilidades manuales y artísticas mejoran con la práctica; un argumento tanto más aceptable en una ciudad como la Florencia de mediados del siglo XIV, en la que artesanía y producción artística empiezan a ser muy importantes en la caracterización y en el desarrollo de la economía urbana. El artificio cómico está en la consideración de la creación divina como un caso particular de este principio, atribuyéndole a Dios la misma necesidad de instrucción gradual que se prevé para cualquier artesano, que de joven mientras «hace mano» produce objetos más imperfectos que los que producirá tras un aprendizaje más largo.

En el *Diccionario de las ideas aceptadas* de Flaubert algunas definiciones son cómicas porque, basándose para su definición en la dependencia respecto de otros factores que las explican, mantienen con tales factores una relación que subvierte el tradicional principio de causalidad.

CLARINETE: Tocarlo produce ceguera. Ej.: todos los ciegos tocan el clarinete.

La relación causa/efecto ha sido invertida; se toca el clarinete porque se es ciego, o, de otro modo planteado, porque la limitación física constriñe a buscar aquella u otras formas de supervivencia semejantes. Detrás de la frecuente sátira flaubertiana respecto del cientifismo y de sus certidumbres, tan perentorias como erróneas, se esconde la denuncia de los males sociales.

Tan llamativo como este recurso es el *histeron proteron* con que se define la entrada «conjurados».

CONJURADOS: Los conjurados tienen siempre la manía de apuntarse en una lista.

Naturalmente, «la lista» es siempre posterior, resultado de las verificaciones históricas; se establece en el nivel libresco en el que se regulariza una realidad más secreta y compleja.

Pasajes como éste aluden a la posibilidad de que el ejercicio filogenético de la razón, su darse normas y organizarse en ciencia, más que un hecho, sea una necesidad –grande y patética– y que, más bien, merezca el nombre racionalización. Más fácil y libre es la risa que se produce cuando el mismo fenómeno afecta a las necesidades individuales. En un pasaje de *Papeles póstumos del club Pickwick* de Dickens hay un enamorado que habla en estos términos de la muchacha que lo ha rechazado:

> Es una criatura encantadora, fascinante. Que yo sepa, Ben, no tiene más que un defecto. Desgraciadamente esa única carencia es que no tiene gusto: yo no le agrado.
>
> (cap. XLVIII)

En realidad, no es ingenua sino decididamente autoirónica esa conversión de una frustración sentimental y narcisista en una valoración del otro que subvierte con apariencia de credibilidad la secuencia afectiva. Que la muchacha no ame no se debe a su falta de gusto, lo que sucede es que la falta de gusto en la muchacha se debe a que no ama.

Un caso semejante se da en una chispeante intervención que, en *Ubu rey*, Jarry pone en boca de Madre Ubu cuando, durante la huida de Polonia, se lamenta de su suerte:

> «Pierdo a mi caballero, a Palotino Giron, que se desvanecía de placer con solo verme y, según me han dicho, incluso sin verme, lo que es el colmo del cariño.»
>
> (a. V, cuadro I)

Se trata de una gradación de la afectividad, en la que se ponen en relación un estímulo mínimo («con sólo verme») y una reacción máxima (el desvanecimiento). Pero el paso siguiente, reforzador, por el que se elimina incluso el estímulo mínimo, tiene un efecto desastroso para la estructura lógica, en la medida en que, en un universo negativo, definido por la ausencia, la predicación se hace absolutamente genérica, haciéndose obvio que los desvanecimientos del Palotino Giron deben relacionarse con su salud más que con su afecto por Madre Ubu.

Asimismo paradójico es el fundamento de la autodefensa del cocinero Quiquibio que, en la narración IV de la jornada VI del *Decamerón*, cuando su amo le riñe por haber llevado a la mesa una grulla con un muslo de menos –que había robado para regalar a una mujer de la que está enamorado–, sostiene con desfachatez que las grullas, todas las grullas, no tienen más que una sola pata y un solo muslo. Y cuando el

195

amo, irritado por su cara dura, le obliga a que le acompañe a la orilla del Arno, a un sitio en que suele haber muchas grullas, para que se lo demuestre, Quiquibio se las enseña cuando están dormidas de pie, sobre una sola pata. Basta, entonces, que el amo dé un grito, para que todas las grullas bajen la otra pata y emprendan la huida. Quiquibio, no obstante, no se deja amilanar y dice con prontitud:

> pero a la de anoche no le gritasteis «¡ox, ox!»; porque si le hubieseis gritado así, ella habría sacado el otro muslo y la otra pata, como han hecho éstas.

La respuesta de Quiquibio es genial porque le da la vuelta al peso de la prueba de su amo, y convierte en una derrota dialéctica la imposibilidad de verificar un gesto, que el amo irremisiblemente no puede ejecutar; imposibilidad, pues, de comprobación en que queda convertida la imposibilidad de que una grulla muerta se comporte como una viva.

En un pasaje de *La chinche* de Maiakovski, el falso silogismo explota con rapidez de ilusionista la posibilidad de intercambio de los puntos de vista desde los que se puede considerar una misma realidad, optando por el que se adecúa mejor a la tesis que se quiere demostrar. En los preparativos de la boda de la hija de un burgués recientemente enriquecido con un obrero, miembro del partido comunista, la suegra y el casamentero van a comprar los arenques para el banquete. La suegra, que por roñosería ha querido comprar en el economato temiendo que los vendedores del mercado los vendan más caros, compara al salir precios y tamaños, y comprueba que los arenques del mercado, aunque sean ligeramente más caros, son mucho más grandes:

> ROSALÍA PAULOVA: ¿Toda una cola más largo? Pero entonces, camarada Sriptin, ¿para qué hemos luchado tanto?, ¿para qué hemos matado a su majestad el emperador y hemos echado al señor Rjabusciniski?, ¿para qué? Este poder soviético vuestro va a acabar conmigo... ¡Una cola más largo, toda una cola!...
> BAIAN: Pero mi señora Rosalía Paulovna, pruebe a medirlo por la parte de arriba: sólo es una cabeza más largo, ¿y para qué sirve la cabeza? no se come, se corta y se tira.
>
> (esc. I)

Aunque no sean igualmente comestibles, tanto la cabeza como la cola son «extremidades», por lo que pueden utilizarse ambas igualmente como medidas para estimar la diferencia. Esto proporciona apariencia de verdad a la engañosa conclusión de que no haya diferencia real entre los dos arenques, porque habrá que despreciar la cabeza y echarla a la basura (como si el arenque pequeño no tuviera a su vez una cabeza que desechar).

Por último aparece en Ionesco el ejemplo de estructuras evidentemente inválidas, que dan la impresión de regirse únicamente por la testarudez de quien las sostiene. Algo así como el caso del protagonista del *Pluto*, de Aristófanes, que rechaza a la Pobreza diciendo: «No me convence ni siquiera aunque me convenza». En relación con este ejemplo, Ionesco concede alguna importancia mayor a la dignidad formal, a la apariencia del razonamiento.

En *La laguna*, se repite algo parecido. Cierto presuntuoso Académico que ha simulado ser varias veces doctor aunque no tiene ni el título, se ve obligado a pasar el examen de madurez y le suspenden en el escrito; un Amigo le lleva la noticia del infausto resultado:

> AMIGO: Lo que ha escrito usted no tiene nada que ver con el asunto.
> ACADÉMICO: Sí que tiene, indirectamente.
> AMIGO: Ni siquiera indirectamente.
> ACADÉMICO: Quizá haya desarrollado el segundo tema.
> AMIGO: Sólo había un tema.
> ACADÉMICO: Claro, si sólo había un tema, yo no he desarrollado adecuadamente otro.

Aquí se imita un recorrido intelectual medido en una progresión verificable y racional. Pero los que se presentan como pasos lógicos son, por el contrario, a separaciones inmotivadas, fugas, digresiones y desplazamientos a la defensa de posiciones cada vez más retrasadas.

12. El hombre que se encuentra frente a otro hombre idéntico a sí mismo se ve inducido a afirmar y desconocer, al mismo tiempo, la propia identidad. De hecho, sólo un sujeto dotado de consistencia individual puede ser el referente de la aprehensión de un dato que dicha consistencia niega y trivializa con igual coherencia. Así, experiencia interna y experiencia externa se alejan vertiginosamente una de la otra, y la realidad, que consiste en su armonización, se fragmenta sin que se dé la única condición que podría determinar una tal divergencia del universo de la tranquilidad normalizadora: la enfermedad mental[5].

En *Anfitrión*, de Plauto, el esclavo del tebano Anfitrión, Sosia —nunca un nombre se ha convertido con mayor derecho en antonomástico— al volver a casa de una campaña militar encuentra en la puerta a una perso-

---

[5] De hecho, la contaminación con las imágenes sociales de la locura es un modo recurrente de representar el problema del doble, como por ejemplo en *Los dos Menecmos* de Plauto.

na idéntica a él que le impide entrar. La cosa tiene su explicación en la voluntad divina: la especularidad de los esclavos no es más que la reduplicación en el nivel bajo (y, por ello, orientación del asunto en la comedia) de otra ya ilustre en la mitología: Júpiter para poseer a Alcmena, la mujer de Anfitrión, ha tomado las facciones de éste y le ha pedido a Mercurio que se transforme en el esclavo de aquél para que no deje que nadie le moleste, empezando lógicamente por el marido engañado.

En la arbitrariedad originaria de la anécdota están tanto la atenuación como la exorcización necesarias para que pueda instaurarse el registro cómico. Tras ser suspendidas con una finalidad concreta las garantías de la racionalidad universal, quedarán restauradas cuando esa misma finalidad se haya alcanzado.

Desgraciadamente no podemos reproducir entera toda la escena de Plauto; no podemos, entonces, mostrar hasta qué punto buena parte de su fuerza estriba en la muy sabia preparación de la crisis a lo largo de todo un proceso, que al principio parece estar encaminado a conseguir el efecto contrario: acreditar en cuanto sea posible la identidad del verdadero Sosia, no sólo como individuo, sino como perteneciente a una clase bien determinada (exactamente su condición de esclavo de Anfitrión, que, por lo demás, es el dato que, al parecer, Mercurio está más interesado en negar). De tal suerte, Sosia representa el tipo de siervo fanfarrón que, tras su exhibicionismo petulante, esconde o, mejor, evidencia su bellaquería. Luego, súbitamente, se le atribuye un efecto, no ya sólo de realidad, también de verdad, cuando se le hace narrar la batalla sostenida contra los tebanos en un lenguaje de tono épico que combina la tradición de los mensajeros dramáticos con la exaltación de los valores canónicos romanos de la generosidad, la valentía, la clemencia.

Después, los primeros contactos con Mercurio se acompasan con la representación de una magna metáfora, mediante la cual la violencia física –primero, como amenaza solamente, efectiva después–, ejercida contra Sosia, asume un valor no tanto en sí misma, sino como símbolo de agresión a su individualidad. El evidente miedo de Sosia despierta en Mercurio las ganas de «tomarle el pelo», mediante la exhibición de su fuerza física; el juego se prolonga largamente hasta el momento en que, al manifestar Sosia la intención de entrar en «su» casa, le proporciona a su interlocutor un buen pretexto para pegarle. Por ese procedimiento consigue una inmediata aquiescencia (Sosia declara inmediatamente llamarse «como tú quieras», y está definitivamente dispuesto a desmentir cuanto había declarado a propósito de sus datos personales, admitiendo que había sido un error, «He dicho que era "socio" de Anfitrión»), aunque no es ésta la más esencial de sus derrotas y renuncias;

más lo será la que, poco después, supondrá que sucumba a las razones de su adversario y no a su violencia.

SOSIA: Maldición, ¿acaso no soy yo Sosia, el esclavo de Anfitrión? ¿Es que no ha llegado esta noche nuestra nave del Golfo Pérsico conmigo dentro? ¿No me ha enviado aquí mi amo? ¿No estoy delante de nuestra casa? ¿Tengo o no tengo un farol en la mano? ¿No estoy hablando? ¿Es que no estoy despierto? ¿Acaso no me ha pegado este hombre una buena tanda de puñetazos? ¡Claro que lo ha hecho, pobre de mí, sin duda alguna! Todavía me duelen las mandíbulas. Y entonces, ¿por qué dudo?, ¿por qué no entro en nuestra casa?

MERCURIO: ¿En *vuestra* casa?

SOSIA: Naturalmente

MERCURIO: No has dicho más que una sarta de mentiras. Yo soy Sosia, esclavo de Anfitrión; nuestra nave ha llegado esta noche procedente del Golfo Pérsico. Hemos asaltado la ciudad de Pterelao; hemos derrotado a las legiones teléboas y ha sido Anfitrión quien ha matado con sus propias manos al rey Pterelao.

SOSIA: No doy crédito a mis oídos, cuando dice todo esto. Sin duda alguna conoce perfectamente todo lo que ha pasado allí. Está bien, dime: ¿qué regalo le han hecho los teléboes a Anfitrión?

MERCURIO: La copa de oro en que bebía el rey Pterelao.

SOSIA: ¡No te digo! ¿Y dónde está ahora la copa?

MERCURIO: En un cofrecillo sellado con el sello de Anfitrión.

SOSIA: ¿Y qué hay en ese sello?

MERCURIO: El sol naciente con su carro. ¿Me estás examinando, sinvergüenza?

SOSIA: Me ha convencido con todas las pruebas, tendré que buscarme otro nombre. No sé cómo ha podido ver todas estas cosas, pero ahora mismo me lo cargo. Porque esto lo he hecho yo solito en la tienda, sin que nadie me viera ¡No podrá contestarme! Si tú eres Sosia, ¿qué hacías en la tienda en lo más encarnizado del combate? Si me lo dices, me doy por vencido.

MERCURIO: Me llené una botella de un tonel de vino que había allí.

SOSIA: Está bien encaminado.

MERCURIO: Y trasegué a mi estómago aquel vino, tan puro como había salido del vientre de su madre.

SOSIA: Eso es exactamente lo que hice, me bebí una botella de vino puro. ¿A ver si estaba éste metido dentro de la botella...?

MERCURIO: ¿Y qué? ¿Te he demostrado o no que no eres Sosia?

SOSIA: ¿Quieres decir que yo no soy yo?

MERCURIO: ¡Cómo no voy a decirlo, si yo soy el que soy yo¡

SOSIA: Pues yo te juro por Júpiter que yo soy el que soy yo, y que te digo la verdad.

MERCURIO: Pues yo te juro por Mercurio que Júpiter no te cree y que me cree mucho más a mí, sin tener que jurar, que a ti bajo juramento.

SOSIA: ¿Y, si no soy Sosia, quién soy entonces? Haz el favor de decírmelo.

MERCURIO: Cuando yo me canse de ser Sosia, tú podrás serlo si quieres. Pero ahora lo soy yo, mi querido innominado, así que lárgate con viento fresco.

SOSIA: Cuanto más lo miro, más veo en él mi propio aspecto, tal y como soy y tal como me veo en el espejo; es idéntico. ¡El mismo pelo y la misma ropa; la misma pierna; el mismo pie; la misma estatura; los mismos pelos; los mismos ojos; la misma nariz; la misma boca; las mismas mejillas; la misma barbilla; la misma barba; el mismo cuello, todo! No hay más que hablar: si tiene la espalda llena de moratones, no hay nada en el mundo con un parecido mayor. Pero, por otra parte, cuanto más lo pienso, más me parece que yo soy el mismo que he sido siempre. Conozco al amo, conozco la casa; puedo pensar y puedo tomar decisiones. Me importa un pito lo que pueda decir este tipo: yo paso por la puerta.

MERCURIO: ¿A dónde crees que vas?

SOSIA: A casa.

MERCURIO: Ni aunque intentases escapar de aquí en el carro de Júpiter, podrías librarte de la paliza que te voy a dar.

SOSIA: ¿No puedo darle a mi ama el recado de mi amo?

MERCURIO: A tu ama le puedes decir todo lo que quieras, pero a la mía ni te acerques. Y si me sigues molestando, te va a caer encima una paliza de padre y muy señor mío.

SOSIA: Será mejor que me vaya. ¡Oh, dioses inmortales, os lo ruego! ¿Dónde me he perdido? ¿Dónde he sido cambiado? ¿Dónde he perdido mi aspecto? ¿Me habré olvidado de mí mismo y me habré dejado allí, en la guerra? Este tipo tiene todo mi aspecto. Me ha pasado, estando vivo, lo que a todo el mundo le pasa cuando se muere. Me iré al puerto y le contaré al amo todo lo que me ha pasado, en caso de que me reconozca. ¡Aunque, ojalá sea así; en ese caso, me afeitaré la cabeza y me pondré el gorro de los libertos!

(vv. 403-462)

Para tranquilizarse, Sosia se recuerda a sí mismo las experiencias más recientes, reforzándolas con la innegable actualidad de las sensaciones físicas, y muy especialmente el puñetazo que le ha dado Mercurio cuando lo expropiaba de su identidad, que, paradójicamente, debería funcionar como control decisivo de la identidad misma.

Pero el dios omnisciente se apodera enseguida del pasado de Sosia y lo completa con detalles que le quitan la propiedad exclusiva de los recuerdos; no le queda otro recurso que acudir a una especie de autocertificación, sin fundamento, o, peor todavía, fundamentada en los mismos dioses que se están burlando de él («Yo te juro por Mercurio que Júpiter no te cree»; en intervenciones como ésta, a la comicidad producida por la crisis de la razón se superpone la comicidad generada por la solidaridad con la violencia del engaño).

Tras el bastión del conocimiento exclusivo, cede también el de la imposibilidad de confusión del aspecto físico; sólo entonces, Sosia mira cuidadosamente a su interlocutor, detalle a detalle, y en la parcialidad analítica de la descripción, se turba a sí mismo[6]. Las preguntas que se acumulan al final de la escena reproducen, y no casualmente, la angustia paralizadora de los héroes trágicos cuando son privados de sus valores esenciales[7].

Poco antes, sin embargo, Sosia había tenido un último y conmovedor impulso de rebeldía, la invocación de los signos, ahora ya sólo subjetivos, de la racionalidad («Conozco al amo, conozco la casa; puedo pensar y puedo tomar decisiones»), es un gesto comparable al rechazo del caos que ya hemos visto en *Esperando a Godot.*

13. La representación del doble puede prescindir de la especularidad somática y mover a risa, en cambio, mediante la homologación de personas distintas mediante la superposición de experiencias determinadas por estructuras culturales, no naturales.

Un ejemplo entre todos es el relato *Iguales* de Pirandello, que arranca con un *incipit* sumamente elocuente al respecto:

> Bartolo Barbi y Guido Pagliocco, que habían aprobado al mismo tiempo las oposiciones a vicesecretario del Ministerio de Obras Públicas, y que después ascendieron, también juntos, a secretarios de tercera, luego a secretarios de segunda y, más tarde, a secretarios de primera cla-

---

[6] En otras ocasiones la negación de la identidad física puede implicar, junto a la diferenciación racional, a la unicidad inconfundible que se asocia a la elección amorosa y que procede de la totalización del detalle: es el caso irónico y picante del relato de Maupassant, *La ventana*, en el que el privilegiadísimo conocimiento del cuerpo que tiene el amante no le impide caer en un equívoco desastroso. Prometido a una dama que lo mantiene a distancia y a prueba, el narrador mantiene una apasionada relación sexual con la doncella de esa misma dama; un día la ve y «reconoce» su figura de espaldas: «Me acerqué tan despacio que la muchacha no oyó nada. Me arrodillé; cogí con mil cuidados el borde de su leve falda, y, bruscamente, lo levanté. Reconocí enseguida, llena, fresca, redonda y suave, la cara secreta de mi amante, y le di, ¡perdone usted, señora mía!, le di un beso tiernísimo, el beso de un amante que puede permitírselo todo.

Me extrañó de súbito que oliera a verbena. Pero no tuve tiempo para pensar en ello. Recibí un golpetazo, más bien un empujón en la cara que estuvo a punto de romperme la nariz. Oí un grito que me puso los pelos de punta. La persona se había vuelto: ¡era la señora de Jadelle!

[7] Véase más arriba, p. 45.

se, al cabo de tantos años de vida en común, se habían hecho amigos indivisibles.

El fundamento de la homologación es el trabajo común, en el marco de la burocracia de la administración, en donde los ascensos tienen lugar por antigüedad en el servicio y donde, por ello mismo, los factores de movilidad reafirman el inmovilismo, quedando vacíos de todo matiz innovador ya sea por su absoluta previsibilidad o por el hecho de mantener idénticas las posiciones relativas. El resultado es que las diferencias personales quedan absorbidas en la identidad de las funciones y de las categorías. Al leer estos renglones se viene a la mente la fúnebre inmovilidad de la burocracia zarista, que es el humus indispensable para la creación dostoyevskiana de *El doble*.

Esta indiferenciación se extiende, como un contagio imparable, a la vida privada, empezando por la usurpación, a través de un conjunto de hábitos compartidos, del nombre «amistad». De los hábitos de la oficina se pasa, de hecho, a las actividades de ocio, a los gustos, y, finalmente, a las opciones vitales más importantes. Y aquí, en este aspecto concreto, la interferencia de la esfera pública se hace presente con todo su peso, pues es el superior jerárquico y su mujer quienes determinan con quien deben casarse los dos funcionarios, que se avienen a ello con la conformidad que les ha impuesto la costumbre. Las elegidas, naturalmente, son también dos íntimas amigas «también ellas indivisibles entre sí», y se hace énfasis, aunque sólo sea para acabar resolviéndola en homenaje a odiosas reglas de respetabilidad, en la diferencia entre sus dotes.

En la rutina prolongada y extendida a las mujeres, se da, sin embargo, un factor de movimiento, si bien sólo aparente, pues, como los ascensos, deja incólumes las relaciones recíprocas. Las dos señoras se encaprichan, cada una de ellas, del cuñado de la otra. La simetría se rompe –sólo en apariencia, pues de hecho queda con ello sustancialmente reforzada– con las confidencias por las que cada uno de los maridos se entera únicamente de la conducta inapropiada del hermano, y, con ello, del riesgo de infidelidad que corre el amigo, mientras ignora cuanto a él le incumbe[8].

Pocos días más tarde, los dos amigos volvían a coincidir, como siempre, en la idea de alejar de casa a sus hermanos, con la excusa de

---

[8] Una diferencia semejante, imaginada y deseada, no real, constituye el único motivo propiamente cómico de *Così fan tutte* de Mozart, en donde dos oficiales, por una apuesta, tratan de seducir a la novia del otro. Por lo demás, la ópera aborda con auténtico *pathos* el prejuicio o ilusión de la unicidad exclusiva del amor.

que –¡tan jóvenes, ya se sabe!– no dejaban de dar trabajo y crear obligaciones, limitando, por tanto, la libertad de sus respectivas esposas.

«¿Es cierto eso, Giulia?», preguntó Barbi a la suya, en presencia de Pagliocco.

Y Giulia, bajando los ojos, dijo que sí.

«¿Es cierto eso, Gemma?», preguntó Pagliocco a la suya, en presencia de Barbi.

Y Gemma, bajando los ojos, dijo que sí.

«¡Pobre Pagliocco!», pensaba, mientras, Barbi.

«¡Pobre Barbi!», pensaba Pagliocco.

14. La ilimitada posibilidad de superponer situaciones, personas, ambientes, y la subsiguiente contingencia del juego de equívocos, está tan extendida en la literatura que se hace innecesario extenderse en la mención de muchos ejemplos. Baste recordar que en ello está el núcleo generador de un intento de género literario, el *vaudeville*, que describe el mundo como un baile enloquecido de apariencias y cambios.

Nos parece peculiar, en cambio, la indefinición del espacio, que se hace evidente en el cuento *Perdidos*, de Chejov, donde las fronteras de identidad determinadas por la naturaleza física y simbólica de los lugares vacilan.

Una noche, un abogado vuelve muy tarde a la casa, en que pasa las vacaciones, viene acompañado de un colega al que ha invitado y al que ha hecho la apología las delicias de la intimidad conyugal[9]. Cuando aparentemente han llegado a su destino, no encuentran el menor signo de bienvenida. El protagonista intenta, al principio, enmarcar lo extraño de la situación como una forma más de aquella misma intimidad encomiada (la esposa no les habría abierto por gastarles una broma, todo lo más por despecho infantil); intentan, de todos modos, entrar en aquel espacio que los rechaza, pero el resultado es nefasto pues acaban metidos en un gallinero en medio del revuelo de las gallinas despertadas. Hay, entonces, una primera renuncia a la individualidad de la ubicación:

> ¡Buena la he hecho! Todas estas casitas son idénticas, ¡ni el mismo demonio las distinguiría en la oscuridad!

Y, tras la mitología del matrimonio, también la de la amistad se enfanga en las arenas movedizas de la desconocido propiedad, mucho más perturbadora cuanto más aparece como conocida.

---

[9] Para la mitología familiar en Chejov, véanse, más arriba, pp. 106-110.

«¡Cómo es posible que no conozcas ni tu misma casa! No lo entiendo —salta Laiev—. ¡Tienes que estar como una cuba!... Si hubiera sabido que iba a pasar esto, por nada del mundo hubiera venido contigo. Estaría ahora en casa durmiendo tranquilamente, y no sufriendo esta tortura...»

Finalmente cuando el protagonista es atacado por los dueños del gallinero que le echan en cara los daños producidos por la invasión, se abre paso la *pointe* narrativa: no se ha confundido la casa, sino de pueblo:

«Hace cinco años que paso el verano en Ghnilìe Vìselki.»
«¡Anda! ¿Y es esto Vìselki? Esto es Chìlovo, Ghnilìe Vìselki queda más a la derecha, detrás de la fábrica de fósforos, a unas cuatro verstas de aquí.»

La situación adquiere fuerza y sentido, pues, no ya sólo por la colisión con las más experimentadas certidumbres de la familiaridad, sino por la incontrolable prolongación del universo indiferenciado.

15. Veamos finalmente la repetición que pone en crisis la serialidad de los acontecimientos que, acompasados en la progresión lineal del tiempo, constituyen la vida de una persona.

Ejemplo literario clásico es el *topos* de las pasiones suscitadas, una tras otra, en una serie potencialmente infinita, por la belleza femenina indefensa. El *topos* se fija ya en las novelas griegas, y es principal responsable de la sensación de monotonía que suscita.

En la historia de Alatiel de Boccaccio (VII, jornada II) este esquema se hace cómico por la precisión del relato que abrevia al máximo la mediación entre los distintos episodios: la bellísima hija del sultán de Babilonia, es enviada al Algarbe para casarse con su rey; en el viaje padece un terrible naufragio del que sólo se salva ella, tras lo cual le sucede una larga serie de aventuras, todas tempestuosas y todas iguales: todos los hombres con que se encuentra están dispuestos a las mayores violencias para conquistarla y no se detienen ni ante los asesinatos más infames. Una y otra vez, Alatiel se atormenta con las aventuras en que se ve envuelta, pero no por ello deja de hacerse consolar por el siguiente amante que se apodera de ella: el placer sexual, gozado con indiferencia afectiva con cada nuevo compañero, se renueva también idéntico para Alatiel, como clave representativa de sus monótonas aventuras y en una suerte de anulación grotesca y enajenada de las voces, es decir, de los sentimientos; efectivamente, Alatiel «durante varios años había tenido que vivir casi sorda y muda por no haber entendido a nadie ni ser ella entendida por nadie».

La aventura, como la belleza extraordinaria y como el enamoramiento a primera vista, es sin duda un hecho excepcional; si se convierte en rutina, sólo conserva la forma codificada de lo excepcional. En vez de adaptarse a ello, como en la novela griega, Boccaccio utiliza estratégicamente esta contradicción, haciendo contrastar golpes de escena e imprevistos.

Y, así, el relato se cierra con un vuelco que subvierte irónicamente el proceso previo: Alatiel encuentra en Chipre a un cortesano de su padre, Antigono, que la convence de que regrese a su patria y de que le relate al sultán una versión muy distinta de sus aventuras, según la cual, tras el naufragio de la nave, habría sido acogida en un monasterio, y habría permanecido allí hasta que la madre abadesa, apiadada de su largo exilio, la habría confiado a un grupo de devotos en peregrinación a Tierra Santa, que la acompañaran hasta su patria. Repitiendo, entonces, el exordio del relato, Alatiel emprende, entonces, un nuevo viaje por mar para ir a casarse con el rey del Algarbe:

> Y ella, que con ocho hombres tal vez unas diez mil veces se había acostado se acostó a su lado como doncella y le hizo creer que lo era; y luego vivió muchos tiempo con él felizmente como reina. Y por eso se dice: «Boca besada no pierde ventura, es más, se renueva como hace la luna».

La virginidad sobrevalorada es un valor análogo en el cuento que Alatiel inventa para la credulidad de su padre y que manteniendo su mismo ritmo subvierte los contenidos de la otra historia en su contrario exacto: substituye la frenética sucesión de encuentros sexuales por la abstinencia; el continuo viajar, por una estancia prolongada. La monótona sucesión de aventuras, que, con un idéntico esquema, le suceden a Alatiel en tierras desconocidas, se corresponde perfectamente con los días, siempre iguales, que, en la invención narrativa que sustituye a la realidad, vive la joven en lugar sagrado.

16. Un caso marginal de comicidad en relación con la crisis de identidad es el que afecta no ya al individuo sino a la especie humana, cuando se extienden a los animales las prerrogativas que aquella tiene como exclusivas. De esta comicidad queda excluido todo rasgo inquietante, en la medida en que tal eventualidad queda neutralizada por la simpatía hacia los animales y a menudo también por cierta misantropía o planteamiento polémico escondido en ella.

En *Papeles póstumos del club Pickwick*, por ejemplo, un simpático fanfarrón cuenta:

> Un perro mío, una vez... *Pointer*... sorprendente instinto... salí de caza un día... nos metimos en un vedado... silbé... parado el perro... silbé otra vez... *Ponto*... nada sin moverse... como una piedra... le llamé: *Ponto, Ponto*; no se movió... petrificdo... mirando a un cartel... miré hacia arriba, vi una inscripción... «El guarda tiene orden de matar a todos los perros que encuentre dentro del coto»... no quería pasar... maravilloso perro... valioso perro aquél... mucho.
>
> (cap. II)

En *Los huevos fatales* de Bulgakov un científico excéntrico, que acaba de hacer un descubrimiento sorprendente, siente la necesidad de contarlo:

> Lívido e inspirado, Pésikov se dio la vuelta, abrió las piernas y se puso a hablar mirando fijamente hacia el suelo con los ojos bañados en lágrimas...   .
> «Pues bien... Es monstruoso...»
> «Es monstruoso, señores», repitió, dirigiéndose a los sapos del terrario.
> Pero los sapos estaban dormidos y no le respondieron nada.
>
> (*La espiral roja*)

Lo cómico opera por sorpresa, trastornando con la normalización del diálogo absurdo (si los sapos no hubieran estado atontados, habrían contestado) la que parecía la sátira de un enloquecido intento de interpelar al vacío.

17. La invención de una utopía supone a menudo un forzamiento del sistema lógico y siempre el de sus aplicaciones en la práctica, con el consiguiente acceso a una libertad teóricamente absoluta: lo cómico se coloca en las fricciones entre este concepto y el resurgimiento, como inesperados manantiales, de cánones y razonables obligaciones.

Son muchos, y muy distintos, los casos que de ello nos ofrece Rabelais, empezando por el cuento de las maravillas que se encuentran en el País de la Seda, donde Pantagruel y sus compañeros se detienen, en el curso de su viaje al oráculo de la sacerdotisa Bacbuc:

> Allí vi la piel del asno de oro de Apuleyo.
> Allí vi trescientos nueve pelícanos, seis mil dieciséis aves seléucidas, que avanzaban en formación militar y devoraban saltamontes entre el

grano, y también cinamolgos, argátilos, caprimulcos, tinúnculos, croto-
narios, así como onocrótalos con sus grandes buches, estinfálidos, ar-
pías, panteras, licántropos, onocentauros, tigres, leopardos, gecas, ca-
melipardos, órix, dorcados, cemados, cinocéfalos, sátiros, cartazones,
tarandos, uros, alces, monopios, orófagos, cepias, neades, jerbos, cerco-
pitecos, bisontes, musimonios, bulurios, orfiones, surilugos, grufenos.
    Allí vi a doña Cuaresma a caballo y a las festividades de agosto y de
marzo que le tenían la brida.

(libro V, cap. XXIX)

Mueve a risa la contradicción entre la puntillosa minucia con que
se reproducen con sedicente precisión documental ciertos aspectos de
la «realidad» (trescientos nueve pelícanos, seis mil dieciséis pájaros se-
léucidas) y la larga lista fantástica, aunque no carente de intrusiones
realistas, de las especies animales, que concluye con la personificación
de la fiestas del calendario, concretas y grotescas como un desfile de
carnaval.
    Una de las representaciones más poéticas del *Gargantúa y Panta-
gruel* es la de las palabras heladas:

> Antífanes decía que era semejante la doctrina de Platón sobre las
> palabras, las cuales, en ciertos países, en lo más crudo del invierno,
> cuando son proferidas, se hielan, se cristalizan con el frío del aire, y ya
> no pueden ser oídas (...).
>   Sería entonces el momento de filosofar, e investigar si fuese el caso
> de que fuera éste el lugar en que esas palabras se deshielan.
>
> (libro IV, cap. LV)

Invención que se hace realidad, constriñendo la incorporeidad del
carácter fonético de las palabras a revestirse de la concreción de la materia y a asumir, así, los comportamientos propios de lo real concreto,
como el de helarse a temperaturas muy bajas.
    En otra ocasión es la figura etimológica la que genera una personi-
ficación surrealista, que, en cualquier caso, se apresura a autorizar con
una cita del pensamiento clásico:

> Allí los caminos son animales, si es cierta la sentencia de Aristóteles
> que afirma que es prueba indiscutibe de que un ser sea animado el que
> se mueva por sí mismo. Allí es un hecho que los caminos caminan
> como animales. Y unos son caminos errantes a semejanza de los plane-
> tas; otros, caminos que pasan, que cruzan, que atraviesan. Y vi, además,
> que a menudo los viajeros preguntaban a los habitantes del lugar:
>
>   «¿A dónde va este camino? ¿Y este otro a dónde va?»

Y se les respondía:

«De Midy a Faverolles... A la Parroquia... A la ciudad... Al río.»
De tal suerte, que confiándose al camino adecuado, sin más cuita
ni fatiga se encontraban en el lugar de destino, tal y como acaece, ya sabéis, a quienes, para ir de Lión a Aviñón, se embarcan por el Ródano.

(libro V, cap. XXV)

18. *Las aventuras del barón de Munchausen* de Raspe están articuladas todas ellas en el registro de la hipérbole grotesca, se trata de procesos
imposibles que se tensan continuamente en el tono plano del relato y en
el enloquecimiento mismo de los prodigios, que son redimensionados y
se vuelven a situar en la cotidianeidad. Recordemos alguno del chispeante principio: el caballo del barón que acaba colgado de la veleta de la to-
rre de un pueblo que había estado sepultado en la nieve; el general que
no se emborracha nunca, aun bebiendo muchísimo, porque tiene una
placa de plata en la cabeza que hace que se le evapore el alcohol; los patos
matados de un tiro disparado dándose un puñetazo en el ojo en sustitu-
ción del pedernal; los patos capturados en serie por un único pedazo de
tocino que atraviesa, uno tras otro, sus cuerpos; las perdices ensartadas
con el mismo sistema poniendo en lugar de plomo una baqueta; la zorra
que sale de su piel bajo los fustazos del barón; la jabalina ciega que se
deja cazar siguiendo la cola de su hijo, al que se le había cortado; el ciervo
al que se le habían arrojado huesos de cereza, en vez de perdigones, al que
le sale entre los cuernos un cerezo; el oso reventado por el choque de dos
piedras introducidas por dos orificios distintos; el lobo al que se le ha
dado la vuelta como un guante metiéndole el puño en las fauces; la capa
que, habiéndose contaminado de hidrofobia por haber sido mordida por
un perro, destruye a las otras ropas; la liebre que escapa de sus persegui-
dores por el hecho de tener cuatro patas de repuesto bajo la espalda. Podemos detenernos aquí, salvo para citar un retorno exacto del tema rabe-
laisiano de los sonidos congelados.

El aspecto más evidentemente cómico está en la afirmación sistemática de que todo ello es verídico, lo que alcanza su momento más extremado en un intento sosegado de establecer un canon de verdad, es
decir, un contradictorio límite a la propia fantasía surrealista que genera el relato, disponiendo más allá y más acá de este límite hechos absolutamente homogéneos. En cierta ocasión en que se encontraba el va-
rón atacado por dos fieras, un cocodrilo y un león, sale del lance
porque cuando él cae desvanecido, el león que se había arrojado contra
él va a empotrarse exactamente en las fauces del cocodrilo. Una de las
no pocas funcionalizaciones de orden milagroso del espacio en una
concepción elástica y penetrable de los cuerpos.

208

Pero el barón protesta honestamente cuando se da una versión mitificada de esa misma aventura: el guarda del museo que conserva la piel embalsamada del cocodrilo

tiene la desfachatez de afirmar que el león saltó y atravesó al cocodrilo y que, en el momento mismo en que salía por detrás, el ilustrísimo e inmortal señor barón –como tiene por costumbre llamarme, movido por su entusiasta admiración– le cortó limpiamente la cabeza, cortando al mismo tiempo unos tres pies de la cola del cocodrilo. «El cocodrilo –añade– no se quedó indiferente ante la pérdida de su cola; se revolvió, arrancó el cuchillo de las manos del Barón y se lo tragó con tal furia que lo hizo pasar derecho, derecho, hasta que le atravesó el corazón y murió de súbito.»

Es inútil que les diga, señores, cuanto me disgusta la falta de pudor de ese bribón. En estos tiempos que nos ha tocado vivir de lamentable escepticismo, quienes no me conozcan pueden muy bien sentirse autorizados, tras oír tales mentiras, a poner en duda la veracidad de mis auténticas y aventuras reales, lo que agravia seriamente el carácter de un hombre de honor como yo.

(Aventuras del mar)

VII

Lo cómico contra la muerte

1. En relación con la muerte, la oportunidad más simple de lo cómico se da cuando el terror absoluto del acontecimiento se extiende a todo aquello que se relaciona con esa misma muerte, es decir, con los espacios funerarios; los ambientes luctuosos; las consejas sobre apariciones de fantasmas; etcétera, que desencadenan miedos elementales y no controlables, supersticiones, en parte elaboradas por la colectividad, en parte fruto de las neurosis individuales.

El *Decamerón* ofrece numerosos ejemplos de estos miedos: es célebre el de Andreuccio de Perugia (Jornada II, narración V) que, obligado por dos ladrones a bajar al sepulcro de mármol del arzobispo de Nápoles, recién enterrado con todas sus alhajas, es encerrado con el muerto por esos mismos ladrones, que se han quedado fuera de la tumba, cuando se dan cuenta de que Andreuccio quiere quedarse con la joya más valiosa. La desesperación de Andreuccio, en el momento en que la pesada losa de mármol se cierra por encima de su cabeza, está representada en términos trágicos:

> Intentó varias veces con la cabeza y con los hombros ver si podía levantar la tapa, pero se esforzaba en vano; por lo que, vencido por un gran dolor, se desvaneció y cayó sobre el cuerpo muerto del arzobispo; y quien entonces los hubiese visto difícilmente habría sabido quién estaba más muerto, si el arzobispo o él.

El terror que paraliza el cuerpo de Andreuccio, dejándolo desmayado e inconsciente en el fondo de la tumba, es, no obstante, conciencia clara de riesgos precisos y exactamente determinados, hasta en la forma racional del dilema, que parece excluir toda posibilidad de supervivencia: o morir de asfixia y de hambre, o ser sorprendido en la tumba y ser ahorcado como profanador.

Lo cómico se introduce en la narración mediante una figura de duplicación. Desde el interior de la tumba, Andreuccio oye a unos hombres que, como él mismo había hecho poco antes, discuten sobre quien será el que entre en el sepulcro de mármol. Finalmente, haciendo ostentación de seguridad despectiva y de capacidad de argumentación racional («¿Qué miedo tenéis? ¿Creéis que os va a comer? Los muertos no se comen a los hombres; yo entraré dentro»), un cura empieza a meterse en la tumba. Mucho más, por ello, moverá a la risa el terror que le sobreviene cuando siente que algo le aferra los pies; no otro que Andreuccio, quien, en súbita iluminación ha visto la ocasión de salvarse.

> El cura al sentirlo, lanzó un grito enorme y se salió enseguida del sarcófago; por lo que todos los demás, asustados, dejando el sarcófago abierto, se dieron a la fuga como si cien mil diablos les persiguiesen.

Queda, así, precipitadamente abandonada una racionalidad sólo aparente e instrumental, que el equívoco producido sitúa en irremediable inferioridad respecto de la superstición.

El relato de Chejov, *Una noche terrible*, establece, contando también con la ayuda de una nominación alusiva al mundo funerario, un ambiente angustioso y lleno de misterio. Un hombre que vuelve a casa una noche de tormenta se encuentra, al llegar, con la sorpresa de un ataúd. No tiene ni idea de para quién pueda ser y lo toma como una señal, como un presagio funesto. Busca refugio en casa de un amigo ausente, pero allí encuentra otro ataúd. Piensa entonces que debe tratarse de una alucinación, de una «feretromanía»; aunque enseguida le confirma el carácter objetivo de la visión otro conocido que ha tenido la misma experiencia. Este sacar la angustia de la dimensión subjetiva lleva la tensión al máximo, pero también conduce a la solución; juntos encuentran valor para mirar dentro del ataúd y descubren no ya un cadáver sino un papel con una nota escrita que resuelve el dilema entre simbolismo y funcionalidad del ataúd, dándole un tercer sentido: su valor comercial:

> Mi querido Pogostov, como sabrás, los negocios de mi suegro se han ido desgraciadamente al garete. Él se ha empeñado hasta las cejas y mañana o pasado mañana se presentarán a embargar sus bienes, lo que arruinará definitivamente a su familia, y a la mía. Nuestro honor, que es lo que más valoro en este mundo, quedará por los suelos. En el consejo de familia que tuvimos ayer decidimos esconder todo lo que tuviéramos de valor o nos fuera especialmente querido. Como todas las propiedades de mi suegro son féretros (como sabes, él es fabricante de artículos fúnebres, el mejor de la ciudad) hemos resuelto esconder los

mejores. A ti me dirijo en tu condición de amigo: ¡ayúdame, salva nuestro patrimonio y nuestro honor!

En el cuento de Pirandello *El sombrero de Padua*, un comerciante conocido por su buen corazón se empeña en recuperar el sombrero que ha vendido al fiado a un compadre suyo, y que ha muerto repentinamente. El riesgo que tiene que afrontar es también el de la sugestión ambiental:

> El solemne vacío del interior sacro, su oscuridad, le turbaron tan hondamente que estuvo a punto de decidirse y pedirle al sacristán que lo sacara de allí. Pero consiguió contenerse.

El deseo de realizar su beneficio –por ajustarse a la ideología social, más que por el beneficio mismo– le da fuerza para controlar su miedo; pero ese autocontrol se hace inmediatamente inútil cuando se ve metido en una zarabanda desencadenada por el mismo deseo y por la misma ideología. En la oscuridad, la iglesia está poblada por otras personas que se han propuesto saquear al muerto, quien, en realidad sólo ha fingido estar muerto, en la esperanza de hacerse pagar las deudas.

La disolución del ambiente fúnebre acaba, por tanto, en el restablecimiento de las relaciones de poder en la vida cotidiana, y para la causa del «muerto» acreedor en su enésima frustración, una frustración que supera incluso el hecho de la injusticia: «¿Muerto?, preferiría estarlo con tal de no ver vuestra avaricia miserable».

2. Una superstición clara se trasluce de un momento peculiar de *El enfermo imaginario*, la más vasta y decidida arquitectura que el género cómico haya elevado en defensa de la muerte, de lo cual la muerte se venga con grotesca exactitud, arrancando en la vida de Molière la delgada bisagra que articula la invención teatral y la vida.

Antonia, la criada, induce al protagonista a comprobar la solidez de las relaciones familiares fingiéndose muerto; así se dará cuenta de cuanto le quiere su rebelde hija Angélica y de cuánto y cuán perversamente interesada en desembarazarse de él está su idolatrada esposa Belina. Argán se presta al experimento únicamente para convencer a su hermano Beraldo, hostil a Belina; pero no sin cierto recelo: «¿Y no será peligroso fingirse muerto?»[1] (a. III, esc. XVII).

---

[1] Las culturas modernas, la nuestra como la del siglo XVII, seguramente se ríen de esta pregunta; no puede decirse lo mismo de aquellas culturas que no han resuelto totalmente sus lazos con una concepción mágica de la palabra. Sucede así también en la tragedia griega: ya sea Menelao en la *Helena* de Eurípides, ya sea Orestes en la *Electra* de Sófocles,

En tanto que «imaginaria», la enfermedad de Argán tiene que ver con los miedos inmotivados: el aspecto fóbico queda anunciado al principio en el ansia y en la angustia indefensa con que Argán se queja de que lo hayan dejado solo:

> No hay nadie. Ya puedo hablar, ya... que siempre me dejan solo. No hay manera de hacerlos estar aquí. (*Toca la campanilla que hay encima de la mesa.*) No me oyen; esta campanilla no suena lo suficiente.

En la última frase, lo neurótico contagia irresistiblemente la objetualidad de la realidad.

Cuando Argán suscita la ira omnipotente del médico por no haber seguido una prescripción, se pone en escena una magna figuración del terror:

> PURGÓN: Pero si no queréis que os cure...
> ARGÁN: ¡Yo no tengo la culpa!
> PURGÓN: Si os substraéis a la obediencia debida a vuestro médico...
> ANTONIA: ¡Venganza, venganza!
> PURGÓN: Si os declaráis en rebelión frente a los remedios que os prescribo...
> ARGÁN: ¡Pero no, de ninguna manera!
> PURGÓN: No puedo deciros sino que os abandono a vuestra calamitosa constitución, a los desórdenes de vuestras vísceras, a la corrupción de vuestra sangre, a la acidez de vuestra bilis, a la morbosa densidad de vuestros humores...
> ANTONIA: ¡Bien hecho! ¡Bien hecho!
> ARGÁN: ¡Ay, Dios mío!
> PURGÓN: Y tened la seguridad de que antes de cuatro días seréis absolutamente incurable...
> ARGÁN: ¡Misericordia!
> PURGÓN: Habréis caído en la bradipepsia...
> ARGÁN: ¡Señor Purgón!
> PURGÓN: De la bradipepsia en la dispepsia...
> ARGÁN: ¡Señor Purgón!
> PURGÓN: De la dispepsia en la apepsia...
> ARGÁN: ¡Señor Purgón!

conjuran con cierta incomodidad la tarea de pasarse por muertos, tarea que es esencial para sus proyectos. Así se expresa Menelao: «Mal presagio es ese, pero si en ello gano, no tengo inconveniente en morir de palabra, estando de hecho vivo» (vv. 1051-2). También Orestes experimenta la necesidad de explicitar el acto de tranquilizarse: «¿Por qué ha de inquietarme esto cuando, muerto de palabra, estoy de hecho vivo y voy a obtener fama con ello» (vv. 59-60).

PURGÓN: De la apepsia en la lientería...
ARGÁN: ¡Señor Purgón!
PURGÓN: De la lientería en la disentería...
ARGÁN: ¡Señor Purgón!
PURGÓN: De la disentería en la hidropesía...
ARGÁN: ¡Gracia, señor Purgón, gracia!
PURGÓN: De la hidropesía en la privación de la vida, hasta ahí os habrá llevado vuestra locura.

(a. III, esc. VI)

El pronóstico asume el aspecto, también formal, de la condena y de la maldición, y el uso de la terminología técnica (en la que, para Molière, se agota todo el saber médico) se convierte en el ejercicio arbitrario del terror como forma de poder, muy alejado de toda consideración realista del riesgo. Lo cómico queda acentuado por el papel de la criada sabia que aquí da pie al médico, viendo en ello la ocasión de romper el vínculo perverso establecido entre el falso enfermo y el que, en opinión de Molière, es también un falso médico.

A la desesperación de Argán responde el buen sentido de Beraldo:

Pensad que los principios de vuestra vida están en vos mismo, y que los furores del señor Purgón son tan poco eficaces para haceros morir como sus remedios para haceros vivir.

(a. III, esc. VII)

En esta equivalencia racional podemos ver una formulación del equilibrio representativo que es fundamental en la comedia: la teoría de Beraldo es inaceptable para Argán porque no sirve para disipar su infundado miedo a morir, sin destruir al mismo tiempo el deseo de vivir, que se corresponde con ese mismo miedo y que es también absoluto, definiendo, así, el deseo inmortalidad. Por lo demás, no podría ser de otra manera, pues un miedo inmotivado remite, como fundamento único, a la condición universal de mortal, definitoria del género humano.

En la discusión entre los dos hermanos, que constituye el núcleo serio de la comedia (a. III, esc. III), Beraldo hace uso de una mayor sabiduría y delicadeza, se refiere a la naturaleza como a la autoridad y al poder que va más allá de la charlatanería de los médicos, exalta insistentemente la capacidad natural de recuperación que hace posible la solución espontánea y fisiológica de las enfermedades, sin aludir en ningún momento a la solución final, igualmente natural, que aguarda a todos los hombres. Y es que nombrar la muerte sólo como consecuencia lógica de la aplicación de los remedios, y no de las enfermedades, surte el efecto de hacer más evidente la operación de censura, y, en consecuencia, la fragilidad de la persona que hace necesaria tal operación.

Para Argán, en cambio, la medicina –y la enfermedad a ella necesariamente ligada en una relación funcional– representa una racionalización estipulada por el deseo de inmortalidad y reproduce un espacio protector originario.

Baste considerar al respecto la fuerza evocadora y fundacional del *incipit*, cuando Argán es sorprendido en el acto de examinar las cuentas del boticario:

> El día 24, un pequeño clister insinuativo, preparativo y emoliente, para ablandar, humectar y refrescar las vísceras del señor.

Quizá sólo en Aristófanes hayamos encontrado tan voluptuosa descomposición del discurso como para reclamar una identificación independiente del contexto. El hecho de que el interlocutor de este discurso sea el boticario –figura intermedia en la escala vertical que separa al médico del enfermo– le supone a Argán la posibilidad de emparejar autoridad y familiaridad recuperando para sí cierta participación activa en el tratamiento. Al final de aquel proceso de la libido, en el que lo económico es sólo un pretexto, Argán se declara insatisfecho con el primero frente al ahorro hecho por el segundo, claro signo de la insaciabilidad infinita que marca la dimensión emotiva:

> Así pues, en este mes he tomado una, dos, tres, cuatro, cinco, seis, siete y ocho medicinas; y una, dos, tres, cuatro, cinco, seis, siete, ocho, nueve, diez, once y doce lavativas; y en el otro, doce medicinas y veinte lavativas. No me extraña que este mes no esté tan bien como el anterior.

Tampoco tiene que extrañarnos, ni siquiera a nosotros, que Argán reclame como privilegio su condición de enfermo, hasta el punto de que sería una imperdonable metedura de pata felicitarlo por su «buen aspecto»[2].

Con un valor totalizador, como otras ya analizadas en Molière, la manía médica es idónea también para reabsorber, como un aspecto

---

[2] Como hace Cleante, el aspirante a la mano de Angélica, a lo que Antonia, quien poco antes ha sido ásperamente reñida (por la aduladora Belina) por haber puesto en duda que su amo esté enfermo, replica negándolo con una ironía tan punzante que tiene la fuerza evidente de un desquite. Pero Argán no se da cuenta y asiente sin pestañear (a. II, esc. III).

particular más de su naturaleza, la ciega afección por la mujer, que no casualmente Beraldo pone en el mismo plano.

Belina, madre-enfermera más que esposa, es la encarnación del bienestar regresivo que Argán reclama ávidamente y del perverso trastorno que de ello se deriva para las relaciones sociales y familiares. En especial, el insensato propósito de Argán, que quiere dar a Angélica como esposa a un médico[3], asegura mediante el enlace amoroso una conexión eficaz, pero, además, genera por sí mismo, en una paradoja ulterior, la solución final del problema. Si Argán siente la necesidad de establecer relaciones más estrechas con los médicos para controlar y apoderarse de su sueño de inmortalidad, aún se puede llegar más allá: ningún control, ninguna posesión, será más segura que aquel en que deseo y posibilidad de realización del mismo coincidan en la misma persona, es decir, que el propio Argán se haga médico. Beraldo se prestará a organizar en forma de ballet, la ceremonia de licenciatura.

Convertida en totalmente autorreferencial, la defensa de la muerte conseguirá, a un tiempo, la omnipotencia y la impotencia, pues ya no habrá más obstáculos procedentes del mundo exterior, ya no habrá que esperar más ayudas. Una vez más se simula la condición infantil primera, la indiferenciación entre el yo y el mundo. La fingida ceremonia de licenciatura lleva al absurdo con tanta acidez las esperanzas de Argán que Angélica se pregunta si no estarán sobrepasando los límites en ese seguirle el juego, y Beraldo no puede contestar nada distinto de lo que tan a menudo ha servido para justificar las mayores violencias de lo cómico: «el carnaval permite esto y más».

3. Las oscuras relaciones que se establecen entre enfermedades imaginarias y enfermedades reales se analizan en *La conciencia de Zeno*. La compleja personalidad del protagonista de la novela se nos presenta siempre en un difícil equilibrio, sometida a modificaciones y ajustes, con el objeto de sortear fobias que a menudo giran en torno a la cuestión de la muerte. La selección precisamente de este término último de confrontación y de comprobación para los comportamientos sociales, para los sentimientos y para los deseos, hace de la novela de Svevo una obra inquietante y da peso e intensidad a sus movimientos cómicos, que quedan unificados por la función común de desmitificar el deseo de inmortalidad del protagonista.

En casa de Zeno se conocen un amigo suyo, Enrico Copler, y su suegro, Giovanni Malfenti, los dos enfermos, el uno de tisis y el otro de un tumor; los dos morirán pronto:

[3] Véase, más arriba, p. 85.

Entre dos enfermos pasamos una tarde alegrísima. Hablamos de sus enfermedades, lo que constituye la máxima diversión para un enfermo y resulta algo no demasiado triste para los sanos que le escuchan.
(cap. VI)

La pasión casi gozosa con que los dos enfermos, en la huella de Argán, hablan de su enfermedad está vista desde la actitud de superioridad que Zeno asume quedándose en seguro. La lítote «no demasiado triste» es una manera voluntariamente modesta de expresar la euforia de la invulnerabilidad.

Pero los territorios, en un principio, así contrapuestos entre buena y mala salud no quedan separados por mucho tiempo.

Copler nos habló de su enfermedad, que no producía dolor, pero restaba fuerzas. (...) Habló de las medicinas que le habían recetado, y entonces mi interés se avivó. Su médico le había aconsejado, entre otras cosas, un eficaz sistema para dormir profundamente sin tener que envenenarse con auténticos somníferos. ¡Esto era precisamente lo que yo necesitaba!

Mi pobre amigo, al percatarse de mi necesidad de medicinas, se ilusionó por un momento con la esperanza de que yo pudiera sufrir su misma enfermedad, y me aconsejó hacerme ver, auscultar y examinar.

Augusta se echó a reír de buena gana y dijo que yo no era sino un enfermo imaginario.

La introducción del concepto de enfermedad imaginaria sirve para resemantizar los espacios de la enfermedad y de la salud: los términos adquieren una acepción ambigua porque, referidos ambos a un estado que no es sólo físico ni sólo psíquico, cubren (y, por ello, ponen en peligro) estas dos dimensiones enteras en las que se manifiesta la vitalidad humana. Copler y Malfenti, precisamente defienden que la enfermedad imaginaria es la más grave:

Ante todo, un enfermo imaginario es una monstruosidad ridícula, y luego, para él no existen medicinas, mientras que la farmacia (...) tiene siempre algo eficaz para nosotros, los enfermos verdaderos.

Pero la envidia de salud que dejan entrever convierten en inanes sus ataques, como se apresura a poner de manifiesto Zeno, quien, irritado por los conatos de ridiculización y ataque a su neurosis, lanza un dardo cruel contra su suegro. Cuando le oye quejarse de no poder ya trabajar como antes, «en especial ahora que había logrado disminuir su barriga», reacciona con una alusión de hipócrita piedad, en la que prevalece el triunfalismo de quien no se siente expuesto a la perspectiva concreta de la muerte:

Ni siquiera sabía que su enflaquecimiento no era considerado como síntoma favorable.

Pero, Zeno cambiará de opinión a este respecto, cuando, al final de la novela, a una edad avanzada, descubra con alivio que puede librarse de las enfermedades imaginarias, para refugiarse en las patologías orgánicas.

Paoli analizó mi orina en presencia mía. La mezcla se coloreó de negro y Paoli se puso pensativo (...).
Quería volverme a ver al día siguiente después de haber analizado aquel líquido por polarización. Yo, entre tanto, me marché radiante, cargado de diabetes (...).
Yo amaba mi enfermedad. Recordé con simpatía al pobre Copler que prefería la enfermedad real a la imaginaria. Ahora estaba con él. La enfermedad era muy sencilla: bastaba dejarla hacer. En efecto, cuando leí en un libro de Medicina la descripción de mi enfermedad, descubrí en ella una especie de programa de vida (¡no de muerte!) en sus varios estadíos. Adiós propósitos: finalmente estaba libre de ellos. Todo seguiría su vida sin ninguna intervención por mi parte.

(cap. VIII)

Como en otras ocasiones[4], el alivio tiene su origen en la desresponsabilización, en el reconocerse sometidos a un determinismo biológico que amenaza las voluntades individuales y las arrastra con tal fuerza que hace que toda resistencia parezca inútil. Si el enfermo imaginario aparece como una especie de caballero andante luchando siempre contra los peligros que se oponen a su integridad, su sometimiento a una ley imperativa que lo exime del libre arbitrio y le permite abandonarse a una estrategia diferente de simulación y exorcización. Desde esta paz conquistada, Zeno dirige una mirada serena a la muerte, ese espantajo perseguidor, que ahora se le aparece, enmascarando la mueca de la enemiga, como una atractiva compañera del camino. La gratificación erótica sustituye, así, a las trampas frenéticas y a las tretas mal urdidas sobre los que había articulado las batallas antiguas:

Descubrí además que mi enfermedad era siempre, o casi siempre, muy dulce. El enfermo come y bebe mucho y no existen grandes sufri-

---

[4] Cfr., más arriba, pp. 69-70.

mientos si se procura evitar los bubones. Luego uno se muere en un dulcísimo coma.

Que el tema de la muerte como sirena sea el último engaño de Zeno se pone en evidencia a partir de la fricción entre el lenguaje lírico que imita las mitologías decadentes y la irreductible emergencia de los datos clínicos, en que se solidifica la fobia. Por lo demás, el idilio dura poco, porque el médico le informa enseguida de que el diagnóstico de diabetes carecía de base y de que no era más que un malestar pasajero.

no le dije que, ahora que la diabetes me había abandonado, me encontraba muy solo. No me hubiera creído.

En otras ocasiones, la convivencia con la enfermedad pasa por una infantil convicción de omnipotencia. Después de que lo abandona Carla, su joven amante, advierte una serie de trastornos que lo alarman.

Estaba mal, realmente mal. Cojeaba y luchaba además con una especie de ahogo. Yo suelo tener esos ahogos: respiro muy bien, pero me veo obligado a hacer una respiración tras otra a propósito. Tengo la sensación de que, si no estuviese atento, moriría ahogado.

(cap. VI)

La opresión angustiosa producida por la perdida sexual y afectiva se transforma en una sintomatología física, en una sensación de asfixia que, a su vez, desencadena imágenes de muerte. El miedo injustificado de Zeno suscita la risa, así como la prisa victimista que se da para desplazar a un plano incontrovertible el, naturalmente subjetivo, sufrimiento amoroso; mueve a risa, sobre todo, el convencimiento supersticioso de que la muerte pueda ser derrotada, a condición simplemente de que la intención y la voluntad tengan bajo control al organismo, obligándolo a respetar los ritmos vitales.

En *Los que caen*, Beckett ilustra la postura extrema en relación con la lucha contra la muerte mediante su característico recurso a lo grotesco. La enfermedad aparece como una condición de privación absoluta, que sólo permite al organismo una mera pervivencia vegetativa:

SEÑORA ROONEY: ¿Qué te pasa, Dan? ¿Te sientes mal?
ROONEY: ¡Pero bueno! ¿Me he sentido bien alguna vez? El día que me conociste debería de haber estado en la cama. El día que me pediste que me casara contigo, los médicos me habían desahuciado. ¿Lo sabías, no? La noche del día que te casaste conmigo, tuvo que venir una ambulancia. (...) No, no puedo decir que me sienta

bien. Ni siquiera peor. Más bien, me siento mejor, por una vez. La pérdida de la vista ha sido como un latigazo. Si pudiera quedarme sordo y mudo, me parece a mí que conseguiría tirar hasta los cien años.

La *pointe* cómica estriba en la asociación del máximo de vitalidad, en lo que a duración se refiere, con el mínimo, en cuanto a la densidad y riqueza. Como si la eliminación de todas las funciones accesorias y la reducción del organismo a su núcleo elemental fueran, por una parte, la manifestación de vitalismo más seguro, por básico precisamente; y, por otra parte, la garantía para derrotar a la muerte, en el convencimiento supersticioso, de que ésta, malignamente, habrá de dirigirse adonde la vitalidad se manifieste con mayor vigor y bullicio.

4. La figuración Shakespeariana de Falstaff presenta una ambivalencia semejante a la establecida entre salud y enfermedad, que acabamos de comentar, si bien más sólidamente afirmada en la eficacia tradicional de *topoi* opuestos. La desmesurada y mítica gordura de Falstaff representa, por un lado, la deformación física que se desplaza a lo moral, y, por otro, es representación del gozo triunfal de la comida y de la asimilación de sus valores vitales. Duplicidad que queda sometida a un juego de espejos ulterior, si recordamos aquella característica de Falstaff que más generalmente parece representativa de lo cómico; en efecto, siendo el primero en reírse de sí mismo, Falstaff nos está mostrando la oposición escolástica entre reírse de alguien y reírse con alguien, estableciendo una identificación emotiva que admite, incluso, el *pathos*.

Tal sucede cuando Falstaff se deja invadir por una sensación de muerte, en la que gordura y vejez convergen para formar una amalgama subjetiva equivalente al descrédito social:

> Sigue tu camino, viejo Jack, y muérete cuando quieras. Si la fuerza viril, la verdadera fuerza viril no ha sido olvidada sobre la faz de la tierra, entonces yo soy un arenque seco. No llegan a tres en Inglaterra los caballeros que hayan escapado a la horca, y uno de ellos es gordo y se está haciendo viejo.
>
> (parte I, a. II, esc. IV)

Pero, en cambio, cuando, en otra ocasión, oímos a Falstaff aceptar la equivalencia entre negatividad física y moral, estamos ante un *calembour* que en su sentido latente trastorna el juicio de valor:

> ¿Quieres oírme Hal? Sabes muy bien en el estado de inocencia en que cayó Adán. ¿Y qué podría hacer el pobre Jack en estos tiempos in-

fames? Tú mismo puedes ver que yo tengo más carnes que cualquier otro hombre y por ello mismo más fragilidad.

(parte I, a. III, esc. III)

Tras la apariencia de una prédica religiosa y la ficción de un expresarse cuantitativamente, Falstaff reivindica orgullosamente su desenfreno como cifra e hipérbole de la condición humana. La versión eufórica de la gordura puede también ser defendida directamente, por el procedimiento de dirigir los signos y las amenazas de muerte a la imagen opuesta de la delgadez:

> PRÍNCIPE: Este cobarde, desvergonzado, este aplastador de camas, este reventador de lomos de caballo, esta montaña de carne...
> FALSTAFF: ¡Basta, hambriento, piel de anguila, lengua de vaca ahumada, nervio de toro, sardina seca! ¡Oh si tuviera aliento para decirte todo aquello a lo que te pareces, yarda de sastre, vaina, carcaj de saetas, ruin florerito derecho!

(parte I, a. II, esc. IV)

Por otra parte, la versión disfórica de la gordura puede ser enajenada del propio yo, atacada, escarnecida, neutralizada por tanto, en los adversarios. De tal suerte, Falstaff anima a sus acompañantes a que ataquen a dos viajeros:

> FALSTAFF: ¡Dadles fuerte! ¡Cortadles el pescuezo a esos bribones! ¡Gusanos, hijos de puta! ¡Canallas cebados con tocino! ¡Nos odian a nosotros los jóvenes! ¡Dadles fuerte! ¡Derribadlos! ¡Despojadlos!
> VIAJERO 1.º: ¡Ah estamos perdidos, nosotros y todas nuestras cosas!
> FALSTAFF: ¡Que os ahorquen, jodidos tripudos! ¿Perdidos decís? ¡No, mantecosos follones, ya quisiera yo que estuviera aquí todo vuestro almacén! ¡Vamos, vamos, lonchas de tocino! ¡Qué, bellacos, también los jóvenes tenemos que vivir!

(parte I, a. II, esc. II)

Vejez y gordura se asocian[5] ahora, en la determinación de un chivo expiatorio por parte de Falstaff, lo que le permite un rejuvenecimiento desfachatadamente mágico[6]; del mismo modo que, en *Las avispas* de

---

[5] Del mismo modo se asocian juventud y delgadez en la airada respuesta de Falstaff a otro ataque del príncipe: «Cuando yo tenía tu edad, Hal, mi vida era más delgada que la garra de un águila; habría pasado por la sortija del dedo gordo de un regidor» (parte I, a. II, esc. IV). Boito y Verdi traerán esa misma respuesta en clave de lirismo nostálgico: «Quando era paggio del duca di Norfolk» («cuando era paje del duque de Norfolk»).

[6] Con mayor exactitud ideológica aún, Falstaff repetirá esta operación a expensas del representante oficial de la autoridad, el juez superior: «Vos que sois viejo, no compren-

Aristófanes, las veíamos presentarse como simultáneas de la transgresión e impostación del significante.

5. Sigamos con Falstaff. Su entrada en escena, vista con los ojos del príncipe, establece la interdependencia de alimento y sexo como indicadores de una vitalidad regresiva e irreductible. Su conjunto, que constituye el bienestar global, convierte en inane al orden que acompasa la finitud humana: el tiempo. A la pregunta casual de Falstaff sobre la hora que es, el príncipe contesta:

¿Para qué demonios necesitas tú las horas del día? A menos que las horas sean copas de Jerez; y los minutos, capones; y lo relojes, lenguas de alcahuetas; y los cuadrantes, carteles de burdel; y el mismo sol resplandeciente, una hermosa y caliente muchacha vestida con tafetán colorado vivo, no veo yo la razón para que incurras en la frivolidad de preguntar la hora del día.

(parte I, a. I, esc. II)

Lo que hace que brote la risa es la superioridad, entreverada de envidia, del hombre civilizado, una actitud propia de un príncipe que se encuentra a mitad de camino entre dos universos, el del libertino y el del futuro héroe nacional.

En líneas generales, la comida tiende a simbolizar la elementalidad humana más fácilmente que el sexo, el cual, de un modo u otro, remite a una subjetividad externa y hace pasar al goce por ciertas estrategias de relación, más o menos elaboradas.

Todo el teatro de Aristófanes está atravesado por el mito de los alimentos, y ello es una característica relacionada con las coordenadas históricas de su composición. Durante la guerra del Peloponeso, año tras año, los ejércitos espartanos atravesaban las líneas y asolaban el territorio ateniense, una multitud de campesinos aterrorizados e indignados irrumpía en la ciudad convirtiendo en más explosiva la lucha por la supervivencia. Ello, por un lado, acentúa el carácter pulsional del alimento y, por otro, lo traslada a términos políticos, convirtiéndolo en manifestación concreta de la causa de la paz, y del partido que la propugna.

déis las capacidades de nosotros los jóvenes. Apreciáis el valor de vuestro hígado por la amargura de vuestra bilis, pero los que estamos en la primavera de nuestra juventud nos mostramos a veces algo calaveras, es menester confesarlo». Cayendo en la trampa de la literalidad, el juez se indigna: «¿Osáis inscribir vuestro nombre en el registro de la juventud, vos, sobre quien el tiempo, con todos sus caracteres, ha escrito "vejez"?» (parte I, a. I, esc. II)

Pero en virtud del cierre del circuito entre la dimensión individual y las razones universales que caracteriza al discurso de Aristófanes, el problema político no pierde de vista la pulsión psíquica, y asume el ritmo rápido y solícito, apocado y orgulloso, perennemente oscilante entre la angustia y el autoengaño que la precariedad induce en todos los hombres.

Oigamos, por ejemplo, a Diceópolis, el protagonista de *Los arcanienses*, cuando acoge patéticamente a las anguilas, la deliciosa especialidad gastronómica Beocia que la penuria y el proteccionismo de guerra han mantenido durante mucho tiempo alejadas y que la paz, que él exclusivamente ha firmado con el enemigo, le hace de nuevo disponibles:

> Servidores, sacadme aquí el hornillo y el soplillo. (*Se los trae un esclavo, salen también de la casa los hijos de* DICEÓPOLIS.) Contemplad, hijos, a la excelente anguila que ha llegado, añorada, después de cinco años. Saludadla, hijos míos: yo os daré carbón en gracia a esta extranjera. (*Cambia de opinión. A un esclavo.*) «Métela en casa: ni muriendo esté yo sin ti» cuando te cuezan en acelgas.
>
> (vv. 887-894)

«Ni muriendo esté yo sin ti» es una cita paródica de Eurípides (*Alcestis*, v. 367), en la que Admeto declaraba su fidelidad a la esposa muerta y su deseo de ser enterrado en la misma tumba. El instrumento homologado en la parodia iguala, por tanto, el placer de la comida con el del amor y, lo que más nos importa a nosotros, con la específica presunción de inmortalidad que eros anunciaba en un texto emblemático.

En *La sirena* de Chejov, un caudaloso y tranquilo flujo de satisfacción gastronómica se activa en contacto con el mundo externo, es decir, con el mundo de las prosaicas obligaciones cotidianas que se manifiesta como refractario de tal satisfacción, pero que se deja conquistar por ella a lo largo de reveladores fragmentos que aparecen como lapsus:

> «Tan pronto como termina uno de comerse la *kulebiaca* es menester (para que el apetito no quede cortado) hacer que sirvan los *schi*... Estos últimos tiene que venir calientes, al rojo... Pero lo mejor de todo amigo mío, es el *borsch*, con remolacha, al estilo ucraniano..., o sea, con jamón, salchichas... También con crema agria, perejil fresco e hinojo. Asimismo es magnífico el *rassolnik* de despojos y riñones. Ahora bien, si le gusta la sopa de verduras, la mejor es la que se hace con zanahorias, espárragos, coliflor y otras *jurisprudencias* de este género.»
>
> «Sí..., ¡es algo maravilloso! –suspiró el presidente, levantando los ojos del papel; pero luego, dándose cuenta de sus palabras, gimió–: "¡Dios mío...!, ¡así hasta la noche...!, ¡está visto que no voy a poder dejar

consignada por escrito mi opinión particular! ¡Ya llevo cuatro hojas estropeadas!"»

«No vuelvo a hablar, no vuelvo a hablar... ¡Perdóneme! –se disculpó el secretario, prosiguiendo después a media voz–: Tan pronto como termine usted de tomarse el *borsch* o la sopa que sea..., deberá servirse inmediatamente el pescado. De los pescados, el mejor es el *karas* asado, con crema ácida; ahora, eso sí..., para que no huela a cieno es necesario dejarlo vivo y metido en leche durante veinticuatro horas.»

En *Las aventuras de Pinocho*, Collodi, con un oxímoron obvio, presenta la hipérbole gastronómica refiriéndose a ella mediante lo que convencionalmente se opone a la comida, es decir, la inapetencia y la dieta.

> El pobre Gato, sintiéndose gravemente indispuesto del estómago, no pudo comer más que treinta y cinco salmonetes con salsa de tomate y cuatro raciones de callos a la parmesana; pero como le parecía que los callos no estaban bien condimentados, pidió, hasta tres veces, más mantequilla y queso rallado.
> También la Zorra habría picoteado algo muy a gusto; pero como el médico la había puesto a dieta severísima, tuvo que contentarse con una simple liebre tierna y grande, con una ligerísima guarnición de pollitos cebados y de gallitos de primer canto. Tras la liebre mandó que le trajeran, para hacer boca, un revoltillo de perdices, pardillas, conejos, ranas, lagartijas y uvas maduras; y ya no quiso más.
>
> (cap. XIII)

La importancia general del mito de la comida en Rabelais, puede calibrarse por su articulación en el *incipit*, donde se le convoca a realizar el *topos* de la literatura encomiástica que ve en las primeras manifestaciones de la vida de los grandes personajes un anuncio y una clave simbólica. Desde su primera infancia, Gargantúa y Pantagruel se asemejan en su inmoderada necesidad de comida, rasgo de una vitalidad que irrumpe, y que se desdobla grotescamente aumentada, aun cuando se dirijan hacia trayectorias distintas. Para alimentar al Gargantúa niño se adquieren diecisiete mil novecientas trece vacas; por lo que respecta a Pantagruel, su hijo, cuando hubo de hacérsele un cuenco para cocerle la papilla,

> hubieron de emplearse todos los calderos de Saumur de Anjou, de Villedieu de Normandía y de Bramont de Lorena, dándole de comer la papilla en un pilón enorme que aún se ve hoy en Bourges, muy cerca del palacio.
>
> (libro II, cap. IV)

Las primeras comidas de Gargantúa, salvajes en los años más tiernos, acaban por ordenarse mediante las reglas de la cultura y extenderse al plano simbólico, alcanzando en él competencia nutricia, para simbolizar, así, la voracidad de su inteligencia. Pantagruel, en cambio, es un hombre de acción, un guerrero, un viajero, y su desmesura alimentaria queda limitada al plano físico.

A lo largo de toda la narración, el excepcional apetito de los dos protagonistas, pero sobre todo el de Pantagruel, es signo de su extraordinaria vitalidad, que encontrará forma de expresión en sus continuadas empresas portentosas.

Sin embargo, el emparejamiento de enorme apetito y vitalidad deja un resto inquietante; el nacimiento de Pantagruel, que tiene todo el aspecto de ser una manifestación triunfal del tema alimentario, es, al mismo tiempo, causa de la muerte de su madre, ahogada por el peso desorbitado del niño:

> mientras que su madre Badebec lo paría –y se aprestaban sus comadronas a recibirlo– fueron surgiendo primero de su vientre sesenta y ocho arrieros, cada uno con su mula bien cargada de sal sujeta a la traílla por el cuello, apareciendo luego nueve grandes dromedarios cargados de jamones y de lenguas ahumadas, siete camellos cargados de anguila en salazón y XXV carretadas de puerros y de ajos, y además cebolletas y cebollas.
>
> (libro II, cap. II)

Ese mismo mensaje vuelve a repetirse mediante una imagen que elocuentemente saca a la luz cómo el comer, acto indispensable para el mantenimiento de la vida, denota al mismo tiempo su precariedad. En la isla de Oltre, vive un pueblo de «gente alegre y de buena vida»:

> Eran todos gordos a ultranza, a reventar; y observamos que se hacían acuchillados en la piel para que sobresalieran bullones de grasa, ni más ni menos que los lechuginos de mi patria que se acuchillan los calzones en torno a la cintura para que sobresalgan bullones de seda (...) Y, al hacer tal, se hacían también, al mismo tiempo, más grandes, al igual que los jardineros hacen cortes en la piel de los arbolitos jóvenes para hacerlos crecer más.
>
> (libro V, cap. XVI)

Los abullonamientos de grasa son, pues, funcionales para el crecimiento, señales fisiológicas de buena salud, además de formas de adecuación a los criterios estéticos de la isla; sin embargo, representan también la muerte:

al cabo de diez años de abullonar grasa en abundancia, le llegaba la hora de su espiche y, según las costumbres del país, terminaba sus días reventando, no pudiendo ya ni el peritoneo ni la piel, tras tantos años de acuchillamiento, guardar y contener sus tripas sin que se le salieran fuera por todas partes como un barril desfondado.

En el *Ubu rey* de Jarry, una obra en que se percibe con toda evidencia la deuda rebelaisiana, la función primaria de la comida se subvierte, convirtiéndola en premeditado instrumento de muerte. Con una referencia surrealista al papel de Lady Machbeth, Madre Ubu sugiere a su marido al principio del drama que mate al rey Wenceslao para apoderarse de la corona de Polonia. Organizan, así, un banquete que rubrica el acuerdo entre Ubu y el comandante de las tropas de Wenceslao, el capitán Bordure, durante el cual matan a los enemigos con excrementos envenenados. La situación pone de manifiesto el lado cómico de la coprolalia y la tentación infantil de la coprofagia, asociados a un absurdo permanecer de la dimensión pulsional.

La misma posibilidad de que el alimento produzca, a un mismo tiempo, fuerza vital y riesgos mortales se ilustra en el episodio de *Don Quijote*, en que Sancho hace su primera comida oficial, tras haberse convertido en gobernador:

> Púsose a su lado en pie un personaje, que después mostró ser médico, con una varilla de ballena en la mano. Levantaron una riquísima y blanca toalla con que estaban cubiertas las frutas y mucha diversidad de platos de diversos manjares; uno que parecía estudiante echó la bendición, y un paje puso un babador randado a Sancho; otro que hacía el oficio de maestresala, llegó un plato de fruta delante; pero apenas hubo comido un bocado, cuando el de la varilla tocando con ella en el plato, se le quitaron de delante con grandísima celeridad; pero el maestresala le llegó otro de otro manjar. Iba a probarle Sancho, pero antes que llegase a él ni le gustase, ya la varilla había tocado en él, y un paje alzádole con tanta presteza como el de la fruta.
>
> (parte II, cap. XLVII)

El tormento al que es sometido Sancho pone de manifiesto los cuidados médicos del doctor Pedro Recio:

> mandé quitar el plato de la fruta, por ser demasiado húmeda, y el plato del otro manjar también le mandé quitar, por ser demasiadamente caliente y tener muchas especies, que acrecientan la sed; y el que mucho bebe, mata y consume el húmedo radical, donde consiste la vida.

–Desa manera, aquel plato de perdices que están allí asadas, y a mi parecer, bien sazonadas, no me harán algún daño.

A lo que el médico respondió:

–Ésas no comerá el señor gobernado en tanto que yo tuviere vida. (...)

–Aquel platonazo que está más adelante vahando me parece que es olla podrida que por la diversidad de cosas que en las tales ollas podridas hay, no podré dejar de topar con alguna que me sea de gusto y de provecho.

–*Absit* –dijo el médico– vaya lejos de nosotros tan mal pensamiento (...); mas lo que yo sé que ha de comer el señor gobernador ahora para conservar su salud y corroborarla, es un ciento de cañutillos de suplicaciones y unas tajadicas subtiles de carne de membrillo, que le asienten el estómago y le ayuden a la digestión.

Además de la polémica contra la medicina, leitmotiv de la literatura cómica, en este pasaje se presenta también la oposición entre calidad y cantidad de alimentos, que define a la sobriedad, al refinamiento y a la insipidez como garantía de salud. Pero Sancho, para quien tales rasgos implican frustración y abstinencia, no puede ver en ellos más que un atentado contra su salud, y reacciona con una agresividad que, por contraste, da la medida de su vitalidad campesina y sugiere también la vitalidad de su apetito:

Oyendo esto Sancho, se arrimó sobre el espaldar de la silla y miró de hito en hito al tal médico, y con voz grave le preguntó cómo se llamaba y dónde había estudiado (...)

– Pues señor doctor Pedro Recio de Mal Agüero, natural de Tirteafuera, lugar que está a la derecha mano como vamos de Caracuel a Almodóvar del Campo, graduado en Osuna, quíteseme luego delante, si no, voto al sol que tome un garrote y que a garrotazos, comenzando por él, no me ha de quedar médico en toda la ínsula.

Se articula asimismo con los planteamientos de Sancho, es decir sitúa la sobriedad en el universo simbólico de la enfermedad y de la muerte, el pasaje de *La conciencia de Zeno*, en que durante un banquete de bodas, el señor Malfenti, suegro de Zeno, a las puertas de la muerte, él, que había sido un valeroso comedor, se ve obligado a contentarse con una sopita de verduras y un vaso de leche:

Mi suegro tenía muy poco que hacer y empleaba su tiempo contemplando la boca de los demás. Al ver que el señor Francesco se dedicaba activamente a los entremeses, murmuró:

–¡Y pensar que tiene dos años más que yo!

Luego, cuando el señor Francesco llegó al tercer vasito de vino blanco, refunfuñó en voz baja:
–¡Es el tercero! ¡Ojalá se le convierta en hiel!

Este deseo no me habría preocupado si no hubiese estado también yo comiendo y bebiendo en aquella mesa y sin no hubiera sabido que él deseaba la misma metamorfosis al vino que pasaba por mi garganta. Por eso me puse a comer y a beber a escondidas. Aprovechaba los momentos en que mi suegro metía la narizota en su vaso de leche o contestaba a alguna interpelación para tragarme grandes bocados o trasegar grandes vasos de vino.

(cap. VI)

La asunción de un alimento escaso y poco apetecible es la manifestación más evidente y melancólica de la ahora ya sólo provisional pertenencia del señor Malfenti a la comunidad de los vivientes, quienes, por su parte, testimonian la propia vitalidad comiendo alegre y abundantemente manjares deliciosos.

El tema se entrecruza con el del miedo supersticioso de Zeno, que atribuye al mal agüero del señor Malfenti –lo que le aterroriza– el poder de extender el contagio de la muerte a los demás: un poder diabólico al que no cree poder substraerse si no es adoptando algún subterfugio, haciendo en suma, como los niños, «las cosas a escondidas».

6. El deseo sexual puede homologarse al deseo de comida mediante una simplificación que reduce la relación con el otro al mero consumo. Así, en un pasaje de *Papeles póstumos del club Pickwick*, un criado gordísimo y extraordinariamente voraz come un pastel de carne en compañía de una graciosa criadita:

El chico gordo le sirvió un poco a Mary; sirvióse él una buena porción, y se disponía a comer, cuando separó bruscamente del plato las manos que empuñaban cuchillo y tenedor, se echó hacia adelante y, apoyando sus manos, con los cubiertos cogidos todavía, en sus rodillas, dijo pausadamente «Pero oiga: ¡qué bonita es usted!» Lo dijo con tal tono de admiración que no podía ser oído sino como una lisonja, aunque había una voracidad tan caníbal en su mirada, que no parecía sino que la fineza tenía un doble sentido.

(cap. LIV)

Igualmente pobre y evasiva de las responsabilidades relacionales es la dimensión libertina, en la cual es esencial la variedad de los objetos del deseo, aunque sólo sea como confirmación de su indiferencia con respecto de una necesidad que se repite hasta el infinito idéntica a sí misma. Tal necesidad se hace ridícula cuando el distanciamiento respecto de la realidad del objeto se hace extremo y se objetiva en la imposibilidad de una relación, o, lo que es lo mismo, cuando en la misma persona se asocian la presencia del deseo y la ausencia de la condición de deseable: los amores veleidosos y autoengañadores se convierten en metáfora del carácter irreducible y perdedor que asume la vida humana entendida como apuesta, y metáfora más transparente cuando son abstraídos de la ambivalencia natural que a ese respecto tiene la vejez.

Una vez más es Falstaff –el de Verdi ahora[7]– quien expresa la más lúcida conciencia de esta situación. Dicha conciencia, por otra parte, no le impide convertirse por dos veces en el reclamo de las dos mujeres cortejadas, que se vengan (del trato igualatorio, sobre todo), arrojándolo al río en una cesta de ropa sucia y atrayéndolo a un falso *sabbat*. Su conciencia del proceso contempla, no ya los riesgos menores circunstanciales, sino el riesgo absoluto que deriva de la ilimitada esperanza de felicidad.

> Sigue, viejo John, sigue, sigue tu camino[8]. / Esta vieja carne tuya aún rezuma / alguna dulzura para ti. / ¡Todas las mujeres, a un mismo tiempo conjuradas, / se pierden por mí! / Buen cuerpo de Sir John / que yo nutro y sacio, / sigue, yo te doy las gracias.
>
> (a. II, p. I)

La ambivalencia shakespeariana a propósito del cuerpo de Falstaff, que ya hemos recordado anteriormente, queda incluso potenciada por el lenguaje melódico, que acentúa su carácter eufórico mediante una autodescripción articulada en partes y, así, reproducida y multiplicada.

> La diosa lanzaba rayos de espejo ustorio / sobre mí, sobre el gallardo costado, sobre el gran tórax, / sobre el pie viril, sobre el sólido fuste, erguido, capaz, / y en ella el deseo fulguraba tan unido al mío / que parecía decir «Soy de Sir John Falstaff».
>
> (a. I, p. I)

Por otra parte, el narcisismo es idóneo para imitar la pasión auténtica; baste, para comprobarlo, la consideración del encuentro con Alice, en el que Falstaff llega a permitirse una evocación de la muerte, no ya para alejarla, sino para aceptarla en un intercambio de dignidad igual

---

[7] La anécdota procede de *Las alegres comadres de Windsor*, de Shakespeare, pero el texto de Boito y Verdi introduce en ella el aliento universal del Falstaff de *Enrique IV*.

[8] Un *incipit* recuperado de *Enrique IV*, véase la p. 219.

que es, en cambio, propio de la inexperta y abnegada generosidad del héroe joven, del tenor:

«¡Al fin te he cogido, / flor radiante, / te he cogido!» Ahora podré morir feliz. / Habré ya vivido bastante / tras esta hora de amor dichoso.

(a. II, p. II)

Pocos personajes suscitan una risa tan afectuosa como la que nos inspira Falstaff; no nos maravillará, pues, que, con él, no se dé ese descrédito que normalmente acompaña al viejo enamorado. Ya nos hemos referido en su momento a la dureza con que la Comedia Nueva condena a los padres que rivalizan con sus hijos. La risa con que se les zahiere es múltiple, pues en ella convergen, junto a la desmitificación de su pretendida vitalidad, el moralismo que ataca a su apartamiento de la representación de los valores de la estructura sociofamiliar, y el desquite agresivo contra ellos, en tanto que investidos del poder. Ya hemos visto a Calandrino equivocarse sobre el amor de una mujer, pero la distancia que lo separa de Falstaff es la misma que separa a un mero error cognoscitivo de *mitopoiesis*. En todo caso, la comparación nos hará más difícil la valoración de un caso intermedio, el del *Miles gloriosus* plautino, Pirgopolinices, cuya peripecia es más cercana a la de Calandrino, pues también aquí la presunta dama de él enamorada es en realidad una prostituta. También queda enfatizada la credulidad de Pirgopolinices, pero también aquí lo rescatará el exceso mítico del narcisismo, la hipérbole que roza la inmortalidad de los dioses: oigámosle con el contrapunto de los esclavos intrigantes, que han montado la ficción para hacerle liberar la muchacha que ha raptado, y permitirle reunirse con su enamorado:

PALESTRIÓN: Es auténtica raza de héroes la que engendran las mujeres que él dejó embarazadas; y sus hijos viven ochocientos años.

MILFIDIPA (*aparte, sin poder contener la risa*) ¡Vete a paseo, bromista!

PIRGOPOLINICES: Te equivocas. Viven mil años completos, un siglo tras otro.

PALESTRIÓN (*excusándose*): Es que rebajé la cifra para que ella no fuera a pensar que yo exageraba.

MILFIDIPA: ¡Santo cielo! ¿Cuántos años vivirá él, si sus hijos viven tantos siglos?

PIRGOPOLINICES: Has de saber, mujer, que nací un día después de que Ope diera a luz a Júpiter.

PALESTRIÓN: Si hubiera nacido un día antes, seguro que ahora sería él el rey del cielo.

(vv. 1077-1083)

Es, en cambio, abiertamente despiadada la forma con que se censura, no menos por el espectador que por el destinatario, el deseo senil en *Las mujeres en el Parlamento* de Aristófanes; una forma de deseo aun más incongruente y desagradable por el hecho de estar garantizado por una ley que prescribe la igualdad sexual.

> Las mujeres han decretado que, si un muchacho desea a una muchacha, no puede acostarse con ella si antes no se acuesta con una vieja.
>
> (vv. 1015-1017)

Al final de la comedia, el amor de una pareja de jóvenes es interrumpido por tres viejas horribles que, una tras otra, esgrimiendo cada una de ellas su mejor derecho, le exigen al muchacho el cumplimiento del precepto. La misma ley, pues, contiene en sí el principio de su inanidad, en la medida en que su aplicación podría ser indefinidamente exigida mientras hubiera alguien más repugnante que el anterior que pudiere plantear su derecho.

Conviene destacar que cualquier gratificación queda excluida de la representación de la lucha feroz entre las dos voluntades, incompatibles entre sí, de poseer al otro y de escapar del otro, entre la proterva afirmación de vitalidad y el triunfo de la muerte, que el joven anhelado interpreta en la peripecia:

> JOVEN: ¿Se trata, entonces, de una necesidad?
> VIEJA PRIMERA: Férrea.
> JOVEN: Está bien. Empieza por preparar el lecho de orégano, extiende encima cuatro sarmientos de vid, ponte las vendas, dispón los frascos y un vaso de agua delante de la puerta.
> VIEJA PRIMERA: ¿Y me comprarás una corona?
> JOVEN: Claro que sí, pero de cera. Me parece que en cuanto estés dentro te quedarás seca.
>
> (vv. 1029-1036)

La agresividad sigue la línea ascendente que ya hemos analizado en Aristófanes. La representación de la ceremonia fúnebre confunde sus significantes con los de la ceremonia nupcial, y la vieja, con buena o mala fe, se apoya en este equívoco. Cada réplica destruye con mayor gusto toda ilusión. El punto de destino es una desesperación grotesca:

> Y si sucumbo por embarcarme con estas dos puercas, que es lo más probable, os ruego que me sepultéis en la bocana del puerto y que a ésta, bien untada de pez, le pongáis un cepo de plomo fundido en torno a los pies y en vez de meterla en la urna la echéis encima de mi sepulcro.
>
> (vv. 1105-111)

7. Veamos ahora algunos textos en que los que la estrategia liberadora que consiste en el planteamiento de que la muerte afecta sólo a los demás, que todo aquel que muere lo hace en nuestro lugar, se toma al pie de la letra, suscitando una risa más fácil e inmediata.

Con esa hipocresía característica con que torpemente tapa sus movimientos instintivos, el protagonista de *La conciencia de Zeno* cuenta una de las ocasiones en que, con el endeble disfraz de la piedad exigida por el respeto a las formas, Zeno se complace con la oportuna muerte de un amigo, acaecida en el momento adecuado para librarlo de una situación embarazosa e inquietante. Una muerte tan conveniente que ningún lector dejará de sospechar que Zeno la haya deseado, o, al menos, que su duelo exprese, por contraste, un satisfecho bienestar.

Tras haberle presentado Enrico Copler a Carla, una muchacha muy pobre y muy hermosa, Zeno vuelve a verla él solo, pese a su miedo de que Carla se lo cuente a Copler y éste a Augusta, su mujer:

> Aquel habría sido el momento de rogar a la muchacha que no le dijera nada a Copler de mi visita. Pero no lo hice porque no sabía cómo disfrazar mi petición, e hice bien ya que pocos días después mi amigo enfermó y al poco tiempo se murió.
>
> (cap. IV)

Un sentimiento del mismo tipo, aunque más violento por los deseos opuestos que entran en conflicto, inspira el episodio –todo él desarrollado en clave de lo grotesco macabro– en que Zeno, ocupado en la recuperación del patrimonio de su cuñado Guido, que se ha suicidado por las deudas contraídas, llega tarde al funeral acompañado de Nilini, su socio en los negocios.

> Cuando llegamos al lugar donde suelen detenerse los coches, Nilini asomó la cabeza por la ventanilla y dio un grito de sorpresa. El coche seguía caminando detrás del entierro que se dirigía al cementerio griego.
> –¿El señor Guido era griego? –preguntó sorprendido.
> En efecto, el entierro pasaba por delante del cementerio católico en dirección a cualquier otro cementerio, judaico, griego, protestante o serbio.
> –¡Tal vez era protestante! –dije yo, pero en seguida me acordé de que había asistido a su matrimonio en una iglesia católica.
> – Debe de ser una equivocación! –exclamé, pensando que quizá iban a enterrarlo fuera de lugar.
> Nilini se echó a reír de repente con unas carcajadas irrefrenables que lo hundieron sin fuerzas en el asiento del coche, haciéndole abrir la boca desmesuradamente.

–¡Nos hemos equivocado! –exclamó. Y cuando consiguió frenar el ataque de risa, me colmó de reproches. Yo hubiera tenido que ver adónde íbamos porque yo debía saber la hora y conocer las personas, etc. ¡Era el entierro de otra persona!

(cap. VII)

Esa importancia dada a las preocupaciones financieras no es más que una defensa frente al terrible corte que la muerte abre en el mundo de Zeno, y mucho más, en este caso, en la medida en que Guido desempeña, a lo largo de toda la novela, el papel ambiguo –odiado y amado pero, en cualquier caso, absolutamente próximo– de *alter ego*, aparentemente más afortunado y brillante, más desgraciado y derrotado en la realidad. El intento de postergación del acercamiento a la muerte, por el temor supersticioso de que se trate de algo contagioso que hay que evitar, es la verdadera razón del retraso de Zeno en el funeral, y provoca el equívoco. Frente al cadáver de un desconocido es posible la explosión de una carcajada, que irrumpe en la narración y que, aunque atribuida a Nilini, no deja de implicar al propio Zeno. El triunfo que expresa es concomitante con el alivio satisfecho de que la muerte se haya apoderado de otro, el alter ego precisamente, y que, en cambio, él, Zeno haya quedado en el mundo de los vivos para ocuparse de cuestiones financieras, pudiendo fingir con ello capacidades de adulto, tras haberse hecho, por haber sorteado el peligro, fuerte y prácticamente inatacable.

El deseo de la muerte ajena no tiene rémoras para manifestarse explícitamente cuando se relaciona con intereses económicos y se refiere a ambientes menos refinados y afectados por fuertes contrastes sociales.

En el cuento de Maupassant *En familia*, la muerte de la abuela es esperada con tanta impaciencia que hace que se tome por muerte lo que no era más que un síncope. Y, así, cuando se están haciendo febriles preparativos para la ceremonia fúnebre, tras asumir el hijo las formas codificadas de la desesperación, una vez que la nuera se anticipa a la ejecución del testamento y se apodera de los bienes, la tenida por muerta resucita, para ejercer un dominio más acerbo y vindicativo[9].

En el relato de Pirandello, *La renta vitalicia*, el campesino Maràbito vende a la fuerza una finca a cambio de una renta que el nuevo propietario, don Michelangelo, tendrá que pagarle «durante toda la vida natural», lo que previsiblemente no será muy oneroso, pues Maràbito

---

[9] Del mismo modo, en el cuento *El viejo*, la prisa con se ha esperado el fin del patriarca es castigada teniendo que hacerse cargo los parientes de un doble gasto de banquete fúnebre.

tiene ya setenta y cinco años. Empieza en cambio un ridículo baile, en el que al deseo de que Maràbito muera, intensísimo en todos los que succsivamente se transmiten la herencia de la que fue su tierra y, con ella, la obligación de satisfacerle la renta vitalicia, se contrapone con la extraordinaria vitalidad del viejo y la precocidad dc las muertes sucesivas y sistemáticas de los herederos. El primero en morir es don Michelangelo, para exultación de los pobres del pueblo que lo odian por haber sido un usurero y que, pensando que Moràbito es el responsable de su muerte, se dedican a rodearlo de toda clase atenciones. Más tarde le toca el pago de la renta al notario don Nocio, un hombre ingenioso, que no pierde ocasión para bromear sobre la longevidad del viejo:

«¡Vives demasiado, amigo mío, y ése es un feo vicio! Deberías librarte de él.»
Maràbito sonrió y levantó la mano en un gesto vago...
«¿La vida, Excelencia? –dijo– Parece larga, pero pasa. Para mí ha sido como si la hubiera visto pasar asomado a una ventana.»
«¡Anda, Anda! –exclamó don Nocio– ¿Y piensas seguir asomado a esa ventana mucho tiempo todavía?»

La renta que tiene que pagar a Maràbito se prolonga tanto que se convierte en una pesada carga para don Nocio; con amarga ironía para consigo mismo, con motivo de el centenario de Maràbito, organiza una fiesta que se plantearía como un sarcástico desafío a la muerte, pero es él quien se muere de repente durante el festejo.

Al final del relato un Maràbito, con una salud espléndida a los 105 años, aparentemente inmortal, recupera la propiedad de su tierra. La serenidad y la vitalidad laboriosa que manifiesta revelan triunfalmente lo que su actitud humilde había escondido durante toda la narración: su odio por todos aquellos, más jóvenes y más ricos, que lo habían sustituido en la posesión de la tierra, y la satisfacción de demostrar que eran ellos precisamente quienes estaban más expuestos al riesgo de morir.

El cuento de Chejov *Del diario de un ayudante contable* acompasa, en su estructura analítica, la esperanza feroz e incansable que un empleado coloca en la muerte de un colega suyo, siempre enfermo, para la obtención de un ascenso, con la respuesta del principio de realidad, tan feroz e incansable como su esperanza. Transcurren veinte años antes de que el enfermo muera, y, finalmente, muere «inútilmente» pues la sucesión tan esperada queda frustrada por las recomendaciones. Se trata de un elemento que al lector de Chejov, conocedor del carácter temático que en él asume la sátira de la corrupción, no le sorprenderá, y que refleja, así, una ironía retrospectiva sobre los cálculos del ayudante contable. Tales cálculos se desplazan ahora al nuevo recién llegado, aun cuando éste que es joven y sano no permite otras esperanzas que las de una muerte violenta como solución, harto poco probable, a los disgustos familiares.

Una ironía más sutil y eficaz recorre todo el relato a través de las noticias regularmente aparecidas en el periódico respecto de la enfermedad que, a su vez, atormenta al ayudante contable. No podía hacerse hincapié en la precariedad de la exorcización de una manera mejor. La especularidad de las situaciones se hace irresistible cuando el moribundo reafirma in extremis su vitalidad con un consejo médico.

> Glotkin está muriéndose. He ido a visitarlo, y, con lágrimas en los ojos, le he pedido perdón por haber esperado su muerte con impaciencia. Me ha perdonado generosamente, también llorando, y me ha aconsejado que tome café de bellotas para el catarro.

En *Gas hilarante*, Wodehouse describe cómo el protagonista de la novela, miembro de una rama lateral de una antigua familia, accede a un título nobiliario:

> Tenga en cuenta que cuando afirmo que soy el tercer conde de Havershot, no pretendo decir que lo haya sido siempre. No. Yo empecé de la nada y he ido subiendo poco a poco. Durante años y años he seguido mi camino así, como Reginald John Peter Swithin, sin más; ese es el nombre que habría sido grabado en mi lápida funeraria de haber llegado el momento de poseer una. Y en cuanto a las posibilidades de pescar un título, no parecía que hubiera muchas más posibilidades de una entre cien. El terreno estaba bastante lleno de rivales bien entrenados, muy capaces dejarme atrás por bastantes puntos. De no haber sido... Verá como es la cosa: cierto tío se va al otro mundo, ciertos sobrinos le siguen... y, poco a poco, paso a paso, antes incluso de que uno se dé cuenta de lo que está pasando, se encuentra uno exactamente con una corona condal.
>
> (cap. I)

El humor estriba en la atribución al caso, en su aspecto más rutinario y tranquilizador («Verá cómo es la cosa»), de una sistematicidad destructiva que lo homologa con un proyecto. Y a esto contribuye muy decisivamente el entrecruzmiento de la terminología más habitual de la progresión en el mundo burgués («yo empecé de la nada»). Se evoca mágicamente un inocente complot, permítasenos el oxímoron, en ayuda de un deseo del que se oculta todo carácter agresivo, bajo el hábito un poco fastidioso del *understatement*. Junto a ello se oculta el carácter duro de la lucha por la vida y se neutraliza, desresponsabilizándolo, el *mors tua vita mea* a que se enfrenta tal lucha.

8. La descripción de las carnicerías que tienen lugar en guerras y batallas puede no encomendarse enteramente al lenguaje trágico. En Rabelais la acumulación de los detalles, la utilización de lo grotesco, la representación distanciada de las matanzas desrealizan las imágenes de la muerte, situándolas en una dimensión jocosa y, en algunos casos, de cuento popular.

A menudo los héroes rabelaisianos recurren a métodos o a instrumentos chocantes e imprevisibles para atacar y derrotar a sus enemigos: Pantagruel ahoga de una meada a todo un campamento y en otra ocasión extermina a un ejército de gigantes usando a su jefe como si fuera una porra:

> Mas viéndolos venir, tomó Pantagruel por ambas piernas al dicho Loup Garou, levantando su cuerpo por el aire a modo de lanzón, y luego utilizándolo como quien da en el yunque con el mazo comenzó a golpear a los gigantes, armados como estaban de pétreas armaduras, y así los abatía hechos escombro como hace el albañil, no quedando ninguno que no rodase en tierra junto a él. (...)
> Por fin, viendo que ya todos yacían muertos, cogió Pantagruel el cuerpo de Loup Garou y lo arrojó contra la villa con todas sus fuerzas, yendo a caer como una rana, de plano sobre el vientre, en la plaza mayor de la ciudad, matando todavía con el golpe una gata mojada y un gato escaldado y una pata pedorra y un ganso encordado.
> (libro II, cap. XXIX)

La absurda lista de los animales casualmente muertos sugiere que también el exterminio anterior pueda interpretarse como un proceso que, una vez puesto en marcha, haya procedido por la fuerza de la inercia. La misma que actúa en el episodio en que Panurgo se venga de un mercader que le ha vendido un carnero a un precio exorbitante:

> Panurgo sin decir palabra, tira al mar a su carnero chillante y balante. Y todos los otros carneros, chillando y balando con entonación parecida, echaron para adelante y empezaron a saltar al mar siguiendo la fila. Luchaban por saltar los primeros, tras el anterior que acababa de saltar. (...)
> El mercader, espantado al ver perecer ante sus ojos y ahogarse a todos sus carneros, se esforzaba todo lo que podía para impedírselo y retenerlos. Pero era en vano. Todos saltaban al mar siguiendo la fila. Finalmente cogió a uno grande y fuerte por el vellón, bajo el puente del navío, tratando de retenerlo y salvar, así, en consecuencia, a todos los que quedaban. Pero el carnero era tan fuerte que arrastró consigo al

mercader hasta el mar y éste se ahogó (...) Hicieron lo mismo los otros pastores y borregueros, cogiéndolos, unos por los cuernos, otros por las patas, otros del vellón. Y todos, de modo semejante, cayeron al mar y se ahogaron miserablemente.

(libro IV, cap. VIII)

Pero lo ridículo tiene toda la ventaja y anula tanto el efecto del horror como la conciencia trágica, incluso en los casos en los que la matanza está minuciosamente descrita con meticulosa ilustración de todos los detalles, utilizando una terminología que se pretende científica, una terminología médica, como en la cruenta escena en que Fray Juan, que estaba prisionero, consigue escapar matando al soldado de guardia:

> Luego, de un golpe, le tronchó la testa, cortándole el cráneo por sobre el hueso temporal y arrancándole los dos huesos parietales y la sagital comisura, junto con gran parte de la coronal osamenta; y esto haciendo, le tronchó las dos meninges, hendiendo en profundidad los ventrículos posteriores del cerebro; así le quedó el cráneo, colgándole sobre los hombros y con la piel del pericráneo por detrás, cual bonete de doctor, negro por encima y rojo por debajo, permaneciendo allí tieso, y muerto, en tierra.

(libro I, cap. XLIV)

Más parece que se trate de una operación quirúrgica que de un homicidio; pero al mismo tiempo crea un contraste estilístico que termina por afirmar el significado literario y arreferencial de la descripción, contribuyendo, también así, a quitarle peso específico.

Más ridícula aún es la utilización del lenguaje médico cuando se empareja con balances contables, para determinar con la precisión y la objetividad del historiador el número exacto de muertos en la batalla.

> A unos escachifollaba las cabezas, a otros rompía brazos y piernas, a otros desencajaba las vértebras del cuello, a otros deslomaba los riñones, aplastaba las narices, escalfaba los ojos, hendía las mandíbulas, hundía las dentaduras, desfondaba los omóplatos, magullaba las espinillas, descoyuntaba las caderas, y desmenuzaba las más diversas osamentas. (...)
> Con todo ello y merced a sus proezas, fueron enteramente derrotados cuantos de aquel ejército se habían introducido en el cercado, hasta un total de trece mil seiscientos veintidós, sin contar las mujeres y los niños, claro está[10].

(libro I, cap. XXVII)

---

[10] En *Flores azules* hay una matanza análogamente enfatizada mediante el relieve dado a la minucia contable y documental: «Desenvainando su acero por segunda vez en aquel día, Joachim d'Auge se abrió paso entre la multitud y arrancó el alma a los cuerpos

9. Hay una especie de contradicción originaria en los fundamentos de la consolación, tanto si se la considera como actitud antropológica como si se la considera como subgénero literario, que en su codificación ha llegado a un alto nivel de convencionalismo y uniformidad. Por un lado, invita a aceptar y a rememorar la fuerza tautológica del principio de realidad que ve en la muerte una dimensión inevitable y universal. Por otra parte, pretende extraer de la impotencia del hombre una resignación sosegada y ambiciosa que niega la muerte misma en su masivo contenido de expoliación y dolor.

Esta paradójica superioridad está tan próxima a la elaboración del pensamiento filosófico y religioso más elevado como de las rabiosas oleadas de ridículo que se originan en la defraudada promesa de felicidad. Así en *Papeles póstumos del club Pickwick*, de Dickens, un hombre que se ha quedado viudo y al que un hijo suyo le consuela con un «hay una providencia en todo ello» le hiela la intención consolatoria:

> «¡Ya lo creo que la hay! –replicó su padre con grave ademán de aprobación–. ¿Qué sería de los empresarios [de pompas fúnebres] sin ella, Sammy?»
>
> (cap. LII)

Desenmascarado hasta los límites de la blasfemia, lo providencial que unifica al mundo cede el paso al beneficio corporativo que divide a los hombres del modo más cruel.

En un pasaje de *Las aventuras del valeroso soldado Schwejk*, el consuelo basado en el carácter universal de la muerte se agría al entrar en conflicto con otra de las estrategias más nobles y desproporcionadas que haya ideado el hombre, esto es, el valor atribuido en las civilizaciones modernas a la vida humana; valor que es objeto de un ataque en ese tono a mitad de camino entre la estupidez y el sarcasmo que caracteriza al protagonista. A Schwejk se le acusa de falsedad, para substraerse a la obligación de la leva, luego es destinado al servicio del capellán de la cárcel. Llega a casa del capellán conducido por dos soldados que lo escoltan. Ninguno de ellos sabe la razón de tal conducción, y Schwejk sugiere que quizá lo lleven a confesarse porque lo vayan a fusilar:

> «Yo creo –dijo el larguirucho proclive al escepticismo– que no es tan fácil ahorcar a un hombre por nada, siempre tiene que haber algún motivo más o menos claro.»

de doscientas personas entre hombres, mujeres, niños y otros, entre los cuales, veintisiete eran burgueses de pleno derecho y veintiséis aspirantes a tales. Luego, tras dispersar a los arqueros de la guardia, salió de la ciudad» (cap. II).

«Desde luego –asintió Schwejk–, en tiempo de paz no se puede proceder sin motivos, pero cuando estamos en guerra no se repara gran cosa en sutilidades. Hay que hacerse matar en el frente o hacerse colgar en casa. Es como ir a pie o ir en coche.»

(parte I, cap. X)

Determinado por normas feroces y por la, aún más feroz, praxis de la guerra –por la sustancial equivalencia que en la guerra se da entre sangre derramada casualmente y sangre derramada intencionalmente–, el carácter inevitable de la muerte fagocita cualquier escrúpulo de regularidad procesal.

Otro argumento consolatorio consiste en negarle a la muerte el carácter de umbral, prolongando más allá de la misma el sistema de afectos e instaurando una temporalidad ilimitada, que contradice la concepción del tiempo como itinerario hacia la muerte. Esta última concepción es la causa del miedo en *La conciencia de Zeno*:

> sabía que las semanas de alegría del viaje de bodas me acercaban sensiblemente a las horribles muecas de la agonía. Augusta podía decir lo que quisiera, las cuentas estaban pronto hechas: cada siete días me acercaba una semana a la agonía.

(cap. VI)

Pero Zeno experimentará los celos y el deseo de posesión absoluta que caracterizan a su amor por su mujer, proyectándolos en el más allá. Por un lado, los celos son tranquilizadores en la medida en que garantizan la continuidad entre muerte y vida, además de disfrazar el miedo absoluto a la muerte de otro miedo más controlable y confesable; por otro lado, los celos agudizan el miedo a envejecer y a morir, porque su muerte es el momento en que necesariamente su mujer será abandonada a los proyectos amorosos de cualquier otro. Las protestas de Augusta no sirven sino para agudizar las contradicciones:

> «¿Dónde encontraría tu sucesor? ¿No ves qué fea soy?»
> En efecto, tenía por delante algún tiempo de putrefacción tranquila[11].

---

[11] También en el *Decamerón*, se presenta ese efecto tranquilizador que se basaría en el mantenimiento de las costumbres de los vivos en el más allá. En la narración de Ferondo (jornada III, narración VIII), un campesino, rico y necio, está celosísimo de su hermosa mujer, de la que se enamora el abad de un convento de las proximidades. Para poderse encontrar libremente con la mujer, el abad lo duerme con un somnífero y lo encierra en un sótano, donde lo tiene durante doce meses, haciéndole creer, con la ayuda de otro fraile, que está muerto y que se encuentra en el purgatorio expiando su pecado de celos.

Otro expediente consolatorio es el de considerar la muerte no por lo que tiene –o se sospecha que tenga– de temible, inquietante o extraño, sino por ser ausencia y vacío; si al vacío de contenidos se opone lo lleno de experiencias demasiado dolorosas, se saca, al menos, la ventaja del cese del dolor. En el ejemplo que traemos, se construye aún otra figura a partir del mismo *topos*.

En *Esperando a Godot*, Estragón y Vladimir articulan, en la forma habitual de Beckett, un penoso y elíptico razonamiento:

> ESTRAGÓN: ¿Qué árbol es?
> VLADIMIR: Yo diría que un sauce.
> ESTRAGÓN: ¿Y dónde están las hojas?
> VLADIMIR: Debe estar muerto.
> ESTRAGÓN: Se acabó el llorar.
>
> (a. I)

La comicidad se origina en el juego de palabras: la construcción de la metáfora que hace equivalentes muerte y pérdida de hojas se desarrolla sobre la metáfora lexicalizada que denomina al árbol «sauce llorón».

10. El último bastión en que se refugia la imposible negación de la muerte consiste en suponer que, en alguna medida, esté determinada por una elección humana; lo que supone el corolario de que una elección contraria podría anularla.

Tal es el argumento que desarrolla Sancho en la conmovedora súplica que dirige a don Quijote, con que se cierra la novela de Cervantes:

El dolor y el miedo de Ferondo quedan muy atenuados por su credulidad: «"Entonces, ¿estoy muerto?" Dijo el monje: "pues sí". Por lo que Ferondo comenzó a llorar por él y por su esposa y su hijo, diciendo las cosas más disparatadas del mundo. El monje le llevó algo de comer y de beber; y al verlo Ferondo dijo: "¿Es que los muertos comen?" Dijo el monje: "Sí, y esto que te traigo es lo que esa que fue tu esposa ha mandado esta mañana a la iglesia para que se dijesen misas por tu alma, y que Dios Nuestro Señor quiere que se te ofrezca aquí." Dijo entonces Ferondo: "Señor, ¡Bendícela! Yo la quería mucho antes de morir, tanto que me la tenía toda la noche en mis brazos y no hacía mas que besarla y hacía otra cosa cuando me venían ganas." Y luego, como tenía mucha hambre, se puso a comer y a beber, y como el vino no le pareció demasiado bueno, dijo: "Señor, ¡maldícela, porque no le dio al fraile del vino de la cuba de junto al muro!"». Establece, así, Ferondo una tranquilizadora continuidad con la vida, adoptando con naturalidad en la ultratumba las necesidades y los ritmos de la vida terrenal. Se trata, por otro lado, del mismo factor confortador de que dan testimonio los más antiguos cultos a los muertos, según los cuales se introducen en los enterramientos los utensilios que el difunto ha utilizado en el desarrollo de sus actividades en vida. Es como si el natural ingenuo de Ferondo se volviera a encontrar instintivamente con las usanzas culturales más remotas.

241

No se muera vuestra merced, señor mío, sino tome mi consejo, y viva muchos años; porque la mayor locura que puede hacer un hombre en esta vida es dejarse morir, sin más ni más, sin que nadie le mate, ni otras manos le acaben que las de la melancolía. Mire no sea perezoso, sino levántese de esa cama, y vámonos al campo vestidos de pastores, como tenemos concertado.

(parte II, cap. LXXIV)

Parecido, pero más amargo y corrosivo, es el descrédito de la muerte que inspira a Falstaff la elección salvadora de fingirse muerto en el campo de batalla, subvirtiendo genialmente la relación entre lo auténtico y lo fingido.

¿Fingir? Estoy acostumbrado; no he fingido nada; lo que es fingir es el morir; pues el que está muerto es una imitación de hombre, que no tiene en él la vida de un hombre. Pero el que finge la muerte cuando vive, no hace un fingimiento, pues es la verdadera y perfecta imagen de la vida misma.

(parte I, a. V, esc. IV)

Último y único desquite del hombre sobre la victoriosa enemiga es éste que desmitifica el aura de majestad y dignidad asociada a la muerte como consecuencia de su carácter natural. Únicamente a lo vivo, a lo concernido en ello, parece referirse este texto, al tiempo que la construcción de la autoconciencia y de la imaginación relega aquella enemiga a una artificialidad alienada, la asimila a una pesadilla repugnante y realista.

Nota bibliográfica

Lo cómico en las teorías del siglo XX

Cualquier consideración de las teorías que sobre lo cómico han venido siendo elaboradas por la investigación y la reflexión filosófica a lo largo del siglo XX sólo puede tener como punto de partida a Freud, especialmente en *El chiste y su relación con el inconsciente* (Madrid, Editorial Biblioteca Nueva, reeditada en Ediciones Orbis, 1988, vol. 5), por la vitalidad y la productividad que esta teoría ha demostrado hasta nuestros días –incluso para quien se haya referido a ella desde una perspectiva crítica–, porque cohonesta el modelo psíquico y fisiológico elaborado por Herbert Spencer (*The Phisiology of Laughter*, en *Essays: scientific, political, and speculative*, Londres, Williams and Norgate, 1868, vol. I) con el aspecto lingüístico y formal de lo cómico y, por tal vía, lo pone en relación con la dimensión psíquica. Un proceso que resulta especialmente fructífero y estimulante cuando, tal es nuestro caso, se pretende determinar cuáles son los mecanismos de lo cómico en los textos literarios.

Según Freud (y con ello sigue una antigua línea de interpretación, que pasa por Hobbes y llega hasta Alexander Bain, a finales del siglo XIX), la risa surge a favor de un movimiento agresivo que denota en quien ríe la presunción de superioridad sobre el objeto de su risa. De hecho es un rechazo a la identificación con el otro, que se repite cada vez que el otro emplea un exceso de energía para llevar a cabo determinadas actividades físicas o ahorra demasiada energía para llevar a cabo determinadas actividades de orden mental. Esta superioridad se identifica con la que siente el adulto sobre el niño; quien ríe, en el momento en que ríe, piensa: «ese lo hace como yo lo he hecho de niño».

En el campo general de la risa, Freud distingue entre lo cómico y el chiste (Witz); en este último está implicado el inconsciente mediante la utilización de material lingüístico; el Witz se puede situar, por tanto, en un territorio limítrofe con el de la literatura, mientras que lo cómico es un proceso más general.

La teoría de Francesco Orlando introduce, en estos aspectos del pensamiento freudiano, importantes elementos de novedad, cuando aplica los mecanismos de lo cómico determinados por Freud a la investigación de un texto literario como *El misántropo* de Molière (*Due letture freudiane: Fedra e Il misantropo*, Turín, Einaudi, 1990). Orlando vuelve a plantear la distinción entre comicidad y Witz no sólo por su relación con campos y materiales distintos, sino también por su diferente relación con el inconsciente. Parte de la idea de que la comicidad tiene que ver con la represión, mientras que el enmascaramiento, que el Witz hace posible, libera lo reprimido. Así, en palabras de Orlando:

> Recurro también aquí a «fracciones» simbólicas, porque constituyen una fórmula que visualmente sugiere bien la idea de una tensión vertical, por así decirlo, y que puede recordarnos que lo inicuo literalmente supera y cubre a la razón. Sabemos que lo inicuo corresponde a la exterioridad de comicidad (o falsa lógica) que se da en el momento de la no-identificación, al que más arriba he aplicado la fórmula NO SOY YO. Sabemos que la razón se corresponde con el fondo de complicidad del Witz que se da en el momento de la identificación, y al que más arriba he aplicado la fórmula SOY YO. La superposición no reversible de estas dos fórmulas parciales nos permite insertar otra, completa y clarificadora, entre el modelo freudiano más general, y la que es propia de este grupo de chistes:

| REPRESIÓN | NO SOY YO | COMICIDAD |
| REPRIMIDO | SOY YO | WITZ |

La ambigüedad del movimiento contemporáneo de identificación con el otro y agresión contra el otro queda puesta de manifiesto con mucha claridad en el artículo de Walter Siti, «Una lettura molieresca: "La scuola delle mogli" (con alcune riflessioni sul comico)», en *Nuovi Argomenti*, 26, marzo-abril, 1972, pp. 88-123.

A partir de los objetivos que los chistes se plantean, Freud distingue entre chistes abstractos, o inocentes, o inofensivos, que producen placer únicamente por el juego formal a que dan lugar; y chistes tendenciosos, que mediante la impostación lingüística expresan lo que está prohibido expresar. A éstos, además, los caracterizan algunos rasgos formales (condensación, desplazamiento) que son asimismo peculiares del quehacer onírico: en ambos casos un pensamiento preconsciente es abandonado en la elaboración inconsciente y lo que de ella resulta es inmediatamente aprehendido por la percepción consciente. La diferencia que existe entre las dos dimensiones se debe al hecho de que, en cualquier caso, la recuperación del inconsciente a que procede el Witz permanece bajo el control de exigencias racionales y comunicativas.

Para poder producir lo efectos cómicos previstos, el Witz requiere la presencia de tres personas: la primera, que produce el chiste; la segunda, que es aquella de la que se ríe; la tercera, que es la única que ríe, porque se ahorra el trabajo psíquico correspondiente a la fuerza de la inhibición, de la represión o del rechazo de la idea. Su placer se corresponde con este ahorro; y ello es así hasta el punto de que el chiste pierde la capacidad de hacer reír a esa tercera persona cuando se exige de esta última un gasto de trabajo mental. La tercera persona llega al acuerdo psíquico con la primera, porque posee las mismas inhibiciones interiores que el operar ingenioso ha superado en la primera. La diferencia entre la primera persona (que no ríe) y la tercera (que ríe) está en el hecho de que en la primera persona no están presentes las condiciones para el desahogo y sólo se cumplen en parte las que permiten el beneficio; por ello, la primera persona integra el placer sirviéndose de un atajo (la impresión suscitada en aquel a quien se hace reír) para llegar a la risa, que a él le es personalmente imposible. Resulta claro que, ante la primera persona, la tercera está en la misma relación en que está el público ante el autor del texto literario.

En cambio, las personas implicadas en lo cómico son sólo dos: la primera persona y otra persona en la que la primera descubre algo cómico. La tercera persona, a la que puede comunicarse lo cómico, no añade nada al proceso.

Luca Curti elabora una crítica minuciosa a las teorías freudianas del ahorro psíquico y de las personas; para él no es posible distinguir entre lo cómico y el Witz, la risa, entonces, se plantea en estrecha relación con el territorio del inconsciente («Risparmio, dialettica delle persone, riduzione. Note critiche al "Motto di spirito" di Freud, en *Lingua e stile*, 3, jul.-sept. 1982, pp. 395-426).

Durante la primera mitad del siglo XX la teoría de Henry Bergson sobre lo cómico (*Le rire. Essai sur la signification du comique*, 1899, en *Œuvres*, París, PUF, 1959) ha gozado de gran notoriedad. Se basa en el presupuesto de que lo cómico sólo se da en el ámbito de lo humano, y de que se trata de un modo exclusivamente intelectual: «Para producir todo su efecto, lo cómico exige, pues, algo así como una anestesia momentánea del corazón».

De estas dos características deriva la definición de lo cómico que da Bergson: algo que nace cuando los humanos, reunidos en grupo, dirigen su atención hacia uno de ellos, haciendo enmudecer su sensibilidad y poniendo en funcionamiento sólo su inteligencia.

Dichas características condicionan que se atribuya a lo cómico una determinada función moral util en el seno de la sociedad. Efectivamente, mediante la risa se reacciona frente a cualquier rigidez individual (del carácter, del espíritu o, incluso, del cuerpo) considerada como signo de una actividad que se anestesia o se aísla. La risa se manifiesta, por tanto, como un correctivo que reprime las excentricidades, mantiene en contacto las inteligencias y las actividades, flexibiliza los movimientos mecánicos e inertes que se manifiestan en la superficie del sistema social. En esta operación, Bergson introduce una distinción entre risa y comicidad. Lo cómico representa la desviación con respecto de los valores positivos que corresponden al castigo, mientras que la risa es la recuperación de los valores y del equilibrio social.

En la dimensión general de lo cómico, Bergson distingue entre lo cómico de las situaciones y lo cómico de las palabras, partiendo del planteamiento de que es cómica cualquier disposición de actos y acontecimientos que, por una parte, proporcione la ilusión de la vida y, por otra, la sensación opuesta de que obedece a un orden mecánico. En ambos casos, sin embargo, se pueden descubrir tres condiciones que producen risa. La primera es la repetitividad,.que, para lo cómico de las situaciones, queda ejemplificada en el juguete infantil del tentetieso; mientras que para lo cómico del lenguaje esa misma condición se manifiesta en la inversión, que consiste en volver a emplear con el orden cambiado las mismas palabras que se habían empleado en una primera frase. La segunda condición queda reflejada para lo cómico de las situaciones en otro juguete infantil, la marioneta, que sugiere la falta de libertad, incluso –y sobre todo– en las situaciones en que más intensa es la persuasión de gozar de plena libertad; mientras que para lo cómico del lenguaje se manifiesta en la interferencia de dos sistemas de ideas, como en el *calembour*. Finalmente, la última condición halla su referencia en el juego infantil de lanzarse bolas de nieve, expresión de la reacción en cadena; y en lo cómico del lenguaje se manifiesta en la transposición, mediante la cual se consigue un efecto cómico trasladando la expresión característica de una idea a un estilo discordante.

En la medida en que, como ya se ha dicho, la risa es una especie de castigo, con el que la sociedad reprueba no tanto los defectos morales, como los defectos de comportamiento de los individuos, de ello mismo se desprende que lo cómico sea conformista, expresión de las costumbres, las ideas y, a menudo, los prejuicios dominantes en la sociedad.

En el campo específico del arte, Bergson analiza lo cómico que se manifiesta en la comedia, que se plantea en la realización de algunas psicologías de personajes, caracterizados siempre por una rigidez que les impide tanto un acuerdo mínimo consigo mismos como llegar a una consonancia con los lectores o con los espectadores, son personajes que van obstinadamente tras una idea fija sin dejarse desviar de ella por el buen sentido ni por la experiencia de la realidad. Es la misma obstinación que caracteriza a la locura; por otra parte, la lógica cómica, que es una lógica del absurdo, es la lógica de los sueños: tanto el sueño como lo cómico tienen en común ser formas de imitación de la locura, desviaciones no patológicas, ni trágicas, de la normalidad.

La atención que Bergson presta a la comedia, y que ejemplifica fundamentalmente en el gran teatro de Molière, se ciñe a un terreno intermedio entre arte y vida: Bergson sostiene sustancialmente que la comedia no es desinteresada, como el arte puro, sino que, en la misma medida en que acepta la vida social, como ambiente natural, se aleja del Arte, que es ruptura con la sociedad y retorno a la naturaleza.

Eugène Dupréel propone una interpretación de la risa en términos casi exclusivamente sociológicos. Sostiene que la causa de la risa no tiene la menor importancia, en la medida en que es la propia vida social la que construye un mecanismo cómico que se hace presente en las ocasiones más diversas. Más importante le parece, desde esta perspectiva, determinar las ocasiones en que aparece la risa. La risa, además de oponer el individuo al grupo, como establecía Bergson, opone un grupo a otro. En este marco teórico, Dupréel interpreta el fenómeno del *fou rire*, que habitualmente es el modo de expresión de los grupos juveniles cuando tienen que enfrentarse con el grupo de los adultos, y expresa la cohesión interna del grupo menos aventajado; mientras que la risa de complicidad es expresión de un movimiento de cohesión, si bien maligno («Le problème sociologique du rire», en *Essais pluralistes*, París, PUF, 1949; «Le rire et les larmes», en *Sociologie générale*, París, PUF, 1948; «La nature complexe du rire», en *Revue de l'Université de Bruxelles*, agosto-septiembre, 1955, pp. 427-36).

Vladimir Propp en *Comicità e riso. Letteratura e vita quotidiana*. Turín, Einaudi, 1988, presenta una valoración decididamente positiva y una afirmación de su especificidad, negando la validez de las conclusiones obtenidas a partir de la experiencia de lo trágico y de lo sublime –como se ha pretendido con frecuencia– aun en el caso de que se presenten ciertas variantes mínimas. Del mismo modo, se opone a la costumbre de definir lo cómico principalmente sobre la base de conceptos negativos, y opone también a la costumbre de distinguir dos aspectos de lo cómico, lo «cómico bajo o vulgar» y lo «cómico refinado», porque no hay análisis del material cómico que no demuestre la imposibilidad de sostener con una mínima firmeza semejante distinción, basada únicamente en razones de índole moral. Es cierto que el ensayo de Propp reviste el interés de la revalorización, en clave antiidealista, de la dignidad artística de la literatura cómica; sin embargo, está muy limitada en la dimensión cultural, y ello es especialmente perceptible en la utilización de elementos de reflexión ya superados o en la ignorancia de algunas contribuciones esenciales al debate occidental sobre la cuestión; baste considerar, en este sentido, la ausencia de cualquier referencia a Freud, ausencia que en muchos casos constriñe a Propp a rehacer ingenuamente un camino que el pensamiento de Freud había ya explorado con resultados muy diferentes.

Los planteamientos de Propp presentan una gran afinidad con el intento de Mijail Bajtin de valorar la cultura cómica popular, singularizando en ella los rasgos principales de Rabelais (*La cultura popular en la Edad Media y en el Renacimiento. El contexto de François Rabelais*, Madrid, Alinza, 1987). Bajtin considera la oposición entre cultura popular y cultura dominante especialmente en la fiesta carnavalesca de origen medieval que trastrueca los comportamientos y las jerarquías usuales y, antitéticamente con los ritos severos y religiosos, funda una imagen social basada en la subversión; impone una representación del cuerpo considerado en su materialidad más baja, en la ejecución y en la celebracíon de las necesidades fisiológicas elementales, privado de individualidad, abierto a la naturaleza y, de algún modo, él mismo también lugar natural, vinculado literariamente al realismo grotesco. También es cómico el lenguaje que expresa esta concepción carnevalesca del mundo y que Bajtin define como «lenguaje de la plaza pública», privado de un único punto de vista, obediente a códigos diferentes y frecuentemenete incluso antitéticos; un sistema, en suma, plurilingüístico, capaz de acoger aportaciones dialectales, sumamente dinámico, opuesto al habla monológica del poder y de la cultura dominante. Ni siquiera la muerte, que tan a menudo hace acto de presencia en la literatura cómica popular, se sustrae a la risa, cobrando cuerpo imaginario en figuras del lenguaje como «morirse de risa» y «la muerte dichosa».

La reflexión teórica de Priandello sobre lo cómico y el humorismo guarda una estrecha relación con su escritura de creación (*L'umorismo*, Florencia, Giunti, 1995). Pirandello ve una clara diferencia entre estas dos modalidades de la risa. Mientras que lo cómico, en su opinión, es la advertencia de lo contrario, es decir el registro de las contradicciones,

> el humorismo consite en el sentimiento de lo contrario, provocado por la especial actividad de la reflexión que no se esconde, que no se convierte, como sucede de ordinario en el arte, en una forma del sentimiento, sino en su contrario, si bien siguiendo paso a paso al sentimiento, tal la sombra sigue al cuerpo. El artista corriente se ocupa sólo del cuerpo, el humorista se ocupa del cuerpo y de la sombra.

Todas las creaciones del sentimiento, todas las ficciones del alma que crean un refugio en la vida pueden ser materia del humorismo. Y en la medida en que el humorismo no es sólo bondadoso, sino que a menudo también nace del despecho y del desdén, de un modo de ver los hechos desde un ángulo no precisamente indulgente y piadoso, es sustancialmente una lucha en la que la reflexión descompone y frustra la ilusión. Esto es común al humorista, al cómico y al satírico; la diferencia estriba en que mientras que el cómico se reirá de ella y el satírico la desdeñará, el humorista desmontará la construcción ilusoria para representar también su lado doloroso. La tarea del humorista consiste, pues, en desarticular las formas y los mecanismos prefijados que, por regular rígidamente la vida social, la bloquean, obligando a los vivientes a asumir máscaras fijas que impiden una relación auténtica con las dimensiones más profundas de la realidad y de la psique humana. Dado que la máscara es mal, ficción, inautenticidad, el humorismo, al mostrar las antítesis que en ella se esconden, obliga a aceptar y recordar, mediante una risa amarga que, aunque no libere, se agota en el conocimiento.

Nos hemos limitado aquí a hacer referencia a aquellas teorías que consideramos más fecundas, a las que más debemos en nuestro análisis de los textos. Para una información más detallada remitimos, en primer lugar, al texto que, en el ámbito italiano, nos parece más completo sobre la cuestión, al volumen sobre las teorías cómicas del siglo XX de Giulio Ferroni (*Il comico nelle teorie contemporanee*, Roma, Bulzoni, 1975).

Ferroni dedica un amplio espacio a personalidades como André Breton, teórico del humor «negro» y editor de una antología (*Antología del humor negro*, Barcelona, Anagrama, 1972), que tuvo una gran importancia en la divulgación de las opiniones de los surrealistas sobre lo cómico y que sirvió para descubrir a autores como Sade, Grabbe, Fourier, Lautréamont, hasta entonces ignorados o muy poco apreciados por la literatura oficial; como Georges Bataille, para quien la risa equivale a una suerte de revelación de un lugar absoluto, alingüístico y aideológico, que funciona como contestación radical a cualquier sistema racional o agregación social (*Somme athéologique. L'expérience intérieure*, en *Œuvres complètes*, vol. V, París, Gallimard, 1973); o como Charles Mauron (*Psychocritique du genre comique*. París, Corti, 1964) y Northorp Frye (*Anatomy of Criticism*, 1957; *Anatomía de la crítica*, Caracas, Monte Ávila, 1977), que tienen en común el objetivo de determinar algunas fórmulas y modelos constantes que a lo largo de la tradición literaria han regulado el «género» cómico.

Además del libro de Ferroni queremos recordar el de Fabio Ceccarelli (*Sorriso e riso, Saggio di antropologia biosociale*, Turín, Einaudi, 1988), por su corte absolutamente distinto, y, por ende, utilísimo, que implica una información que va más allá del mundo de la literatura.

Efectivamente, su libro adopta una perspectiva antropológica en la que se subordinan autores a los que nosotros atribuimos la mayor importancia. Ceccarelli, además, da cuenta de las aportaciones teóricas de autores con una formación cultural distinta, como es el caso, por ejemplo, de Charles Lalo (*L'estetica del ridere*, Milán, Viola, 1954), que propone una teoría de la risa como desvalorización; de Marc Chapiro (*L'illusion comique*, París, PUF, 1940) para quien lo cómico se produce cuando se debilita la tensión de las fuerzas psíquicas que deben hacer frente a la realidad, lo que sucede si, por el motivo que fuere, se debilita el sentido de la realidad; de Arthur Koestler (*L'atto della creazione*, Roma, Ubaldini, 1975), que elabora el concepto de bisociación, que consiste en la percepción de una situación o de una idea en dos sistemas de referencia distintos e incompatibles, al mismo tiempo, tales que, chocando entre sí, provocan la risa.

Citemos, por último, el tratado Lucie Olbrechts-Tyteca, *Il comico del discorso*, Milán Feltrinelli, 1977, un auténtico manual para la clasificación y el análisis de los aspectos lingüísticos y retóricos relacionados con lo cómico; una aproximación a la cuestión sumamente útil para quien se proponga investigar el fenómeno de lo cómico en los textos literarios. No compartimos, no obstante, su rechazo despectivo a las reflexiones teóricas que tratan de explicar en su globalidad el fenómeno de la risa, tachadas de excesivamente ambiciosas y de «filosóficas» (en una acepción injustificadamente denigratoria del término), y a las que opone el objetivo e indiscutible (en realidad esquemático y limitador) cientifismo del enfoque lingüístico que adopta.

Otras lecturas

Guido Almansi, *Amica ironia*, Milán, Garzanti, 1984.
Guido Almansi - Guido Fink, *Quasi come*, Milán Bompiani, 1976.
Rentato Barilli, *Comicità di Kafka: un'interpretazione sulle tracce del pensiero freudiano*, Milán, Bompiani, 1982.
Daniel E. Berlyne, *Cnflitto, attivazione e creatività*, Milán, Angeli, 1971.
Giovanni Maria Bertin, *Disordine esistenziale e istanza della ragione: tragico e comico: violenza ed eros*, Bolonia, Cappelli, 1981.
Attilio Bertolucci - Pietro Citati (eds.), *Gli umoristi moderni*, Milán, Garzanti, 1961.
Clotilde Bertoni, *Percorsi europei dell'eroicomico*, Pisa, Nistri ƒ Lischi, 1997.
Eric Blondl, *Le risible et le dérisoire*, París, PUF, 1988.
Hans Blumenberg, *La risa de la muchacha Tracia. Una protohistoria de la teoría*, Valencia, Pre-Textos, 2000.
Nino Borsellino, «Il comico», en *Letteratura italiana. Le questioni*, Turín, Einaudi, 1986, vol. V, pp. 419-457.

– *La tradizione del comico*, Milán, Garzanti, 1989.
Stefano Brugnolo, *La tradizione dell'umorismo nero*, Roma, Bulzoni, 1994.
Gian Petro Calasso, *Ipotesi sulla natura del comico*, Florencia, La Nuova Italia, 1992.
Antonietta Cataldi, *La stirpe di Falstaff*, Florencia, La Nuova Italia, 1989.
Gianni Celati, *Finzioni occidentali. Fabulazione, comicità e scrittura*, Turín, Einaudi, 1975.
Benedetto Croce, «L'umorismo» en *Problemi di estetica e contributi alla storia dell'estetica italiana*, Bari, Laterza, 1923.
Luca Corti, *Teofilo Folengo. Studi e testi*, Pisa, Libreria del Lungarno, 1994.
Alfonso di Nola, «Riso e oscenità» en *Antropologia religiosa*, Florencia, Vallechi, 1974.
Jean Duvignaud, *Le propre de l'homme: histoires du comique et de la dérision*, París, Hachette, 1985.
Umberto Eco, «Il comico e la regola», en *Alfabeta*, 21 de febrero de 1981, p. 5.
Robert Escarpit, *L'Humour*, París, PUF, 1963.
James E. Evans, *Comedy: an Annotated Bibliography of Theory and Criticism*, Londres y N. Y., The Scarecrow Press, 1987.
Giulio Ferroni (ed.), *Ambiguità del comico*, Palermo, Sellerio, 1983.
Franco Fornari (ed.), *La comunicazione spiritosa. Il motto di spirito da Freud a oggi*, Florencia, Sansoni, 1982.
Sigmundo Freud, *El chiste y su relación con el inconsciente*, en *Obras Completas*, Madrid, Biblioteca Nueva, 1974; Madrid, Orbis, 1988, vol. 5.
Edward L. Galligan, *The comic vision in literature*, Athens, Univ. of Georgia Press, 1984.
Geffery H. Golstein y Paul E. Mc Ghee (ed.), *La psicologia dello humour*, Milán, Angeli, 1976.
Johan Huizinga, *Homo ludens*, Turín, Einaudi, 1973.
Edith Kern, *The Absolute Comic*, Nueva York, 1980.
Sarah Kofman, *Pourquoi rit-on? Freud et le mot d'esprit*, París, Galilée, 1986.
Ernst Kris, *Ricerche psicoanalitiche sull'arte*, Turín, Einaudi, 1967.
Denise Jardon, *Du comique dans le texte littéraire*, Bruselas, De Boek-Duculot, 1988.
Diego Lanza, *Lo stolto. Di Socraate, Eulenspiegel, Pinocchio, e altri trasgressori del senso comune*, Turín, Einaudi, 1997.
Marius Latour, *Premiers principes d'une théorie générale des émotions*, París, alcan, 1935.
– *Le problème du rire et du réel*, París, PUF, 1956.
Octave Mannoni, *La funzione dell'imaginario*, Bari, Laterza, 1972.
Charles Mazouer, *Le personnage du naïf dans le théâtre comique du Moyen Age à Marivaux*, París, Librairie Klincsick, 1979.
Krishna Menon, *A theory of laughter: with specifical relation to comedy and tragedy*, Folcroft, Pa., Folcroft Library Editions, 1978.
Nicola Merola - Nuccio Ordine, *La novella e il comico da Boccaccio a Brancati*, Nápoles, Liguori, 1996.
Marina Mizzau, *L'ironia*, Milán, Feltrinelli, 1984.

Walter Nash, *The Language of Humour*, Londres - Nueva York, Longman, 1986.

Nuccio Ordine, *Teoria della novella e teoria del riso ne Cinquecento*, Nápoles, Liguori, 1996.

Francesco Orlando, *Per una teoria freudiana della letteratura*, Turín, Einaudi, 1973.

– *Illuminismo e retorica freudiana*, Turín, Einaudi, 1982.

John Boynton Priestley, *The English comico characters*, Nueva York, Phaeton Press, 1972.

Bernadette Rey-Flaud, *La farce ou la machine à rire: théorie d'un genre dramatique. 1450-1550*, Ginebra, Droz, 1984.

Karl Rosenkranz, *Estética de lo feo*, Madrid, Julio Ollero, 1992.

Jean Sareil, *L'écriture comique*, París, PUF, 1984.

Claude Saulnier, *Le sens du comique. Essai sur le caractère esthétique du rire*, París, Vrin, 1940.

Scot Cutler Shershow, *Laughing Matters: the Paradox of Comedy*, Amherst, Mass., 1986.

Bernard N. Shilling, *The Comic Spirit*, Detroit, MI, Wayne State Univ., 1965.

Jean Starobinski, «Le rire de Démocrite», en *Bulletin de la Société Française*, enero-marzo, 1989, pp. 1-34.

Tzvetan Todorov, «La réthorique de Freud» en *Théorie du symbole*, París, Editions de Seuil, 1977, pp. 285-321.

Traducciones utilizadas[1]

Aristófanes, *Los Arcanienses*, Madrid, Cátedra, 2000, traducción de Francisco Rodríguez Adrados.

– *Los caballeros*, Madrid, Cátedra, 2000, traducción de Francisco Rodríguez Adrados.

– *La asamblea de mujeres*, Madrid, Cátedra, 2000, traducción de Francisco Rodríguez Adrados.

– *Las nubes*, Madrid, Cátedra, 1999, traducción de Francisco Rodríguez Adrados y Juan Rodríguez Somolinos.

– *La paz*, Madrid, Cátedra, 1997, traducción de Francisco Rodríguez Adrados.

– *Pluto*, Madrid, Cátedra, 1999, traducción de Francisco Rodríguez Adrados y Juan Rodríguez Somolinos.

– *Las aves*, Madrid, Cátedra, 1997, traducción de Francisco Rodríguez Adrados.

– *Las avispas*, Madrid, Cátedra, 1997, traducción de Francisco Rodríguez Adrados.

[1] En algunas ocasiones he modificado muy levemente los fragmentos citados, basándome siempre en los originales; en otras ocasiones no he encontrado ediciones en español de los textos y las traducciones son mías, en tales casos no las cito en este índice (N. del T.).

Aristóteles, *Poética*, Madrid, Gredos, 1992, edición trilingüe de Valentín García Yebra.

Samuel Beckett, *Esperando a Godot*, Madrid, Aguilar, 1978, trad. de Pedro Gimferrer.

Giovanni Boccaccio, *Decamerón*, Madrid, Cátedra, 1994, traducción de María Hernández Esteban.

Bertolt Brecht, *Teatro completo*, Madrid, Alianza Editorial, 1999, traducción de Miguel Sáez.

Michail Bulgakov, *Corazón de perro*, Cerdanyola, Editorial Labor, 1974, traducción de Ricardo Sanvicente.

– *Los huevos fatales*, Barcelona, Editorial Bruguera, 1983, traducción de Silvia Serra Fernández.

Samuel Butler, *Erewhon o Allende las montañas*, Barcelona, Editorial Bruguera, 1982, traducción de Ogier Preteceille.

Lewis Carroll, *Alicia en el país de las maravillas*, Madrid, Cátedra, 1992, traducción de Ramón Buckley.

Antón P. Chejov, *Obra completa*, Madrid, Espasa-Calpe, 2000, traducción de Héctor de Zaballa *et al.*

Charles Dickens, *Papeles póstumos del club Pickwick*, Madrid, Alianza Editorial, traducción de Manuel Ortega y Gasset.

Gustave Flaubert, *Bouvard y Pécuchet*, Barcelona, Editorial Bruguera, 1978, traducción de Juan Carlos Silvi.

Horacio, *Sátiras*, en *Sátiras, Epístolas, Arte poética*, Madrid, Ediciones Cátedra, 1996, traducción y edición de Horacio Silvestre.

Jaroslav Hasek, *Las aventuras del valeroso soldado Schwejk*, Barcelona, Editorial-Bruguera, 1981, traducción de Alfonsina Janés.

Eugène Ionesco, *El porvenir está en los huevos*, Madrid, Alianza Editorial, 1985, traducción de Luis Echávarri.

– *La cantante calva*, Madrid, Alianza Editorial, 1996, traducción de Luis Echávarri.

– *La lección*, Madrid, Alianza Editorial, 1996, traducción de Luis Echávarri.

– *El rinoceronte*, Madrid, Alianza Editorial, 1996, traducción de María Martínez Sierra.

Alfred Jarry, *Todo Ubu*, Barcelona, Editorial Bruguera, 1981, traducción de José-Benito Alique.

Marcial, *Epigramas completos*, Madrid, Ediciones Cátedra, 1996, traducción y edición de Dulce Estefanía.

Guy de Maupassant, *Obra completa*, Madrid, Aguilar, traducción de Luis Ruiz Contreras.

Molière, *Obra completa*, Barcelona, Editorial Bruguera, 1981, traducción de Julio Gómez de la Serna.

Plauto, *Comedias (I y II)*, Madrid, Ediciones Cátedra, 1998 y 2000, traducción y edición de José Ramón Bravo.

Raymond Queneau, *Flores azules*, Barcelona, Ediciones Martínez Roca, 1991, traducción de Manuel Serrat Crespo.

– *Mi amigo Pierrot,* Barcelona, Editorial Anagrama, 1993, traducción de Carlos Manzano.

François Rabelais, *Gargantúa y Pantagruel* (libros I y II) Madrid, Ediciones Akal, 1986 y 1989, traducción y edición de Juan Barja Quiroga.

Rudolf Raspe, *Las aventuras del barón de Munchhausen,* Barcelona, Editorial Bruguera, 1982, traducción de José A. Vidal Sales.

William Shakespeare, *Obras completas,* Madrid, Aguilar, 1951, traducción y edición de Luis Astrana Marín.

Laurence Sterne, *La vida y las opiniones del caballero Tristram Shandy,* Madrid, Alfaguara, 1999, traducción de Javier Marías.

Jonathan Swift, *Los viajes de Gulliver,* Madrid, Espasa-Calpe, traducción de Javier Bueno.

Terencio, *Obra completa,* Madrid, Consejo Superior de Investigaciones Científicas, traducción de Lisardo Rubio.

Mark Twain, *Cuentos humorísticos,* Madrid, Akal, 1986, traducción de Antonio Barrado.

Voltaire, *Candido,* Madrid, Editorial Edaf, 1994, traducción de María Isabel de Azcoaga.

– *El ingenuo,* Gijon, Ediciones Júcar, 1974, traducción de Antonio Espina.

– *La princesa de Babilonia,* Barcelona, Editorial Bruguera, 1984, traducción de Carlos Pujol.

– *Zadig,* Barcelona, Editorial Bosch, 1982, traducción de Francisco Lafarga Maduell.

Oscar Wilde, *La importancia de llamarse Ernesto,* Madrid, Espasa-Calpe, 1960, Traducción de Ricardo Baeza.

Pelham Grenville Wodehouse, *Amor y gallinas,* Barcelona, Editorial Anagrama, 1999, traducción de Carlos Botet.

– *Castillo de Blandings,* Barcelona, Ediciones Versal, 1990, traducción de Esteban Riumbau Saurí.

Índice de autores y de obras

* Los números en cursiva envían a nota en la página señalada.

257